Devil's Corner

*Van dezelfde auteur in chronologische volgorde:*

Door angst gedreven
Laatste kans
Op de loop voor de wet
Gezocht wegens moord
Met voorbedachten rade
Als twee druppels water
Niets dan de waarheid
Vendetta
Murphy's dilemma
De gespiegelde vrouw
Dodelijke glimlach

Lisa Scottoline

# Devil's Corner

2006 – De Boekerij – Amsterdam

*Oorspronkelijke titel:* Devil's Corner (HarperCollins Publishers)
*Vertaling:* Harmien L. Robroch
*Omslagontwerp:* marliesvisser.nl
*Omslagfoto's:* Corbis

ISBN-10: 90-225-4605-5
ISBN-13: 978-90-225-4605-5

*Voor mijn dochter,*
*mijn favoriete hoofdpersoon aller tijden*

# Deel 1

*Hierbij geef ik de stad de naam Philadelphia. Laat elk huis in het midden van het perceel worden geplaatst, zo de persoon dat wil, zodat er aan elke kant land is voor tuinen of boomgaarden of velden, en het een groene stad wordt die nimmer door vuur verwoest zal worden en immer heilzaam zal zijn.*

William Penn,
Instructies aan Zijn Gelastigden, 1681

V: In wat voor drugs dealde je?
A: Het begon met kleine hoeveelheden, en na een paar jaar werd het steeds meer.
V: En wat voor soort drugs?
A: Eerst crack en daarna cocaïne.
V: Hoe oud was je ongeveer toen je crack begon te dealen?
A: Dertien, of zo.
V: En kun je me vertellen waar dat was?
A: Rond Ithan Street, 50th en Market, in de omgeving van West-Philadelphia.

Jamal Morris
*Verenigde Staten vs. Williams*, United States District Court, Eastern District of Pennsylvania
Rolnummer 02-172, 19 februari 2004
Proces-verbaal regel: 242-243

# 1

Vicki Allegretti had zich altijd afgevraagd hoe het zou zijn om in de loop van een geladen pistool te staren, en nu wist ze het. Het wapen was een zwarte Glock, negen millimeter, en hij was op haar rechteroog gericht. Vicki keek ernaar alsof ze buiten haar lichaam was getreden, alsof het een vrouw overkwam met meer gevoel voor humor dan zij. Zou een zwart wapen je mooi afkleden, vroeg ze zich af.

Een zwarte tiener met dreadlocks die er net zo bang uitzag als zij was, hield een wapen op haar gericht. Hij leek een jaar of veertien, had wat dons als snor, en zijn bruine ogen schoten angstig heen en weer. In zijn grote Iverson-gympen, slobberbroek en glimmend rode Sixers-jas bleef hij heen en weer schuiven. Hij was blijven staan op de plek waar hij de trap af was gekomen en Vicki had zien staan. Zijn geschokte blik suggereerde dat hij niet veel advocaten had neergeschoten in zijn leven. *Nog niet, althans.*

'Dit wil je echt niet, man,' zei ze rustig, maar dat was puur schijn. De lange vingers van het joch trilden om de kolf en met zijn andere hand hield hij een bobbel onder zijn jas vast alsof hij iets verstopt had. Kennelijk was ze op een inbraak door een beginneling gestuit. Helaas was de Glock een rot in het vak. 'Ik ben assistent-openbaar aanklager.'

'Hè?' De tiener slikte luid en zijn ogen schoten verward heen en weer.

'Ik werk voor het ministerie van Justitie. Mij vermoorden is net zoiets als een politieagent vermoorden.' *Oké, dat was niet echt waar, maar dat zou het wel moeten zijn.* 'Als je mij doodschiet, zullen ze je als een volwassene berechten. Dan eisen ze de doodstraf.'

'Doe je handen omhoog!' De ogen van de tiener schoten vuur en hij likte met zijn grote, droge tong over zijn lippen.

'Goed, best. Rustig aan.' Vicki stak langzaam haar handen in de lucht en weerstond de aandrang om te vluchten. Dan zou hij haar in de rug schieten; de woonkamer was zo klein dat ze de voordeur nooit zou halen. Misschien kon ze zich hieruit praten. 'Kom op, hé, je wilt een aanklacht wegens inbraak toch niet verergeren met moord? Dat spul onder je jas is gewoon van jou. Neem het maar mee.'

'Kop dicht!'

Dus deed ze dat, terwijl ze haar handen in de lucht hield en haar gedachten tekeergingen. Dit hoorde helemaal niet te gebeuren. Ze was die avond naar het rijtjeshuis gegaan om een informant te spreken over een onbeduidende wapenrunnerzaak. De afspraak was zo'n routineklus dat Bob Morton, een agent van de ATF, (Bureau of Alcohol, Tobacco, Firearms and Explosives) buiten nog even een sigaretje stond te roken. Kon ze tijdrekken totdat Morty kwam? En waar was haar informant eigenlijk?

'Jay-Boy!' gilde het joch paniekerig omhoog. 'Jáy!'

Vicki registreerde de bijnaam. Ze kon precies zeggen waar elke pukkel op het gezicht van de knul zat. Ze zou er niet levend vanaf komen. Ze kon niet op Morty wachten. Ze moest iets doen.

'Jay! Waar zit je?' schreeuwde de tiener, terwijl hij zich half omdraaide, waarop Vicki haar enige kans waarnam. Ze greep de loop van de Glock vast en draaide hem omhoog. Tegelijkertijd deed Morty de hordeur open en explodeerde de hele wereld.

'Morty, kijk uit!' riep Vicki. De Glock ging af en schoot schokkend naar achteren. De loop brandde in haar handen. De knal doorboorde haar trommelvliezen. De tiener gaf een ruk aan het pistool en trok haar omver. Tegelijkertijd klonk er nog een schot. Niet van de Glock. En het was te dichtbij om van Morty's wapen afkomstig te zijn. Vicki's adem stokte en ze keek langs de tiener. Een jongeman met een sikje en een zwarte jas schoot vanaf de trap op Morty.

'Nee!' schreeuwde Vicki, en ze worstelde om de Glock te pakken. Ze ving een glimp op van Morty toen hij achteroverviel, zijn gezicht vertrokken van de pijn. Zijn armen vlogen als een marionet omhoog en het wapen schoot uit zijn hand.

'Néé!' Vicki schreeuwde nog harder, toen de man op de trap maar bleef schieten. Een tweede schot, toen een derde en een vierde doorboorden Morty's borstkas, rukten de blauwe stof van zijn donsjas uiteen en lieten zijn gevallen lichaam schokken.

Vicki's hart sloeg over en ze rukte nog harder aan het pistool. De tiener gaf haar een stomp in haar maag waardoor ze dubbelklapte en naar adem hapte. Ze liet de Glock los en sloeg terug. Ze greep zijn Sixers-jas beet en hield uit alle macht vast.

'Laat los!' schreeuwde de tiener, en hij stompte Vicki een aantal keren. Ze wankelde en viel na een harde klap op de grond. Terwijl ze viel, hoorde ze in de verte een sirene loeien en het joch schreeuwde bang: 'Jay, we moeten hier weg! Jay!'

Vicki lag in elkaar gedoken op haar zij, verlamd van angst. Door de tranen in haar ogen zag ze niets meer. Ze kon niet meer helder nadenken. Er klonken voetstappen, ze hoorde iemand hijgen en er werd een geweer geladen. Ze deed haar betraande ogen open en staarde in de twee bodemloze lopen van een afgezaagd jachtgeweer. Er kringelde hete rook uit de lopen en ze rook de branderige lucht. De man die het wapen op haar had gericht, was de schutter met het sikje.

*Mijn god, nee.* Vicki liet zich opzij rollen in een laatste poging zichzelf te redden.

'Niet doen, Jay, ze is een smeris!' schreeuwde de tiener. En toen: 'Nee! Pak het! Snel!' Opeens graaiden ze allemaal dingen van de grond. Wat ze hadden gestolen was zeker uit de Sixers-jas gevallen.

'Laat liggen, Teeg! We moeten gaan!' De schutter rende al weg met zijn handen vol. De tiener stoof achter hem aan, sprong over Morty heen en rende de voordeur uit, waarna het opeens stil was in het rijtjeshuis.

*Morty.* Vicki draaide zich weer om, kwam moeizaam overeind en liep struikelend naar de andere kant van de kamer.

'Morty!' riep ze bang, toen ze bij hem was. Hij lag op zijn rug met zijn armen gespreid, en hij knipperde met zijn blauwe ogen. 'Morty, kun je me horen? Morty?'

Hij gaf geen antwoord, kon zijn blik nauwelijks richten. Zijn elegante gelaat stond slap en er glom een laagje zweet op zijn voorhoofd en zijn zandkleurige haar. Vers bloed stroomde uit zijn borstkas en doorweekte zijn jas. Het felblauw werd glibberig zwart en op de witte vulling zaten rode spetters.

*Nee, alstublieft God.* Vicki slikte haar tranen door. Ze legde haar hand op de wond om het bloeden te stelpen en stak haar andere hand in haar jaszak om haar telefoon te pakken, ze klapte hem open en drukte op de voorkeuzetoets van het alarmnummer. Toen er werd opgenomen, zei ze: 'Ik ben in Maron Street 483, een zijstraat van Roosevelt Boulevard! Er is een agent neergeschoten! Agent neergeschoten!'

'Wat zegt u?' vroeg de telefonist. 'Mevrouw, hoe is uw naam?'

'Allegretti! Snel, er is een ATF-agent neergeschoten! Stuur een ambulance! Schiet op!' Vicki duwde de glibberige telefoon onder haar oor en drukte uit alle macht op Morty's wond. 'Wat moet ik doen? Hij is in zijn borst geschoten! Ik doe mijn best om het bloeden te stelpen!'

'Ga daarmee door en laat hem liggen waar hij ligt,' antwoordde de telefonist. 'Blijf kalm, ik stuur een ambulance.'

'Dank u! Snel!' Vicki drukte harder op de wond. Warm bloed sijpelde tussen haar vingers door. Morty's lippen gingen uiteen. Hij wilde iets zeggen.

'Vick?' Morty fronste zijn wenkbrauwen. 'Ben... jij dat?'

'Ja, ik ben hier. Ik ben het!' Vicki voelde zich wat beter. Ze hield haar hand op de gruwelijke wond. Als er iemand was die dit kon overleven, dan was het Morty wel. Hij was vijfenveertig, fit, sportte trouw en had zelfs een keer een marathon gelopen.

'Wat is er in godsnaam gebeurd?' Er vormde zich een dunne, rozerode luchtbel in Morty's mondhoek en Vicki had moeite om rustig te blijven.

'Er waren hier twee kinderen toen ik binnenkwam, het was een inbraak. De deur stond open en ik dacht dat ik iemand "kom binnen" hoorde zeggen...'

'En de informant?'

'Weet ik niet. Misschien was ze niet thuis.'

'Ben jij niet... gewond?'

'Nee, met mij is alles goed. En met jou komt het ook goed.' De luchtbel van bloed spatte uiteen en Vicki keek vol afschuw toe. Had ze hem maar in de auto laten roken. Had ze het pistool maar eerder vastgepakt. De schutter had haar niet neergeschoten omdat hij dacht dat ze een politieagent was, maar Morty was juist de agent. De telefonist had gezegd dat de ambulance er over tien minuten zou zijn. Vicki zei: 'De ambulance is onderweg. Hou vol, alsjeblieft, hou vol.'

'Grappig. Je hebt altijd al gezegd... dat die sigaretten nog eens... mijn dood zouden worden.' Morty slaagde erin een gepijnigde glimlach op zijn gezicht te toveren.

'Je redt het wel, Morty. Dat zul je zien, je redt het wel. Je moet het redden.'

'Je bent verdomd bazig... voor zo'n kleintje,' fluisterde Morty, en plotseling verslapte zijn glimlach.

En zijn ademhaling stopte.

Vicki schreeuwde zijn naam. Toen liet ze de telefoon vallen en probeerde hem te reanimeren totdat de politie arriveerde.

En toen werd de situatie nog erger.

# 2

Tegen middernacht zat het rijtjeshuis stampvol met agenten in uniform, rechercheurs Moordzaken van de plaatselijke politie, rechercheurs van de Technische Recherche, Vicki's chef, Howard Bale, van het Openbaar Ministerie en bazen van de FBI en ATF. De enige die ontbrak was Morty, wiens lichaam was gefotografeerd, in een plastic nylon zak was gelegd en, officieel doodverklaard, was afgevoerd. Hierdoor voelde Vicki zich eenzamer dan verwacht in zo'n menigte, terwijl ze op een bank tegenover een rechercheur Moordzaken zat.

'Akkoord, ik weet voorlopig genoeg,' zei de rechercheur, terwijl hij een notitieboekje dichtsloeg en van het voetenbankje opstond.

'Mooi.' Verdoofd bleef Vicki op de bank zitten. Ze had haar handen gewassen, maar had haar regenjas niet uitgetrokken. Er zaten opgedroogde bloedvlekken op de revers. Dat had ze pas in de gaten toen de rechercheur haar bevreemd aankeek. 'Had ik u nou een visitekaartje gegeven? Ik weet het niet meer.'

'Ja. Dank u.'

'Prima.' Vicki zou hem bij zijn naam hebben genoemd, ware het niet dat ze die ook was vergeten. Haar hele lijf deed zeer en haar hart was leeg. Ze had een uitgebreide verklaring afgelegd tegenover de ATF, de FBI en tot slot tegenover de rechercheurs Moordzaken. Alle details waren als een onsamenhangende stroom woorden uit haar gegolfd. Ze had de hele tijd aan Morty gedacht en aan de informant die doodgeschoten boven lag. Vicki had het lichaam nog niet gezien omdat de rechercheurs eerst haar verklaring wilden om het signalement zo snel mogelijk te laten uitgaan.

Ze stond met knikkende knieën op van de bank en liep zigzaggend tussen de menigte door naar de trap. Het huis voelde ijskoud aan omdat de voordeur voortdurend openging en de koude januarilucht binnendrong. Ze vermeed de nieuwsgierige blikken en verdrong het geroezemoes. Ze wilde in zichzelf gekeerd blijven, geïsoleerd in haar besmeurde regenjas. Ze moest erachter komen hoe het vanavond zo fout had kunnen gegaan en waarom.

Ze liep naar de trap langs de genummerde gele bordjes die aangaven waar hulzen lagen. Haar gedachten tolden verward. Dit was niet meer dan een routineklus geweest, een geval van illegale wapenhandel. De aanklacht was dat een vrouwelijke runner twee 45. Colts bij een plaatselijke wapenhandelaar had gekocht en ze illegaal had doorverkocht aan iemand anders; het gewelddadige equivalent van alcohol kopen voor een minderjarige. De informant had met informatie over de gedaagde gebeld voordat Vicki bij het Openbaar Ministerie was komen werken en zij had de zaak overgenomen omdat wapenrunnerzaken altijd bij nieuwelingen werden gedumpt als leerervaring. Een van de meest toegewijde agenten van de ATF was aangewezen als haar partner.

*Morty. Vergeef het me alsjeblieft.*

Er streek iets langs Vicki's schouder en ze schrok op. Haar baas, Howard Bale, stond voor haar met zijn een meter vijfenzeventig lange, zwarte lichaam in een krijtstreeppak en mocassins met kwastjes. Een camelkleurige kasjmieren jas maakte zijn kenmerkende keurige uitstraling helemaal af. Bale grapte altijd dat hij niet zwart was, maar dat hij een pauw was.

'O, chef.' Bales ogen, met de warme kleur van espresso, waren samengeknepen door de spanning, en zijn lippen, die verstopt zaten onder een snor die een overbeet verborg, vormden een vermoeide, maar meelevende glimlach.

'Gaat het?'

'Ja.' Vicki hield zich aan de trapleuning vast toen een technisch rechercheur met een gewatteerd vest onder zijn blauwe overall zich langs haar wurmde.

'Heb je dat water gedronken dat ik je had gegeven?'

'Vergeten.'

'Ik ben de chef, meisje. Je hoort zulke dingen niet te vergeten.'

'Sorry.' Vicki glimlachte, maar zonder gevoel. Toen Bale was gearriveerd, had hij haar omhelsd en haar een bekertje water gegeven. Dat gebaar was niemand ontgaan. Daarmee zei hij: *Ik neem haar niets kwalijk, dus jullie ook niet.* Hij ging ook niet tekeer over wat een puinhoop dit was, ook al had ze zo'n vermoeden dat dat nog wel zou komen. Niet dat het er nog toe deed. Vicki had al sinds haar studietijd openbaar aanklager willen worden en nu maakte het haar niets meer uit als ze zou worden ontslagen.

'Waar ga je naartoe?' vroeg Bale.

'Ik wil mijn informant zien.'

'Wacht. Ik wil je iets laten zien.' Bale leidde haar zachtjes bij haar elleboog terug door de woonkamer. Geüniformeerde agenten en rechercheurs gingen voor hem opzij; als districtschef Zware Misdaad was Bale de toekomstige advocaat-generaal. Hij liep met haar naar de voordeur van het rijtjeshuis en Vicki verstijfde toen ze dicht bij de plek kwam waar Morty was gedood. 'Het is wel goed,' zei Bale zachtjes, maar Vicki schudde haar hoofd.

'Nee.'

'Kijk. Hier.' Bale wees en Vicki keek. Een kring van agenten die op hun knieën om iets heen hadden gezeten, stond op en trok zich terug. Op het tapijt lag iets wits ter grootte van een baksteen dat in plastic was gewikkeld en was dichtgeplakt met isolatietape. Een kilo cocaïne.

'Hoe kan ik dat over het hoofd gezien hebben?' vroeg Vicki verrast. Ze had er zo ongeveer over moeten struikelen, maar ze had alleen aandacht voor Morty gehad.

'Je zei dat er iets uit de jas was gevallen.' Bale had naar haar verklaring geluisterd. 'Zoals je het beschreef, moet dat van boven zijn gekomen toen ze naar beneden renden.'

'Ja.' Vicki was ervan uitgegaan dat de tieners gewone dingen hadden gestolen, zoals sieraden of contant geld. 'Cocaïne? Een kilo?'

'Dat is handel,' zei Bale gewichtig, en Vicki begreep het. Een kilo coke was handelsgewicht. Het had een straatwaarde van dertigduizend dollar die 'handelsopbrengst' werd genoemd in tegenstelling tot 'kruimelgeld', het geld dat straatdealers verdienden. Bale boog zich naar voren. 'Uiteraard zullen we dit niet bekendmaken bij de pers. Dus hou het voor je.'

'Begrepen.' Doordat Vicki zich op de cocaïne concentreerde, kon ze weer iets helderder nadenken. 'Dus mijn informant was een cokedealer? Waarom zou een dealer vrijwillig met ons willen praten?'

'Kijk eens rond en vertel me wat je denkt. Ik heb een theorie en iedereen is het met me eens. Dat kan niet goed zijn.'

Vicki slaagde er niet in een glimlach op haar gezicht te toveren omdat ze naar de drugs bleef kijken. *Morty is vermoord voor coke.*

'Dat is niet waar,' zei Bale scherp.

Vicki keek verbaasd op, zich er niet van bewust dat ze iets hardop had gezegd.

'Morty is bij zijn werk omgekomen en zo zou hij het gewild hebben.'

'Misschien,' zei Vicki, al was ze er niet van overtuigd dat hij gelijk had. Ze kon het op het moment gewoon nog niet bevatten.

'Valt je iets op aan deze cocaïne, meisje?'

'Nee. Ben ik nu gezakt?'

'Kijk nog eens goed in het licht.' Bale griste een zaklantaarn uit de hand van een agent in uniform, ging op zijn hurken zitten en deed de zaklantaarn aan. Hij richtte hem op de cocaïne, en Vicki, die op haar hurken naast hem kwam zitten, zag wat hij bedoelde. Er lag een veelzeggende glans over de cocaïne, als een dodelijke regenboog.

'Zuivere cocaïne?' vroeg Vicki verrast. Ze dacht dat dat een stadsmythe was, maar hier lag het.

'Klopt. Het is zo puur dat het in hoeveelheid toeneemt als je het kookt.'

Vicki had dat ook ergens opgestoken. De meeste cocaïne nam in zuiverheid af als je hem kookte doordat hij werd vermengd met water, maagzout en een versnijdingsmiddel als mannitol totdat zich een olielaagje op het wateroppervlak vormde. De olie werd dan gekoeld waarna hij kristalliseerde en er een brokje werd gevormd. Het knetterende geluid dat het mengsel maakte als het werd verhit, gaf de drug zijn naam: *crack.*

'Dit is kwaliteitscoke. Dat spul is veertig ton waard, misschien wel meer,' voegde Bale eraan toe.

'Echt waar?' Onwillekeurig voelde Vicki zich erg naïef. Het was de reden dat ze deze baan had gewild, na twee jaar voor het parket te hebben gewerkt; de kans om de grote drugssmokkelaars te vervolgen. Alleen had dat Morty's dood tot gevolg gehad. Ze kwam overeind en beet op haar lip om zichzelf in de hand te houden, terwijl Bale de zaklamp uitdeed en ook opstond.

'Dat konden jullie niet weten,' zei Bale, op ongebruikelijk vriendelijke toon. Zonder aankondiging voelde Vicki een traan opwellen. Hij deed of hij het niet zag en ze knipperde met haar ogen tot hij weg was.

'Ik wil mijn informant zien.'

'Die heette Jackson, klopt dat?'

'Ja. Shayla Jackson.'

'Had je haar al eens eerder ontmoet?'

'Nee.' Vicki voelde dat ze rood werd. 'Ik had haar aan de telefoon gehad om de afspraak te maken. Ik wilde haar persoonlijk spreken omdat ik dacht dat ze daardoor meer zou loslaten. Dat was me nog eens een blunder.'

'Nee. Alleen een verkeerde inschatting.'

'Nou en of. Anders was dit nooit gebeurd. Ik had het moeten weten.'

'Hou op. Achteraf is het makkelijk praten, dat weet je. Ik zou hetzelfde hebben gedaan.' Bale legde een hand op haar schouder. 'Wat heeft Jackson tegen de onderzoeksjury gezegd? Daar zul je wel iets uit kunnen opmaken.'

'Weet ik niet. Het proces-verbaal zat niet in het dossier.'

Bale fronste zijn wenkbrauwen. 'Nee, dat is niet goed. Je moet je dossiers wel goed bijhouden.'

'Ik kreeg het dossier toegewezen, weet u nog? De enige achtergrondinfo in dit dossier is een memo van de vorige assistent-openbaar aanklager waarin staat dat Shayla Jackson telefonisch had aangeboden om te getuigen dat de beklaagde wapens had gekocht met als doel ze door te verkopen.' Vicki werd opnieuw overspoeld door een golf van spijt dat ze niet eerder met Jackson had afgesproken. Als ze meer informatie had gehad, had de informant nu nog geleefd. En Morty ook. Ze duwde die gedachte opzij, maar ze wist dat hij zou terugkomen. 'De coke begrijp ik niet. Jackson klonk niet als het type ervoor. Ik vraag me af of het iets te maken heeft met de wapenrunnerzaak.'

'Hoezo?'

'Nou ja, Jackson wist dat ik vanavond zou komen. Het was riskant voor haar om me hierbinnen te laten terwijl ze coke in huis had. Dat klopt gewoon niet.' Vicki dacht hardop; een slechte gewoonte waar je baas bij staat. 'Stel dat ze is vermoord om te voorkomen dat ze met mij zou praten. Of om te voorkomen dat ze zou getuigen.'

'In een wapenrunnerzaak? Dat lijkt me niet. Uit hoeveel punten bestaat de aanklacht?'

'Eén.'

'Dat kan hooguit vijf jaar betekenen. Stelt niets voor. Wie is de runner?'

'Reheema Bristow. Geen strafblad, had twee banen.'

'Niets bijzonders dus. Die lui nemen runners met een geldig identiteitsbewijs, zonder strafblad en met een regelmatig arbeidsverleden voor het geval de wapenhandelaar het controleert. Runners hebben het lef niet om iemand te vermoorden.'

'Degene aan wie de wapens zijn doorverkocht misschien wel.' Vicki kon de mogelijkheid niet zomaar opzijzetten. 'En de timing is merkwaardig. Bristows rechtszaak is volgende week, althans die zou volgende week zijn geweest.'

'Wat heeft dit met jouw zaak te maken?'

'Die is nu voorbij.'

'Heb je geen bewijs ter onderbouwing van Jacksons verklaring?'

'Nee.'

Bale fronste opnieuw zijn wenkbrauwen en deze keer tuitte hij zijn roze onderlip. 'Oké, ga maar naar boven, maar je weet hoe het gaat. Nergens aankomen. De jongens van de plaatselijke politie houden er niet van als je over de plaats delict heen loopt, maar ze hebben al een schets gemaakt en foto's genomen. Wees voorzichtig, want de Technische Recherche is boven nog niet klaar. Zal ik met je meegaan?'

'Nee, dank u,' was Vicki's antwoord. Bale knikte al naar een agent in uniform in een poging hem als oppas aan te wijzen, maar draaide zich om voordat hij kon zien dat de agent geen vin had verroerd. Er was geen plaatselijke agent die ook maar een poot zou uitsteken om een FBI-agent te helpen. Z'n zaklamp mochten ze lenen.

'We spreken elkaar straks nog wel op kantoor.' Bale gaf haar weer een kneepje in haar schouder. 'Blijf niet te lang boven. Ga naar huis en rust wat uit.'

'Doe ik. Bedankt voor het water.' Vicki draaide zich om.

Ze had geen idee wat ze boven zou aantreffen.

# 3

Boven bleef Vicki in de deuropening van de slaapkamer staan. Een team van technisch rechercheurs stond aan de voet van het bed rondom Jackson te werken waardoor het lichaam aan het oog werd onttrokken. Een van de rechercheurs stofzuigde het lichtblauwe kleed op zoek naar haren en stof, en een andere rechercheur trok twee zakken om Jacksons handen om eventueel bewijsmateriaal onder haar nagels veilig te stellen. Een politiefotograaf in een donkere jas maakte videobeelden van de plaats delict en weer een ander nam foto's. Witte flitsen schoten ritmisch door de slaapkamer.

Vicki hield zichzelf voor dat ze wachtte tot de politie klaar was, maar in werkelijkheid probeerde ze te wennen aan de oerlucht van vers bloed. Ze had moeite om haar emoties in de hand te houden. Ze had drie moordonderzoeken meegemaakt toen ze voor het parket werkte, maar ze had nog nooit iets ervaren als deze avond waarbij een ATF-agent en een getuige waren vermoord. De misdaad was een aanslag op het rechtssysteem en Vicki was niet de enige die de ernst ervan ervoer. De technisch rechercheurs leken ongewoon bedrukt en gingen op in hun werk. Niemand was van plan de boel te verprutsen.

De politiefotograaf, een oudere man met een dubbelfocusbril, draaide zich om en vroeg: 'Zeg, sta ik in de weg?'

'Nee, het onderzoek gaat voor,' antwoordde Vicki, en ze hoopte dat ze overtuigend overkwam.

Ze bekeek de slaapkamer eens. Zelfs voor stadse begrippen was hij klein; kenmerkend voor de bakstenen driekamerwoningen in de straten rondom Roosevelt Boulevard. Vicki kon de andere slaapkamer aan de overkant van de gang achter in het huis zien en bedacht dat ze haar tijd kon gebruiken door die te bekijken.

Ze liep door de gang en zag dat de lichten brandden waardoor er een kale slaapkamer zichtbaar werd vol met opgestapelde dozen die zo te zien bij een slijter vandaan kwamen. Twee technisch rechercheurs met handschoenen aan sneden met een mes de nette bruine tape door en doorzochten de dozen. Naast de opdrukken van Smirnoff en Tanquery stond er met dikke stift CD's en ZOMERKLEREN op geschreven.

'Zo te zien ging ze verhuizen,' zei Vicki tegen de rechercheurs, waarna ze besefte wat ze had gezegd. 'Nou, goed.'

'Jij bent zeker van Moordzaken,' grapte de roodharige rechercheur.

'Nee, assistent-openbaar aanklager.'

'Nog erger.' De rechercheur lachte.

'Wat kom je zoal tegen?'

'Het is fascinerend. In de doos waar ZOMERKLEREN op staat zitten zomerkleren en in de doos waar CD's op staat zitten cd's.'

'Ik ben al weg,' zei Vicki met een gespannen glimlach, en ze dacht over de vondst na terwijl ze terugliep naar de andere slaapkamer en op de drempel bleef staan. De rechercheurs waren nog bij het lichaam bezig en het viel haar op dat de slaapkamer nog niet ingepakt was. Als Jackson al van plan was geweest om te verhuizen, dan was het niet binnen afzienbare tijd.

Vicki keek de slaapkamer rond. De eikenhouten ladekast en het nachtkastje waren overhoopgehaald en de laden stonden open. Er stond een kingsize bed tegenover de twee ramen aan de voorkant van het huis. Er had een gewatteerde sprei met blauwe vergeet-mij-nietjes op gelegen, maar die was er afgerukt. Zelfs de matras lag scheef.

Een van de technisch rechercheurs mompelde: 'Jezus, wat een bloed.'

'Wat had je dan verwacht?' vroeg een andere.

Vicki keek naar het rommelige bed. Er lagen pluchen beesten door elkaar op de kussens: een roze teddybeer, een pluizige puppy met een wit hart tussen zijn pootjes en een groenige slang met zwarte ruiten. Beneden had geen speelgoed gelegen, dus de pluchen beesten waren van Jackson. Opnieuw voelde Vicki een steek van wroeging.

Haar aandacht werd getrokken door enkele rommelige delen van de slaapkamer; aan de linkerkant stond een kast waarvan de witte lattendeuren openhingen en er puilden kleren uit. Ze liep in een grote boog om het lichaam en de rechercheurs naar de kast toe. Een stapel truien was eruit getrokken en lag op het kleed. Lege schoenendozen lagen open op de slaapkamervloer alsof ze haastig uit de kast gerukt waren. De inbrekers hadden niet de sandalen van het merk Nine West gestolen. Had de cocaïne in de schoenendozen gezeten?

Vicki draaide zich om en bekeek de slaapkamer opnieuw. Naast de kleerkast stond de ladekast – een moderne eikenhouten kast – overhoopgehaald tegen de muur. Ze liep ernaartoe en ving een blik van zichzelf op in de grote spiegel. Haar blauwe ogen waren roodomrand en gezwollen, het puntje van haar kleine neus was roze van het huilen en haar haar, ravenzwart tot op haar schouders, zag er onprofessioneel slordig uit. Morty's bloed zat nog op de revers van haar jas. Ze wendde haar blik af.

Om de hoeken van de spiegel hingen plastic bloemenslingers, een kleurige verzameling Mardi Gras-kettingen en een zwarte pet waarop TAJ MAHAL stond. Er zaten foto's in de lijst geduwd en Vicki bekeek ze eens goed. Er hingen vijf foto's en op elke foto was iedereen chic gekleed. Aan de reclame op de achtergrond te zien waren het trendy gelegenheden; de wedstrijd van de NBA All-Stars, de BET-uitreiking. Op drie van de foto's stond dezelfde jongeman: zwart, ongeveer dertig, met een brede glimlach en grote ogen. Hij had een gedrongen, gespierd lichaam, droeg een grote, gouden ketting om zijn hals, zijn haar was kortgeknipt en er waren letters op de zijkant van zijn nek getatoeëerd die onleesbaar waren.

De andere foto's waren ook van de jongeman, maar deze keer stond hij op de promenade met de oceaan achter zich en werd hij omhelsd door een jonge vrouw met een al even brede glimlach. Ze leek in de twintig, was zwaar opgemaakt en droeg een witte haltertop, een spijkershort en sandalen met plateauzolen. Veel gouden sieraden, maar geen trouwring. De wind woei door haar gekamde haar en op de laatste foto droeg ze een zwarte pet met de klep opzij. TAJ MAHAL. Dezelfde pet als aan de spiegel.

Vicki voelde een schokje door zich heen gaan. De vrouw was Shayla Jackson. De man was zeker haar vriend.

Haar blik ging naar het verlichte bureau waar een open sieradendoos op stond die glinsterde als een schatkist in een stripboek. De bakjes puilden uit met oorbellen, gouden enkelbanden, met diamanten ingelegde armbanden, gouden kettingen; de sieraden waren zeker enkele duizenden dollars waard en vreemd genoeg hadden de tieners ze niet aangeraakt, laat staan gestolen. Kennelijk waren Teeg en Jay-Boy geen gewone inbrekers.

Aan de snuisterijen rondom de sieradendoos hadden ze ook niet gezeten. Dure flesjes parfum – First, Chanel, Shalimar – lagen naast een pen, een Gucci-zonnebril en een paar rekeningen van Philadelphia Electric, Verizon en Philadelphia Gas. Vicki bekeek ze eens wat beter. Het waren rekeningen voor gas, water en licht en het poststempel was van de maand ervoor. De rekeningen waren aan Jackson geadresseerd, maar ze had ze niet opengemaakt. Ze had haar eigen naam en adres doorgestreept en er JAMAL BROWNING, ASPINALL STREET 3635 voor in de plaats geschreven.

Als dit Jacksons handschrift was, en dat was waarschijnlijk, dan wist zelfs Vicki wat dat betekende. Jackson stuurde Browning de rekeningen voor het huis. Hij onderhield haar. Kennelijk was hij de vriend op de foto's. Vicki had beneden nergens drugsattributen zien liggen, laat staan geldtelmachines of digitale weegschalen die grote dealers gebruikten. Jackson dealde waarschijnlijk geen coke, en al helemaal geen zuivere cocaïne; haar huis werd waarschijnlijk als bergplaats gebruikt en ze bewaarde de drugs voor iemand anders. Iemand voor wie ze haar leven op het spel wilde zetten, door het in haar huis te verbergen; iemand die haar zulke waardevolle handelswaar toevertrouwde. Jamal Browning, haar vriend. Maar waarom was ze van plan geweest om te verhuizen?

'Het is verdomd treurig,' zei een van de rechercheurs achter Vicki. Ze bereidde zich op het ergste voor en draaide zich om. Toch was ze absoluut niet voorbereid op de afschuwelijke aanblik.

Shayla Jackson lag op haar rug op het blauwe kleed tussen haar gebloemde bed en de muur. Haar slanke armen lagen uiteengespreid en haar roze handpalmen waren omhoog gekeerd. Haar bruine ogen, dezelfde mooie ogen als op de foto, waren opengesperd en staarden onbeweeglijk naar het plafond. Haar benen, lang en slank in een spijkerbroek, waren gruwelijk verdraaid en ze had blote voeten. Ze droeg een donkere, wijde trui met V-hals die was doorweekt met zwart bloed. Er zaten kogelgaten in haar bovenlichaam die een bebloede baan tussen haar borsten vormden. Door de inslagen waren rood spierweefsel en wit borstbeen zichtbaar. De huid was gerafeld als een lap stof en liet het wreedste van alles zien: Jacksons bebloede middenrif was bol en rond.

'Was ze zwánger?' vroeg Vicki vol afschuw, en een van de technisch rechercheurs die op zijn knieën zat keek op.

'Acht maanden,' antwoordde een Indiase arts die met Jacksons lichaam bezig was en met zijn glimmende hoofd boven haar borstwonden hing.

'Mijn god.' Vicki schudde haar hoofd. Ze voelde zich misselijk worden. Ze klemde haar kaken op elkaar om het gevoel te onderdrukken.

'Wie bent u?' De arts keek op en zijn blik schoot geërgerd heen en weer. Hij droeg een kastanjebruin vest onder zijn witte jas waarop een zwart kaartje gespeld was met daarop DR. MEHAR SORESH.

Vicki stelde zich voor en zei: 'Dit is mijn zaak.'

Een zwarte rechercheur voegde eraan toe: 'Ze is de assistent-openbaar aanklager die bijna samen met die ATF-agent was neergeschoten.'

Dr. Soresh richtte zich weer op zijn onderzoek. 'Dan mag u zich vanavond gelukkig prijzen.'

Vicki gaf geen antwoord. Ze kon het niet. Ze wist niet waar ze zou moeten beginnen. Door haar was haar partner dood.

Dr. Soresh ging verder. 'In antwoord op de vraag die u wilde stellen, het kind had niet meer gered kunnen worden. Moeder en kind waren al dood toen ze de vloer raakten.'

Vicki wilde de vraag niet stellen.

'Verder ben ik van mening dat de eerste kogel in de baarmoeder terechtkwam, dus is de baby eerst overleden.' Dr. Soresh haalde een lang, zilverkleurig instrument uit zijn zwarte tas. 'Iemand wilde dit kind dood hebben, dat is wel duidelijk.'

Vicki's gedachten tolden. Was het Brownings kind? Of van iemand anders? Wie zou een baby willen vermoorden? En wat had het te maken met de wapenrunnerzaak, áls het er al iets mee te maken had? Door deze vragen werd ze gedwongen helder na te denken. 'Dokter Soresh, weet u wie het lichaam gaat identificeren? Wie is de naaste familie, weet u dat?'

Soresh keek niet op. 'De moeder komt uit Florida. Tampa, geloof ik. Ze komt naar het mortuarium. We doen het via een beeldscherm. We maken het makkelijk voor ze, niet zoals op CSI. Eén en al drama als het lichaam wordt onthuld, *ta-da*.'

'De vriend komt niet?'

'Voor zover ik weet niet.'

'Een baby-mamadrama,' zei de zwarte rechercheur, en dr. Soresh wierp hem een vuile blik toe.

'Ik weet het niet, dat is niet mijn pakkie-an. De moeder komt morgenmiddag. Zij is de naaste familie, en dat is voor mij genoeg.'

'Wilt u me een kopie van uw rapport sturen als u klaar bent?'

'Tuurlijk. Wat was uw naam ook alweer?'

'Allegretti. Ik ben assistent-openbaar aanklager.'

'Prima.'

'Dank u,' zei Vicki, en ze probeerde alles op een rijtje te zetten. Morty was dood en de zwangere vrouw ook. En er was een baby vermoord. Ze wist niet of het iets te maken had met haar wapenrunnerzaak, maar ze was van plan om daar achter te komen.

En wel meteen.

# 4

Beneden was het nog drukker geworden en Vicki nam de kortste weg tussen de uniformen door naar Bale, die aan zijn manchetten trok en een glimmende gouden manchetknoop toonde terwijl hij met advocaat-generaal Ben Strauss stond te praten. Strauss, een blonde, nu grijzende man van ruim een meter tachtig, torende boven Bale uit in een donkerblauw pak zonder overjas. De eerste en enige keer dat Vicki Strauss had gezien, was toen hij haar als een van vijf nieuwe assistent-openbaar aanklagers had aangesproken toen ze van hun rondleiding terugkwamen. Strauss had een indrukwekkende staat van dienst, hij werkte al bijna vijfentwintig jaar voor Justitie, al leek hij wel erg blank vergeleken met Bale; naast elkaar waren de twee mannen net een chocoladevanille-ijsje.

Bale zag Vicki als eerste toen ze hen naderde. 'Hoe gaat het met mijn meisje?' vroeg hij, terwijl hij een arm om haar heen sloeg en haar in hun kringetje trok.

'Gaat wel,' antwoordde Vicki, en Strauss knikte somber.

'Gecondoleerd met Morty. Ik weet dat jullie vrienden waren.'

'Dank u.'

'Hij was een geweldige agent, een van de besten. Ik had je nog een e-mail willen sturen over jullie goede resultaat in de zaak-Edwards. Klasse.'

'Dank u.'

'Jullie waren een goed team. Hij heeft je vast alles geleerd, hè?'

'En meer.'

'Morty mocht mij niet, dat wist je vast ook wel.'

*Misschien is hij toch niet zo karakterloos als hij lijkt.* 'Dat heeft hij mij nooit gezegd,' zei Vicki, ook al was het niet waar. Morty had een hekel aan de advocaat-generaal gehad omdat hij het volk bespeelde en goedkope publiciteit zocht. Strauss lanceerde voortdurend nieuwe initiatieven, compleet met persberichten en artikelen op de website van het ministerie van Justitie: het Schoon Schip Project, het Schone Scholen Project, het Schone Wijken Project. Morty had hem de bijnaam Mr. Schoon gegeven.

'Mooi. Ach. Misschien had ik het mis. Dat vind ik wel een prettige gedachte.' Strauss, met zijn vlijmscherpe blauwe ogen, gaf Vicki stijfjes een klopje op haar arm.

'Vicki heeft een zware avond gehad,' zei Bale, om haar wat steun te bieden.

'Nou en of, een zware avond,' echode Strauss als op commando. 'Dit is me nog eens een vuurdoop, hè? Misschien moet je een paar dagen vrij nemen. Morgen en het weekend.'

'Eigenlijk vraag ik me af of dit iets te maken heeft met mijn wapenrunnerzaak. Ik weet dat we de coke hebben gevonden, maar ik denk dat dit huis alleen als opslagpand werd gebruikt. Jackson was niet de dealer, niet in die hoeveelheden. Ik denk dat ze het bewaarde voor...'

'Ik ben al tot dezelfde conclusie gekomen en de ATF ook,' onderbrak Bale haar. Strauss trok zijn lichte wenkbrauwen op.

'Haar vriend heet Jamal Browning.' Vicki wist dat ze haar mond moest houden, maar dat had haar er nooit van weerhouden. 'Ik denk dat hij haar onderhield en misschien was hij de vader van de baby, want er liggen rekeningen op haar ladekast met zijn adres erop. Maar ik begrijp niet waarom ze ging verhuizen. Ze gingen niet samenwonen, anders had ze de rekeningen niet naar hem doorgestuurd. Als ze uit elkaar gingen...'

'Je hebt wat speurwerk verricht, zo te horen.' Bale glimlachte op een manier waarop ze wist dat ze haar mond moest houden, maar Vicki negeerde hem.

'Volgens mij was er geen andere man in het spel, nog niet. Om te beginnen was ze zwanger, en het is zo al moeilijk genoeg om iemand te ontmoeten. In de tweede plaats hangen de foto's van haar vriend nog aan de spiegel en...'

'Vicki, ik stel voor dat we deze discussie een andere keer voeren,' zei Bale zacht. Hij verplaatste zijn gewicht naar zijn andere modieuze mocassin. 'Dit is de tijd noch de plaats.'

'Mee eens.' Strauss keek om zich heen om te zien of iemand had meegeluisterd. 'We kunnen geen lek gebruiken.'

'Maar we moeten snel zijn.' Vicki ging iets zachter praten, ook al luisterde niemand hen af. 'Vanavond is alles nog vers, en dit is per slot van rekening een moordzaak. Toen ik nog voor het parket werkte, gingen we altijd...'

'Je speelt nu in de hoofdklasse.' Bale fronste zijn wenkbrauwen. 'We zijn advocaten, geen agenten. Morty is in goede handen, dat kan niet beter. Moordzaken van Philadelphia zit erop, en ze hebben de FBI en de ATF in hun nek hijgen. Zij zullen het bewijsmateriaal verzamelen en onderzoeken.'

'De burgemeester heeft ook al vragen gesteld.' Strauss keek op zijn horloge. 'Ik ga nu naar hem toe. Morgen geven we een persconferentie.' Hij draaide zich om en keek door de openstaande voordeur naar buiten. Er brandden allemaal lampen van televisieploegen en andere leden van de pers. 'Het krioelt daarbuiten. Een drievoudige moord, een agent dood.' Hij keek achterom naar Vicki. 'Ik hoef het je niet te vertellen, geen verklaringen aan de pers.'

'Natuurlijk niet.'

'Mooi.' Strauss gaf haar een klopje op haar schouder en knikte toen naar Bale. 'How, we spreken elkaar morgen.'

'Wanneer je maar wilt.' Bale knikte. Hij en Vicki keken Strauss na toen hij vertrok, zijn silhouet lang en slank in het licht van de lampen, omlijst door de deurpost. Zijn adem vormde een wolkje in de kille lucht en hij bleef niet eens staan bij de plek waar Morty was geveld.

'Mag u hem, chef?' vroeg Vicki.

'Ik heb een agent in uniform klaarstaan om je naar huis te brengen,' antwoordde Bale. Zijn donkere ogen weerspiegelden de witte glans van de televisielichten en de bewegende schaduwen.

Zodra Vicki de stoep op liep, werd ze als een kille wind belaagd door journalisten. 'Vicki, wat is je commentaar?' 'Vicki, kun je de moordenaar beschrijven?' 'Mevrouw Allegretti, wat deed u hier?' 'Waar was u toen speciaal agent Morton werd neergeschoten?' 'Vicki, wat waren de laatste woorden van de ATF-agent?'

*Morty.* Vicki bleef omlaag kijken toen ze zich een pad door de menigte baande en ze hield haar hand in de lucht om aan te geven dat ze geen commentaar had. Ze had wel eens spitsroeden moeten lopen toen ze voor het parket werkte, maar Strauss had gelijk. Dit was de hoofdklasse. De politieaanwezigheid was verdubbeld, er waren honden en paarden aanwezig, en de pers was landelijk, compleet met een aantal hufters.

'Klopt het dat de vrouw zwanger was?' 'Was het een drugsinval?' 'Waarom was de plaatselijke politie niet aanwezig?' 'Waarom was u erbij betrokken?' 'Victoria, kijk eens deze kant op! Eén foto, alsjeblieft!'

Enkele verslaggevers kwamen zo dichtbij dat Vicki bijna struikelde over een zwarte elektriciteitskabel die de felle lampen, microfoons, zwarte camera's met rubberen opklapbare kappen en snorrende videocamera's van stroom voorzag. Ze ving een glimp op van zichzelf op een van de beeldschermen. Haar hoofd zweefde merkwaardig zonder lichaam in de winterse zwarte lucht. Op het scherm leek ze nog kleiner dan haar een meter zevenenvijftig, iets wat ze lichamelijk niet voor mogelijk had gehouden.

Een agent in uniform wenkte haar vanuit een stationair lopende surveillancewagen. Het verkeer op de normaal gesproken drukke boulevard werd omgeleid over binnenwegen, en achter de surveillancewagen stond een ring van politieafzettingen om buren en toeschouwers op afstand te houden, die ondanks de kou stonden te praten, een sigaretje rookten en vragen riepen. Vicki wilde dat ze erachter kon komen wat ze haar konden vertellen over Jackson, Jamal Browning en het komen en gaan in het huis, maar ze was niet van plan om binnen gehoorsafstand van de media een buurtonderzoek te doen.

Ze rende naar de politieauto, stelde zichzelf voor aan de agent en liet zich op de warme achterbank zakken. De auto reed langzaam door de menigte totdat ze er voorbij waren. Vicki zei niets toen de surveillancewagen door de donkere straten reed. Ze deed haar best om de pijn in haar ribben niet te voelen. Of nog erger, in haar hart.

Na een tijdje sloeg de surveillancewagen rechts af de laan in langs het water van de Wissahickon; ze passeerden prachtige oude tudorhuizen en na een paar minuten waren ze bij de straat waar ze woonde, East Falls Mews. Het was de bedoeling dat het één geheel moest vormen met de rest van de wijk, maar dat deed het niet. Herenhuizen van nepsteen met imitatie tudorelementen omzoomden de nieuw geplaveide, kronkelende straten; het was een waardeloze plek om te wonen, maar de huur was laag en het lag net binnen de stadsgrenzen van Philadelphia, een vereiste voor officiers van justitie. De laatste tijd dacht Vicki erover om naar Center City te verhuizen, zodat ze misschien eens 'iemand' zou leren kennen, maar haar uitgaansleven was wel het laatste waar ze deze avond aan dacht.

Want, rillend op de stoep voor haar huis, zat de man die ze wilde zien.

# 5

Eenmaal binnen viel Vicki in Dans armen en toen ze zijn armen om zich heen voelde, realiseerde ze zich hoezeer ze hem nodig had. Ze nestelde zich in de koude dikke North Face-jas, voelde de harde contouren van zijn borst daaronder en de troost van zijn armen. Zijn blote nek rook naar koude lucht en harde zeep, en hij was lang en slank, zelfs in de donsjas. Ze hield hem zo dicht tegen zich aan als was toegestaan en trok zich toen terug. Hun relatie was er een waar Vicki gek van werd en waar Plato trots op zou zijn.

Want Dan Malloy was getrouwd.

Vicki kende de regels: een omhelzing was toegestaan, mits hij kort was en er geen contact was beneden de taille. Een kus mocht, zolang het op het voorhoofd was en ze iemand had weten te veroordelen voor een misdrijf. Het werkwoord dat begon met een H en eindigde op OUDEN VAN was verboden, tenzij ze het over Siciliaanse pizza hadden; daar hielden ze allebei van. Uiteraard had explosieve seks, hete seks, ontvlambare 'ik heb het mezelf te lang ontzegd'-seks, 'ik verlang hier al zo lang naar'-seks nog nooit plaatsgevonden. En dat zou het ook niet, behalve in Vicki's fantasie, waar het met grote regelmaat en wederzijds genot plaatsvond.

'Ik wilde zeker weten dat alles goed met je was.' Dan hield Vicki op armlengte en keek met zijn hemelsblauwe ogen, een beetje waterig van de kou, onderzoekend naar haar gezicht. Zijn rossige haar met lange bakkebaarden was sensueel warrig. 'Je zult er wel kapot van zijn. Morty was als een vader voor je.'

*Precies.* Vicki had zich nooit eerder zo compleet begrepen gevoeld door iemand die zo compleet getrouwd was.

'Jezus, hij is dood. Ik kan het niet geloven.'

'Hoe heb je het gehoord?'

'Op tv. Niet voor te stellen dat hij er niet meer is.' Dans blik was verbijsterd en zijn stem was schor. Zijn blik was omfloerst van verdriet, de hoeken van zijn volle lippen hingen omlaag en hij fronste zijn wenkbrauwen zo sterk dat alle sproeten op zijn voorhoofd bij elkaar kwamen. 'Hij was zo'n fantastische vent. Hij werkte hard, was plezierig in de omgang. Hij kon me altijd aan het lachen maken.'

Vicki voelde opnieuw een steek van pijn. Dan was erg op Morty gesteld geweest en Morty had hem ook gemogen. Maar goed, iedereen mocht Dan. Dan was de rijzende ster van het kantoor. Hij had meer veroordelingen op zijn naam staan dan wie ook, hij had als quarterback gespeeld tijdens de footballwedstrijd van de assistent-openbaar aanklagers tegen de federale sheriffs en hij had vanilletaart meegenomen toen de receptioniste jarig was. Met zijn vijfendertig jaar was Dan Malloy de grote held en hij was de enige die dat niet doorhad.

'Morty verdiende het niet om zo te sterven,' zei hij.

'Niemand verdient dat. Zij ook niet.' Vicki knipperde met haar ogen om haar tranen weg te krijgen, ze uit te stellen. Ze wist niet wanneer ze zich veilig genoeg zou voelen om te huilen. Ze kreeg steeds opnieuw uitstel, een advocatengewoonte.

'Mariella wilde je ook condoleren. Ze had dienst, anders zou ze hier ook zijn.'

'Bedank haar maar voor me.' Vicki hoopte dat het gemeend klonk. Dans vrouw, de exotische dr. Mariella Suarez, was chirurg-in-opleiding in het Hahnemann Hospital; beeldschoon, elegant, geblondeerd en altijd aan het werk. Ze sprak drie talen, waaronder haar moedertaal Portugees, en was erg afstandelijk, zelfs voor een chirurg. Ze was getrouwd met de meest fantastische man op aarde aan wie ze geen aandacht besteedde, en met de onbegrijpelijke logica van de kosmos was dat de reden dat ze een relatie met hem had.

Dan zei: 'Je zult wel doodmoe zijn. Ik heb wijn bij me. Kom, het is medicinaal.' Hij draaide zich om, liep naar de keuken en trok onderweg zijn jas uit waaronder een grijs T-shirt tevoorschijn kwam waarin hij waarschijnlijk had gebasketbald. Hij hing de jas over een eetkamerstoel en verspreidde een subtiele geur die de hele feromoontheorie maar weer eens bevestigde.

Vicki haalde diep adem en liep achter hem aan naar de keuken. Voordat ze er binnenging, bleef ze even staan, trok haar vuile regenjas uit en hing hem over een andere eetkamerstoel. Ze kon er niet meer naar kijken, laat staan dat ze hem ooit nog zou dragen. Ze liep de keuken in, liet zich in de houten stoel bij de ronde tafel ploffen en schopte haar pumps uit. 'Ik haat hoge hakken.'

'Ik ook.' Dan zette de wijn op het betegelde aanrecht en liep naar haar bestekla om een kurkentrekker te pakken. Hij wist precies waar die lag, omdat hij hier zo vaak was. Ze hadden elkaar een jaar geleden leren kennen, toen ze assistent-openbaar aanklager was geworden en de kamer naast de zijne had gekregen. Ze hadden vriendschap gesloten, roddelden met elkaar tijdens de lunch en vertelden waar mogelijk stoere verhalen aan elkaar. Ze aten ook vaak samen na hun werk, als Dr. Trut dienst had; Dan had waarschijnlijk vaker in deze keuken gekookt dan Vicki, en merkwaardig genoeg schaamde ze zich daar behoorlijk voor. Ze bekeek de ruimte, voor het geval ze overhoord zou worden.

Hij was ongeveer zes meter lang en was net breed genoeg om als keuken te fungeren. Er lag een verouderde eikenhouten vloer en er hingen bijpassende keukenkastjes aan de muur. Aan het plafond hing een halogeenlamp van oranje muranoglas die een zacht, maar geconcentreerd licht op de ronde keukentafel wierp. Dan stond aan de vage rand van het lamplicht in een spijkerbroek die een beetje te groot was, iets wat Vicki heimelijk heel charmant vond.

Ze keek toe hoe hij de wijn in twee glazen schonk en het vocht langs het glas bubbelde. Het was chardonnay. Dan wist dat dat haar lievelingswijn was en zijn attentheid bracht een golf van verlangen teweeg die zo krachtig was dat ze moest slikken om hem letterlijk haar keel weer in te duwen. Ze wilde dat ze zichzelf in hem kon verliezen, al was het maar voor één nacht, maar zo zag hij haar niet. *Niet dat dat iets uitmaakte. Hij mocht ook gewoon stil blijven liggen.*

'Op doktersvoorschrift.' Dan draaide zich met de glazen in zijn hand om en liep ermee naar de tafel, waar hij ze neerzette en in de andere stoel ging zitten. Zonder iets te zeggen, hieven ze beiden hun glas op en brachten stilzwijgend een dronk op Morty uit. Ze keken elkaar aan, maar Vicki verbrak het oogcontact als eerste en nam een slok. De koude chardonnay tintelde op haar tong. Een kille troost, maar toch.

'Lief van je dat je dit doet,' zei Vicki.

'Wat een vent.'

'Dat meen ik, het was lief van je. Ik weet dat je niet van chardonnay houdt.'

'Niet waar.' Dan nam nog een slok en herstelde zich, liet het moment achter zich. 'Chardonnay is heel stijlvol. Zelfs het woord is stijlvol. Chardonnay geeft me het gevoel dat ik bijna net zo stijlvol ben als jij.'

'Schei toch uit.' Vicki glimlachte. Het was het standaardgrapje tussen hen. Haar ouders waren vooraanstaande advocaten met een zeer succesvol kantoor in Center City. Dan was in de arbeiderswijk Juniata opgegroeid, en zijn vader was een mislukkeling die in de bak had gezeten wegens vervalsing. Dan was erg gevoelig als het om zijn familie ging, maar Vicki maakte het niet uit, alleen moest ze hierdoor wel aan haar eigen ouders denken. Even overwoog ze hen te bellen om ze te laten weten dat alles goed met haar was, maar ze lagen meestal al om tien uur in bed.

'Wil je praten over wat er is gebeurd?' Dan keek haar zo intens aan dat het in de meeste rechtsgebieden bijna als voorspel zou worden gezien. Alleen niet in het platonisch rechtsgebied.

'Zo dadelijk.'

'Oké. Ik maakte me zorgen om je.'

'En terecht.' Vicki negeerde alle aardige dingen die Dan zei, zelfs als het op de grens van flirten was. Hij zou zijn vrouw nooit bedriegen, en Vicki wilde geen verhouding met hem; eerlijk gezegd niet alleen vanwege haar normen en waarden, die radicaal verdwenen als hij die spijkerbroek droeg, maar ook omdat ze op de eerste plaats wilde komen. Welke advocaat zou genoegen nemen met de tweede plek? Nummer twee is een loser.

'Ze zeiden op het journaal dat je "er maar ternauwernood levend uit bent gekomen".' Dan maakte aanhalingstekens in de lucht, maar zonder te glimlachen. 'Is dat waar?'

Vicki dacht in een flits aan de wapens. Ze had er die avond twee van dichtbij gezien, dus dat was zeker ternauwernood, al was het misschien niet wonderbaarlijk. 'Ja.'

'Was je bang?'

'Mijn ondergoed is nog schoon.'

Dan schoot in de lach. 'Iets te veel informatie.'

'Ik ben er trots op. Het viel niet mee.'

'Ik doe mijn best om niet aan jouw ondergoed te denken.'

*Doe eens wat minder je best.* Vicki keek toe hoe hij van zijn wijn dronk die al bijna op was, en er viel een stilte tussen hen. Ze onderdrukte de gebruikelijke aandrang om hem bezig te houden door de stilte te vullen, maar ze had geen zin om van Morty's dood het zoveelste stoere verhaal te maken. En ze wist dat het een slechte gewoonte was om zich voor hem in allerlei bochten te wringen. Altijd verlangde ze vanbinnen naar hem. 'Onbeantwoord' was geen woord dat haar gevoelens voor hem beschreef. 'Onbeantwoord' kwam nog niet eens in de buurt.

'Ik heb langs alle zenders gezapt om het verhaal te horen.' Dan dronk zijn glas leeg. 'Ze hadden camera's bij het huis staan en ze lieten wat interviews zien. Strauss was ook nog in beeld voordat hij naar binnen ging.'

Vicki zei niets. Dan mocht Strauss.

'Heb je hem nog gezien?'

'De hoge pief? Ja. Bale was er ook en hij heeft me niet ontslagen.'

'Waarom zou hij? Het was jouw schuld niet.'

Dat kon Vicki niet beamen. Ze nam een slokje wijn, maar het hielp niet.

'Ze lieten een foto van je op tv zien. Die van je introductie. Je zag er hartstikke goed uit. Een van de nieuwslezers noemde je "aantrekkelijk" en "een rijzende ster".'

'Hebben ze ook nog gezegd dat ik single ben?'

'Dat zijn ze zeker vergeten,' zei Dan een beetje mompelend, en Vicki keek hem geamuseerd aan.

'Zeg, heb jij vanavond wel gegeten?'

'Nee. Ik heb gebasketbald en daarna hebben we een biertje gepakt. Hoezo?'

'Je mond doet het al een paar woorden niet meer.' Vicki glimlachte. Dat was nog zo'n standaardgrapje. 'Geef het nou maar toe, Malloy. Je bent gewoon een watje.'

'Niet waar! Ik heb alleen een paar biertjes gehad. Toen zag ik de beelden op tv en heb ik niet meer op mijn hamburger gewacht.' Dans sproetenhoofd werd rood. 'Ik ben een waardeloze Ier.'

'Dat is de jezuïet in jou.'

'Nee, het is allemaal jóúw schuld, Vick.'

'Míjn schuld?'

'Ik ben veel te veel bij jou.'

'Niet mogelijk,' zei Vicki, en ze schrok van zichzelf. Het was de wijn die per ongelijk de waarheid had gezegd. Het was alsof ze een tipje van de sluier oplichtte en ze droeg niet eens een sluier.

Dan keek even omlaag in zijn lege glas. Toen hief hij zijn hoofd op, keek haar aan, maar zei niets.

'Wat?' vroeg Vicki.

'Ik was vanavond bij dat huis, maar ik mocht van de FBI niet naar binnen. Dat was me daar een ongelooflijke plaats delict. Zelfs met mijn legitimatiebewijs kwam ik er niet in, zo afgesloten was het.'

*Dan was er geweest?* 'Jij bent bij het huis van mijn informant geweest? Hoe wist je waar het was?'

'De straatnaam was in beeld en jij had me verteld waar je naartoe ging, weet je nog? Je vertelt me altijd alles.'

*Niet alles, schatje.*

'Ik heb een tijd buiten gewacht. Toen dacht ik dat je wel een verklaring zou moeten afleggen, dus ben ik hiernaartoe gegaan. Ik wist dat je vanzelf een keer thuis zou komen. Onderweg heb ik de fles wijn gekocht. Maar goed, ik had dus nogal wat tijd om na te denken over hoe het zou zijn als jij vanavond was omgekomen. Ik bedoel, ze hadden jou ook kunnen vermoorden.'

*Maar het was Morty. Morty was de agent.*

'Toen bedacht ik me hoe mijn leven zou zijn zonder jou.' Dan zweeg even met op elkaar geperste lippen en zijn altijd blauwe en beheerste blik. 'Als jij... nou ja. Daardoor moest ik aan bepaalde dingen denken. Bijvoorbeeld aan wat ik voor je voel.'

*Hè?* Vicki moest zich beheersen. Dan had nog nooit iets over gevoelens voor haar gezegd en ze had hem zeker niet verteld dat ze hopeloos verliefd op hem was. Opeens was het moment daar, nadat ze een jaar lang steeds dichter naar elkaar toe waren gegroeid.

'Daarom wilde ik je vanavond ontzettend graag vertellen wat ik voor je voel. Want nu weet ik dat al dat gezwam waar mensen het over hebben waar is.'

Vicki zei niets, maar haar hart ging sneller slaan. Dan mompelde niet langer en was uiterst geconcentreerd.

'Je kent dat gezwam toch wel? Dat je nooit weet wanneer er een eind aan je leven komt of wat er gaat gebeuren. Dat alles in een minuut voorbij kan zijn en dat het dan te laat is. Dat gezwam.'

Vicki was er redelijk zeker van dat ze nog ademde, maar ze zou het niet durven zweren.

'Nou, het is waar. Je mag niemand voor lief nemen. Je moet mensen zeggen wat je voor ze voelt als ze nog leven, want er zijn geen garanties.' Dan boog zich voorover en legde zijn hand over de hare.

*O, mijn god.*

'Nou, wat ik heb beseft is dat ik me geen leven zonder jou kan voorstellen.'

Vicki hield nu echt op met ademen.

'Je bent mijn beste vriendin.'

Vicki's mond werd droog. Ze bleef even stil. Ze wist niet zeker wat ze had gehoord en ze wist niet zeker of Dan uitgesproken was. Maar hij zei niets meer. Misschien was hij toch nog niet klaar. Dat kon niet, want hij had nog niet gezegd wat ze wilde horen en dat was: *Ik hou van je.*

'Je ziet er vreemd uit.' Dan hield zijn hoofd schuin. 'Is het raar dat ik een beste vriendin heb in plaats van een beste vriend?'

'Helemaal niet,' antwoordde Vicki monotoon. Ze trok haar hand onder de zijne vandaan en stond op om nog wat wijn te pakken. Ze zou zwaar aan de drank moeten als ze Vrienden Zonder Seks bleven.

Voordat Vicki zich later die avond vermoeid in bed hees, belde ze haar ouders en sprak ze een boodschap in op hun mobiele telefoons, omdat ze wist dat ze die 's morgens als eerste afluisterden. In die berichtjes zei ze dat ze zich geen zorgen hoefden te maken over dingen die ze op tv zagen of op de radio op weg naar hun werk hoorden of op internet lazen, want alles was goed met haar.

Vicki zei niet dat ze hopeloos verliefd was op een erg getrouwde man en dat ze de volgende ochtend een drievoudige moord ging onderzoeken.

# 6

Het William Green Federal Building was een modern rood bakstenen bouwwerk op de hoek van Sixth Street en Arch Street, verbonden met de rechtbank in het midden van een nieuw gerechtscomplex dat Vicki als een gerechtswinkelcentrum zag. De Neiman Marcus van het winkelcentrum was dan Constitution Center, een protserig heiligdom waar de Bill of Rights werd verkocht, en de Gap was het huis van bewaring, een merkloze grijze zuil met alleen wat smalle ramen. Het huis van bewaring was bijna niet gebouwd omdat niemand een federale gevangenis wilde die winkelende mensen – eh, toeristen – eraan deed denken dat de Stad van Broederlijke Liefde ook de Stad van Diefstal en Gewapende Misdrijven was. Maar het huis van bewaring werd uiteindelijk toch goedgekeurd omdat de ambtenaren een geheime ondergrondse tunnel van de gevangenis naar de rechtbank lieten aanleggen zodat de winkelende mensen niets hoefden te merken. En door deze tunnel werd beklaagde Reheema Bristow deze ochtend begeleid.

Vicki zat in een kunststof stoel in een kamer op de beveiligde derde verdieping van de rechtbank te wachten. Hier legden beklaagden vertrouwelijk belastende verklaringen af in ruil voor vrijstelling van rechtsvervolging of strafvermindering. Helaas zag deze ruimte er precies hetzelfde uit als alle andere: een wit hok zonder ramen, bedompt, met een bruine formicatafel en een paar stoelen die niet bij elkaar pasten.

Vicki zette haar gedachten op een rijtje. De wapenrunnerzaak was misschien mislukt, maar ze was niet van plan om de aanklacht in te trekken voordat ze Bristow een keer had ondervraagd. Niemand hoefde het te weten; de verdediging wist niet wie de informant was omdat Vicki pas vlak voor het begin van de rechtszaak of zelfs vlak voordat de informant moest getuigen, verplicht was die informatie openbaar te maken als er gevaar was dat de getuige bedreigd werd. Ze ging hiermee wel heel vrij met de regels om, maar Morty's dood was meer dan genoeg motivatie. Ze had het plan de avond ervoor bedacht toen ze niet kon slapen en de gruwelijke schietpartij steeds weer opnieuw voor zich zag.

Ze sloeg haar benen over elkaar en dwong zichzelf rustig te blijven; in het dossier stond dat Bristow nogal kon provoceren. Runners werden meestal niet in hechtenis genomen, maar Bristow had van haar hechtenis een verblijf van bijna een jaar gemaakt, omdat ze tijdens haar hoorzitting een grote bek had gehad tegen de rechter. Wát Bristow ook te zeggen had, Vicki kon het aan. Ze streek een denkbeeldig pluisje van haar zwarte wollen pakje. Haar haar was in een zwarte baret weggestopt en krulde losjes achter in haar nek. Ze had haar outfit op de automatische piloot uit de kast gepakt en besefte toen dat ze rouwkleding droeg. Alleen met wilskracht hield ze het schrijnende verdriet op afstand.

Plotseling ging de deur open en kwam de advocaat van de verdediging gejaagd binnen. 'Ik ben Carlos Melendez,' zei hij, en hij stak een mollige hand uit. 'Wat is het ijskoud, hè? Ze verwachten vanmiddag sneeuw.' Hij leek ongeveer zestig, had een nog dikke bos donkergrijze krullen die contrasteerde met zijn donkere huid en warmbruine ogen. Hij was een vrolijke, kleine, mollige man in een chique overjas en leek net SpongeBob SquarePants, maar dan meester in de rechten.

'Ik ben Vicki Allegretti,' zei ze. Ze mocht Melendez meteen, hoewel hij in feite de vijand was.

'Jeetje, je lijkt veel te jong voor een assistent-openbaar aanklager.' Melendez glimlachte.

'Valt wel mee, ik ben achtentwintig. Ik ben alleen klein.'

'Ha! Je bent klein én jong.' Melendez lachte. 'Al moet ik toegeven dat ik niet veel assistent-openbaar aanklagers ken. Deze zaak is me toegewezen door de rechter.' Hij wurmde zich uit zijn overjas waardoor er een sterke lucht van een kruidige aftershave vrijkwam.

'Fijn dat je zo snel kon komen.'

'Ach, ik was blij dat je belde. Het proces begint al bijna.'

*Oeps. Niet meer.* 'Heb je mijn brief ontvangen?' Vicki had die morgen de brief van de eerste assistent-openbaar aanklager opnieuw naar Melendez gestuurd omdat die de benodigde handtekening had, namelijk die van Strauss. De brief was een formaliteit waarin de staat het verzoek om informatie en de regels betreffende deze ontmoeting omschreef. Hij had in het dossier van Bristow gezeten en Vicki had hem thuis gefaxt.

'Mijn secretaresse heeft bevestigd dat we hem hebben ontvangen, dank je.' Melendez opende een versleten leren koffertje, pakte er een harmonicamap uit en deed hem weer dicht.

'Denk je dat mevrouw Bristow zin heeft om te praten?'

'Reheema? Eerlijk gezegd, nee.' Melendez glimlachte. 'Je zult nog wel merken dat Reheema niet erg praatgraag is, maar misschien is ze voor rede vatbaar. Ik zal eerlijk tegen je zijn, ik wil graag dat ze meewerkt, en dat heb ik haar ook gezegd.' Hij schoof zijn koffertje over de stoffige formicatafel en liet zijn lijf in een kuipstoel zakken. 'De eerste assistent-openbaar aanklager had geen succes met haar, maar hij had jouw jeugdige enthousiasme dan ook niet. Misschien helpt het ook dat je een vrouw bent. Jullie zijn ongeveer even oud.'

'Mooi.'

'Zoals ik al zei, ben ik door de rechter aangewezen, dus ik ontmoet niet zo vaak mensen als zij. Ze is een taaie. Maar ze heeft een goed hart en ik denk dat ze onschuldig is.'

Vicki wist dat hij er gauw genoeg achter zou komen dat Bristow mogelijk verantwoordelijk was voor de moord op drie personen.

'En vijf jaar is vijf jaar. Ik zou het heel vervelend vinden als ze hiervoor opdraait.'

'Wat bedoel je? Denk je dat ze er wordt ingeluisd door iemand?'

'Nou ja, íémand laat haar toch creperen, of niet? Degene voor wie ze die wapens heeft gekocht. En zoals je zelf al zei, alles is mogelijk.' Melendez haalde zijn zware schouders op. 'Ik weet het niet, mij wil ze niets zeggen. Ik zei al, ik doe dit werk meestal niet, maar ik heb nog nooit een cliënt gehad die zo stijf haar lippen op elkaar houdt.'

'Is ze bang?' Vicki ging alle mogelijkheden langs. 'Wordt ze door iemand bedreigd?'

'Ha! Absoluut niet. Reheema laat zich niet zo gauw bang maken.' Melendez peinsde hierover en keek passief naar Vicki. Opeens werd zijn donkere blik scherp en keek hij haar strak aan. 'Zeg, jij lijkt heel erg op de vrouw die gisteravond op tv was. Van die moord, op het nieuws?'

'Eh, ja dat was ik.' Vicki dwong zichzelf gewoon te doen. Het was slechts een kwestie van tijd geweest voordat hij haar zou herkennen. Het verhaal was die morgen breeduit in de kranten, op tv en radio geweest.

'Dat was jíj? Een FBI-agent die is vermoord én een zwangere vrouw?'

'Hij was ATF.' Vicki kreeg een beklemmend gevoel.

'Jézus.' Melendez keek geschokt en zijn mond viel open. 'Wat moet dat afschuwelijk zijn geweest. Wat is daar in godsnaam gebeurd?'

'Dat kan ik niet echt zeggen,' antwoordde Vicki op officiële toon, terwijl een potige ATF-agent in een grijze blazer met stropdas in de deuropening kwam staan.

'Speciale bestelling,' zei de agent droogjes. Meestal werden de gedetineerden door de federale sheriffs naar boven gebracht, maar Vicki had de dienstdoende ATF-agent gevraagd. Hij moest weten dat het met Morty's dood te maken had, maar ze had hem niets verteld, zodat hem ook niets verweten zou kunnen worden.

'Bedankt,' zei Vicki, en toen de agent een stap opzij deed, moest Vicki twee keer kijken bij het zien van de geketende gevangene.

Reheema Bristow zag er helemaal niet zo uit als Vicki had verwacht.

# 7

Vicki had een straatmeid verwacht, maar Reheema Bristow leek eerder een zwart fotomodel, maar dan een potig model. Ze had beeldschone gelaatstrekken; grote amandelvormige ogen met een ongewone karamelkleur, een vrij lange neus en een brede mond die sensueel was, ook al glimlachte ze niet. Ze droeg haar donkere haar in een korte, strakke staart en had een sterk en strak lichaam, zelfs in de olijfgroene gevangenisoverall. Door haar uitstraling leken de handboeien eerder een seksspeeltje.

Bristow werd geboeid en geketend in de stoel naast Melendez gezet en haar advocaat gedroeg zich in haar bijzijn gewoonweg belachelijk. Opeens snapte Vicki waarom hij zo suf was om in haar onschuld te geloven. En ook waarom hij die kardemomaftershave op had gedaan.

'Reheema, hoe gaat het met je?' tetterde Melendez grijnzend.

'Goed, dank je,' antwoordde Bristow. Vicki reageerde intuïtief op haar stem die zacht, maar nauwelijks innemend was. Gewiekst, maar geen straatmeid. Een welluidende stem, ware het niet dat hij uit de mond van een crimineel kwam. Vicki kon niet vergeten dat Bristow wellicht wist wie Morty en Jackson had vermoord. Ze kende Teeg en Jay-Boy misschien. Mogelijk had ze die zelfs ingehuurd, of waren ze ingehuurd door degene aan wie ze de wapens had verkocht.

'Mevrouw Bristow.' Vicki stelde zichzelf voor en vertelde dat ze de nieuwe assistent-openbaar aanklager in deze zaak was. 'Ik vervang Jim Cavanaugh die u eerder hebt ontmoet. Dat was het eerste en enige gesprek betreffende een mogelijke strafvermindering, geloof ik. Klopt dat?'

Bristow knikte en als ze Vicki al van tv herkende, dan liet ze dat niet merken, wat bewees dat ze een grote leugenaar was. Het nieuws over de drievoudige moord was ongetwijfeld in het hele huis van bewaring bekend, door de beelden op tv of anders wel via de 'plee', de manier waarop gedetineerden met elkaar communiceerden als het licht uit was; elke gevangene trok het toilet een paar keer door om het water te laten wegstromen zodat stemmen door het hele buizenstelsel weerklonken. Het gevangenisbestuur kon als enige oplossing het hele buizenstelsel vervangen op kosten van de belastingbetaler, maar niemand was van plan om betere plees voor misdadigers te financieren.

Vicki ging verder: 'Ik wil u graag een paar vragen stellen. Zoals u weet zijn u twee gevallen van wapenrunnen ten laste gelegd wegens het schenden van 18 USC sectie 922.' Vicki wierp een blik in haar dossier, terwijl ze het oplas. 'De aanklacht dat u twee Colt .45 handvuurwapens hebt gekocht en illegaal hebt doorverkocht. Zoals u misschien wel weet zijn wapenhandelaren in Pennsylvania wettelijk verplicht om een melding naar de ATF te sturen wanneer een meervoudige wapenaankoop wordt gedaan. Wilt u de melding van uw aankopen, of van de aanklacht tegen u zien? Ik heb beide hier.'

'Nee. Ik heb die eerste advocaat, Cavanaugh, al gezegd dat ik niet wil bekennen.'

'Omdat u het niet hebt gedaan?'

Bristows lieftallige blik gleed opzij naar Melendez. 'Moet ik daar antwoord op geven?'

'Niet als u dat niet wilt.'

'Geen commentaar,' zei Bristow, waardoor Vicki even aarzelde. De meeste criminelen wisten dat 'geen commentaar' voor verslaggevers was, niet voor overheidsadvocaten.

'Reheema... Mag ik Reheema zeggen?'

'Ja.'

'Reheema, je begrijpt toch dat je vijf jaar in een federale gevangenis komt te zitten als je in deze zaak veroordeeld wordt? En dat gaat zeker gebeuren. Je bent in de bloei van je leven.'

Bristow zei niets.

'Ik las in je dossier dat je geen strafblad hebt, dus misschien weet je niet dat een federale gevangenis niet zo aangenaam is als het huis van bewaring, niet zo nieuw en schoon. En het is ook niet zoals op tv.'

Bristow vertrok geen spier, waardoor Vicki's bloed begon te koken. Ze had dit praatje in drie andere wapenrunnerzaken gehouden en had nog nooit zover moeten gaan. In tegenstelling tot staatsgevangenisstraffen, waren de richtlijnen bij federale straffen zodanig dat de rechter geen eigen beslissingsvrijheid had en dus was meewerken de enige optie die beklaagden hadden om zichzelf te helpen. De richtlijnen waren een enorme opsteker voor het federale rechtssysteem, maar omdat ze bij het parket had gewerkt, vond Vicki heimelijk dat je daarmee wel de spanning uit de wedstrijd haalde. Op die manier ontstond een klikcultuur en na vrijwel elke tenlastelegging wist de boef niet hoe snel hij zijn maten moest verlinken. Vorige maand had Vicki zelfs een bekentenis op haar antwoordapparaat gekregen.

'Reheema, de gevangenis is akelig, wreed, smerig. Vrouwen slaan elkaar verrot, soms dagelijks. Denk na. Vijf jaar lang.'

Bristow zei niets en haar blik bleef onbewogen alsof ze voor de cover van *Vogue* poseerde; Vicki kreeg het idee dat ze al wist dat Jackson was vermoord en dat deze aanklacht niet in een rechtszaak zou resulteren.

'Reheema, laten we eerlijk zijn. Je bent een knap meisje, dat weet je net zo goed als ik. Een vrouw die zo mooi is als jij... dat wordt niet fraai. Je komt tussen de gewone gevangenen. Dan word je iemands bitch.'

Bristows volmaakte mond bleef dicht, maar Vicki bleef aandringen. Bristow kon niet zeker weten dat de staat geen ander bewijsmateriaal tegen haar had. Vicki zou niet de eerste aanklager zijn die zuinig was met wat ze voor aanvang van de rechtszaak bekendmaakte.

'Tenminste, als je geluk hebt, blijft het er bij één. Het zouden er ook meer kunnen zijn. Je zou de doorgeefdoos worden. Is dat wat je wilt?'

Bristow gaf geen antwoord en naast haar verschoof Melendez in zijn stoel. Vicki bedreigde Bristow en dat was niet toegestaan, maar Melendez wilde zijn cliënte redden.

'Ik wil je niet bang maken, ik wil je laten weten welk risico je neemt door een rechtszaak aan te gaan. Je hebt twee wapens van iemand gekocht en die doorverkocht. Ik wil van jou alleen weten aan wie je ze hebt doorverkocht.'

Bristow gaf geen antwoord en Vicki merkte dat haar wangen rood werden van hernieuwde woede.

'Reheema, als je bang bent, begrijp ik dat. Dit zijn gevaarlijke mensen, enge mensen. Ik kan getuigenbescherming voor je regelen. Je woonde hiervoor in een flat in West-Philadelphia, klopt dat?'

Bristow gaf geen antwoord en Vicki hield haar woede in toom.

'Kom op, zeg, dáár kun je toch wel antwoord op geven? Het staat op de tenlastelegging. Met wie woonde je samen?'

'Ik woonde alleen.'

'Geen vriend, of zo?'

'Nee.'

*Als zij al geen afspraakje kan krijgen, dan maak ik helemáál geen kans.*

'Dus die flat heb je niet meer?'

'Nee.'

'Des te beter. Dan kan ik een plek voor je regelen, misschien zelfs wel een huis. Ik zal ervoor zorgen dat je goed terechtkomt, dat zweer ik je.' Vicki meende elk woord, als ze daarmee de persoon te pakken kreeg die Morty had vermoord. 'Je hoeft voor niks en niemand bang te zijn. Ook niet als het dealers of handelaars zijn.'

Bristow liet haar hoofd zakken en verbrak het oogcontact. Vicki voelde haar hartslag versnellen.

'Reheema, als je me zegt wie het is, kan ik de rechter vertellen dat je meewerkt. Dan geef ik je de best mogelijke aanbeveling voor je straf. Ik kan je op een zwaarbewaakte afdeling krijgen, afgezonderd van de gewone populatie. Dat is een heel ander voorstel.'

Bristow bleef omlaag kijken en Vicki boog zich over de tafel heen.

'Zeg wie het is, meer niet. Die lui zijn tuig, ze verdienen jouw trouw niet. Als je het zegt, krijg jij je leven terug. Je had twee banen, dan kun je weer gaan werken. Misschien ontmoet je een leuke vent, ik hoop dat je meer succes hebt dan ik. Je bent nog maar negenentwintig, net zo jong als ik. Je hebt je hele leven nog voor je, je hoeft het alleen maar te zeggen.'

'Nee,' zei Bristow, terwijl ze opkeek. Haar blik was kalm; twee volmaakte, bruine cirkels richtten zich op Vicki, waardoor ze alleen maar bozer werd. Ze gooide het over een andere boeg. Als Bristow wist dat Vicki haar doorhad, deed ze misschien haar mond open.

'Reheema, wie is Jamal Browning?'

Melendez spitste zijn oren bij het horen van de onbekende naam en hij schreef hem op zijn blocnote, maar Bristow keek weer omlaag en begon haar nagels te bestuderen.

'Ben je wel eens op Aspinall Street 3635 geweest? In West-Philadelphia.' Vicki had het die ochtend op MapQuest opgezocht.

Bristow bleef zich bezighouden met haar nagelriemen en Vicki voelde haar frustratie toenemen.

'Ken je een zwarte jongeman van ongeveer veertien, een meter vijfenzeventig, vlechtjes in zijn haar die de bijnaam Teeg heeft?'

'Bezwaar.' Melendez stak zijn hand op, hoewel een formeel bezwaar niet nodig was en het tijdens een strafverminderingsgesprek als dit ook geen juridische betekenis had. Hier werd geen mogelijke deal besproken, dit was een schijnvertoning.

'Ik stel haar gewoon een vraag. Ze hoeft geen antwoord te geven.' Vicki's drift verscherpte haar toon, maar ze vertikte het om hem bij te stellen. Ze wendde zich tot Bristow. 'Wie is Teeg?'

Bristow gaf geen antwoord.

'En Jay-Boy, een zwarte jongeman? Sikje? Ouder dan veertien, een jaar of zestien misschien.' Vicki kon geen verdere details van zijn signalement geven. Hij was degene die Morty had vermoord. Haar hoofd bonkte en haar borst voelde zo gespannen dat ze het idee had dat ze op ontploffen stond.

Bristow gaf geen antwoord en Vicki werd steeds bozer.

'Hoe ken je Shayla Jackson?'

Reheema's blik verraadde niets.

Met gefronste wenkbrauwen keek Melendez op van zijn blocnote. 'Jackson. Is dat niet de naam van de zwangere vrouw die gisteravond is vermoord? Dat heb ik onthouden omdat mijn buurvrouw ook zo heet.'

'Ik vraag haar alleen of ze Jackson kent.'

Melendez legde zijn pen naast zijn blocnote. 'Wat maakt het uit of zij haar kent?' vroeg hij wantrouwig.

'Ik ben nieuwsgierig. Ze herkende me niet van tv zoals jij.'

'Nou en?'

*Eh.* 'Ik word graag herkend. Geeft me een goed gevoel.'

Bristow toonde een geslepen glimlach, waardoor Vicki haar het liefst de nek om wilde draaien. Dat mens kwam ongestraft met moord weg.

'Reheema, ik weet dat je Shayla Jackson kende. Ze was mijn informant in deze zaak. Je weet wat dat betekent, hè? Mijn informant.' Vicki boog zich over tafel heen en spuugde bijna. 'Ze was van plan jou erbij te lappen en je weet dat ze gisteravond samen met mijn partner is vermoord. Teeg en Jay-Boy waren de schutters, maar ze werken voor iemand anders en ik wil weten wie dat is. En hoe jij erbij betrokken bent.'

'Vicki, waar ben je mee bezig?' Melendez kwam langzaam overeind, maar Vicki was al te ver heen.

'Jij hebt Jackson laten vermoorden om te voorkomen dat ze zou getuigen! Je hebt haar en haar baby vermoord! En Morty!' Plotseling sloeg Vicki's woede door. Ze stak haar hand over tafel uit en greep Bristows bovenarm vast.

'Nee, wacht!' riep Melendez vol afschuw. 'Hou op!'

'Yo, kutwijf!' schreeuwde Reheema, maar Vicki ontplofte.

'Waarom heb je het gedaan, Reheema? Waarom? Om aan die vijf miezerige jaren te ontkomen?' Vicki kon zichzelf niet meer tegenhouden en dat wilde ze ook niet. Ze gaf zo'n harde ruk dat ze de geboeide Bristow over tafel sleurde. 'Ze hebben gisteravond een ATF-agent vermoord! Mijn partner! Mijn vríénd! En je weet ervan!'

'Hélp!' schreeuwde Melendez zo hard mogelijk.

De deur vloog open en de ATF-agent stormde naar binnen, terwijl hij zijn wapen uit zijn holster trok, klaar om de aanklager te beschermen tegen de gevangene.

Totdat hij geschokt tot de ontdekking kwam dat het andersom was.

# 8

'Zorg dat je een advocaat in de arm neemt, meisje.' Bale kwam gehaast zijn kantoor binnen, waar Vicki op hem had moeten wachten.

'Dat meent u toch zeker niet?'

'Helaas wel. Strauss heeft een telefoontje van Melendez gehad, Bristows advocaat.' Bale liet zijn kasjmieren jas van zijn schouders glijden en hing hem zorgvuldig op een houten hanger aan de houten kapstok achter zich, ging toen op zijn hoge stoel zitten en trok uit gewoonte aan zijn manchetten. 'Hij klaagt jou én het kantoor aan wegens officieel wangedrag, geweldpleging.'

'Geweldpleging op Reheema? Dat mens is vijftien centimeter langer dan ik!'

'Volgens Melendez heeft ze kneuzingen opgelopen.'

'Dat mens is bikkelhard, die valt niet te kneuzen!'

'Je hebt haar arm omgedraaid, of niet?'

'Hoe kan dat nou? Ze had handboeien om!'

'Niet de beste vorm van verdediging.' Bale keek haar vanaf de andere kant van zijn walnoothouten bureau nijdig aan. Op zijn bureau lag een keurig leren vloeiblok, stapels administratie en er stond een computer met de Amerikaanse vlag als screensaver verwoed te flikkeren. 'Daar gaat het niet om. Je had haar helemaal niet mogen aanraken, met geen vinger.'

'Dat weet ik. Het spijt me. Maar toch...'

'Niks geen gemaar. Jij bent een openbaar aanklager. Je hebt je gedragen als een ordinaire straatmeid.'

Vicki werd rood. Ze zat fout en dat was waardeloos.

'En Melendez dient een aanklacht in namens haar en namens zichzelf.'

'Wat?'

'Is hij soms ook niet te kneuzen?' Bale trok een wenkbrauw op.

'Ik zweer u, ik heb hém niet aangeraakt!'

'Hij beweert dat je hem hebt geduwd. Jouw woord tegen het zijne.'

'En die ATF-agent bij de deur dan? Die kan u vertellen wat er is gebeurd.'

'O, zullen we hem eens vragen? Hij had daar niet eens mogen zijn! Sheriffs brengen gevangenen naar boven, niet de ATF. Hoe heb je dat voor elkaar gekregen?'

Vicki zakte onderuit in haar stoel. De ATF-agent kon haar sowieso niet helpen. Hij had hen drieën uit elkaar moeten trekken, als bij een uit de hand gelopen groepsomhelzing.

'Nee, dat dacht ik wel. Hoe dan ook, het is een rechtszaak waarbij jij persoonlijk aansprakelijk kan worden gesteld. Een afspraak met een gedaagde valt binnen je officiële werkzaamheden, maar een poging tot moord niet.'

'Ik hoef van u geen steun te verwachten?'

'Natuurlijk niet.' Bales donkere blik werd hard, als stollende chocolade. 'Je had helemaal geen strafverminderingsafspraak mogen maken, terwijl je wist dat je geen poot had om op te staan. Daar is gewoon geen excuus voor. Hoe haalde je het in je hoofd?'

*Slik.* 'Het was mijn laatste kans. Daarna zou ik haar laten gaan.'

'Je had vanmorgen direct de aanklacht moeten intrekken. Welke brief heb je gebruikt?'

'De oude uit het dossier.'

'Met de handtekening van Strauss? Dat zal hij leuk vinden, geweldig.' Bale perste zijn lippen samen onder zijn snor. 'Hij heeft pr gesproken en ze komen met een persbericht. De media weten dat je gisteravond op de plaats delict was en het persbericht maakt jouw oprechte excuses bekend en legt uit dat je overstuur was vanwege de moord op een ATF-agent die je erg goed kende. Ik heb de aanklacht tegen Bristow ingetrokken en ze wordt vanavond uit het huis van bewaring vrijgelaten.'

*Nee.* 'Ze kent de schutters, chef.'

'Volgens Melendez heeft ze het allemaal ontkend, en hij gelooft haar.'

'Doe me een lol. Hij is een man en zij is bloedmooi.' Vicki voelde gal in haar keel omhoogkomen. 'Chef, er is overduidelijk een verband tussen Bristow en de informant. De informant wilde uit zichzelf, ogenschijnlijk opeens, tegen haar getuigen. Ik heb toch verteld dat er een memo in het dossier zat?'

'Daar hang jij jouw theorie aan op, aan een memo in het dossier? Daarom heb je een gedaagde en haar advocaat aangevallen?'

*Haar advocaat niet, maar goed, laat maar zitten.* 'Mijn informant wordt een paar dagen voordat ze moet getuigen neergeschoten en zij was mijn hele zaak. Dat kan geen toeval zijn. Er moet een verband zijn.'

'Volgens Melendez was je compleet doorgeslagen. Hij zei dat je een grote bek hebt voor zo'n kleine vrouw, en dat kan ik bevestigen.'

'Bedankt.'

'Ga nou niet stronteigenwijs doen. Je hebt een advocaat nodig. Begrepen?'

'Begrepen.' Er was geen advocaat die haar zaak op zich zou nemen zonder een voorschot van vijfduizend dollar. Dat was de helft van haar spaargeld. Haar vader zou haar gratis kunnen vertegenwoordigen, maar dan zou ze hem de waarheid moeten vertellen, en dat was onmogelijk.

'De plaatselijke politie houdt ons in de gaten. We hebben goede contacten nodig bij het huis van bewaring. Dat hoef ik jou toch niet te vertellen? Zorg dat ik er geen spijt van krijg dat ik Strauss heb weten over te halen je niet op straat te zetten.'

'Ik ben niet ontslagen?' Vicki kreeg een brok in haar keel van dankbaarheid.

'Je staat een week op non-actief, salaris wordt niet doorbetaald.' Bale wreef geërgerd over zijn voorhoofd. Het gerucht deed de ronde dat hij botoxinjecties kreeg, maar Vicki zou dat nooit meer doorvertellen.

'Bedankt, chef.'

'De enige reden dat hij instemde, was omdat je vorige maand de zaak-Edwards hebt gewonnen. Ik heb je verdedigd omdat ik weet waarom je het hebt gedaan. Het was een emotionele reactie. Je had een hechte band met Morty.'

*Morty.* Vicki wendde haar hoofd af. Een bleek zonnetje filterde door de ramen van het hoekkantoor en scheen op de gegalvaniseerde plaquettes, de gegraveerde kristallen kommen en prijzen van acryl. De planken tegen de muur stonden vol met zwarte kantoorhandboeken en reglementen.

'Zeg, kijk me eens aan,' zei Bale, en Vicki gehoorzaamde. 'Ik ben nu verantwoordelijk voor je. Eén misstap en ik verdedig je niet nog een keer. Je bent nog altijd nieuw hier. Kijk uit. Je werkt hier niet meer voor een officier van justitie die het niet zo nauw neemt. Begrepen?'

'Ja, chef.'

'Mooi zo.' Bales stem klonk eindelijk weer normaal. 'Melendez heeft Strauss ook verteld dat je Bristow naar een aantal mensen hebt gevraagd, Jay, nog wat. Teeg. Die namen heb je gisteravond toch ook aan de rechercheurs van politie doorgegeven?'

'Natuurlijk.' Dat had ze gedaan. Het was niet eens een leugen.

'En aan de ATF?'

'Ja.'

'Dus je bent niet helemaal gek.'

'Nee, niet helemaal.'

'Het is vandaag vrijdag. Morty's herdenkingsdienst is maandag. Daar ga je naartoe en dan neem je de rest van de week vrij. Als iemand van Moordzaken wil dat je naar foto's komt kijken, dan doe je dat, maar daar blijft het bij. Zorg dat je die maandag daarna weer aan je bureau zit en je leven hebt gebeterd.'

'En mijn lopende zaken dan? Ik heb dinsdag een hoorzitting betreffende een verzoekschrift tot het uitsluiten van bewijsmateriaal in Welton.'

'Die draag ik wel over, en Malloy zal je bureautaken waarnemen zolang je weg bent. Wegwezen.' Bales telefoon rinkelde, maar hij liet hem door zijn secretaresse opnemen. 'Ga niet eerst naar je kamer, maar ga direct naar huis en blijf thuis. Niet met de pers praten en geen andere toestanden meer.'

'Goed, chef. Nogmaals bedankt.'

Vicki liep de kamer uit en deed de deur achter zich dicht. Ze liep door de gang naar haar kamer en toen ze de hoek om kwam, stonden de secretaresses op en kwamen de assistent-openbaar aanklagers uit hun kamer.

Allemaal klapten ze.

Vicki bedankte iedereen en pakte toen haar jas uit haar kamer. Meer had ze toch niet nodig. Ze had het Bristow-dossier in haar koffertje.

En ze wist precies waar ze naartoe ging.

# 9

Vicki liep haastig over de drukke parkeerplaats en keek ondertussen op haar horloge. Kwart voor een. Ze trok haar oude donsjas wat strakker om zich heen en was net bij de betonnen ingang naar het gerechtelijk laboratorium aangekomen toen er een oudere zwarte dame naar buiten kwam. Haar grijze hoofd was gebogen van verdriet en ze had een opgepropt papieren zakdoekje in haar hand. Vicki voelde een steek van medeleven en besefte dat ze nog niet te laat was. Shayla Jacksons moeder zou hier rond de middag het lichaam identificeren en dat moest deze verdrietige vrouw zijn.

Mevrouw Jackson werd aan haar elleboog ondersteund door een andere zwarte vrouw, die ook nog eens twee grote handtassen, een boodschappentas met rode wol, een opgevouwen krant en een geplastificeerd bibliotheekboek bij zich had. Vicki voelde zich net een aasgier toen ze op het verloren tweetal af dook en hen bereikte toen net een van de leren handtassen op de met stadsvuil en strooizout bevuilde parkeerplaats viel. Vicki raapte de tas op voordat beide vrouwen bijna omvielen.

'Ik heb hem,' riep Vicki, en ze gaf de tas aan de vriendin.

'Dank u, heel erg bedankt.' Mevrouw Jackson keek haar dankbaar aan en slaagde erin door de tranen in haar roodomrande ogen achter een montuurloze bril een lieve glimlach op haar gezicht te toveren. Van dichtbij leek ze een jaar of tachtig; ze had dun haar met een zilvergrijze glans, grote kraaienpoten en lachrimpels in een droge, grauwe huid.

'Ja, dank u,' zei de andere vrouw ook. 'Het is lastig om dit allemaal te dragen. Ik had de krant weg moeten doen, maar ik had hem nog niet gelezen.'

'Dat begrijp ik.' Vicki hield mevrouw Jackson vast, die lichtjes op haar arm leunde. De vrouw kon niet meer dan vijftig kilo wegen, inclusief haar jas. 'Gaat het, mevrouw?'

'Ja, ik geloof het wel. Ik ben zo moe. Ik heb... Ik heb net...'

Haar vriendin vertelde: 'Haar dochter is vermoord.'

Vicki kon geen minuut langer de waarheid verzwijgen. Ze stelde zich voor en vroeg: 'Bent u niet mevrouw Jackson, de moeder van Shayla Jackson?'

'Ja.' Haar natte, bruine ogen knipperden van verbazing. 'Nou ja, niet echt. Ik ben haar tante.'

'Prettig kennis met u te maken.'

'Ik ben haar tante Tillie. Tillie Bott. Meneer Bott is ons in 1989 ontvallen. Shayla noemde me vroeger tante Tillie, maar nu noemt ze me Tillie of mama Tillie.' Mevrouw Bott leek een beetje verward, wat heel begrijpelijk was gezien de omstandigheden. 'Shayla was de dochter van mijn buurvrouw, maar die ging ervandoor. Ik heb haar als mijn eigen kind grootgebracht, toen mijn kinderen al groot waren.'

'Wat lief van u,' zei Vicki ontroerd, maar mevrouw Bott schudde beverig haar hoofd.

'Helemaal niet. Dat kind heeft me meer gegeven dan ik haar ooit heb kunnen geven. Ze was zo lief...'

De vriendin onderbrak haar. 'Hoe wist u wie Tillie was?'

'Ik ben assistent-openbaar aanklager. Ik had gisteravond een afspraak met Shayla toen ze is vermoord.' Vicki zag dat mevrouw Botts halfdichte ogen groter werden en ze verzachtte haar toon. 'Shayla vertelde me dat ze belangrijke informatie voor me had over een zaak en daarom gingen mijn partner en ik naar haar huis. Het was mijn partner die samen met haar is vermoord.'

'U bedoelt die politieman?' kwam de vriendin weer tussenbeide.

'Ja. Hij was een ATF-agent.' Ooit zou Vicki erachter komen waarom ze iedereen bleef corrigeren over Morty. 'Ik was op weg hiernaartoe om met mevrouw Bott te praten over Shayla, maar ik wil u nu niet lastigvallen. Misschien kunnen we een andere keer praten.'

'We wonen hier niet,' antwoordde de vriendin. 'We zijn van het platteland. We wonen in Florida. We gaan nu naar huis. Met de bus. We zijn hier met het vliegtuig gekomen, maar we gaan met de bus terug. Het vliegtuig is te duur.'

'U gaat nu weg?'

'Met de bus van drie uur.'

'Dan hebben we nog wel even tijd om te praten.'

'Nee, hoor.'

Vicki vroeg zich af sinds wanneer bibliotheekklanten zo onverzettelijk waren. 'Wacht even, heeft mevrouw Bott al met de politie gesproken?'

'Welke politie?'

'De politie van Philadelphia.'

'Nee.'

'Hebben ze u niet gebeld om over Shayla te praten?' Vicki sprak mevrouw Bott aan, maar die bette haar ogen met een doorweekt papieren zakdoekje en zette haar bril toen weer op haar neus.

'Nee, ze hebben haar niet gebeld,' antwoordde de vriendin. 'Neemt u ons niet kwalijk, maar wij moeten nu weg. We gaan naar huis en nemen Shayla mee om haar thuis te ruste te leggen. Daar kan ze vrediger rusten, daar is ze opgegroeid.'

Mevrouw Bott zag er zo gebroken uit en de koude lucht droogde de tranen op haar gerimpelde wangen waardoor er witte strepen van de kou achterbleven. Hoeveel medeleven Vicki ook voor hen voelde, ze kon hen niet laten gaan.

'Weet u wat,' zei ze vriendelijk. 'Als we nu eens ergens naartoe gaan waar het warm is en waar we een kop koffie kunnen drinken. Voordat u vertrekt.'

'Nee, ze is veel te overstuur,' zei de vriendin, en ze trok mevrouw Bott wat naar zich toe. Vicki bleef de arme mevrouw Bott bij haar andere arm vasthouden. Het werd touwtrekken en die bibliotheekdame verloor. Vicki was jonger, sterker en een openbaar aanklager, dat moest toch indruk maken.

'Het spijt me dat ik u moet lastigvallen.' Vicki leunde opzij en sprak mevrouw Bott rechtstreeks aan. 'En ik weet zeker dat de politie nog contact met u zal opnemen, maar ik wil erachter komen wie Shayla en mijn vriend heeft vermoord. Ik hoop dat u me iets over Shayla kunt vertellen wat me daarbij kan helpen.'

'Hebt u dat tegen de politie gezegd?' onderbrak de vriendin hen, en Vicki beet op haar tong.

'Ja, maar ik heb zo mijn eigen vragen.'

'Dat is uw taak niet,' was het weerwoord van de vriendin, en Vicki overwoog net om haar een klap te geven, toen mevrouw Bott haar keel schraapte, haar papieren zakdoekje uit haar gezicht haalde en zei: 'Ik wil best met u praten als het Shayla helpt.'

Een lawaaierige winkel was niet Vicki's idee voor een rustig gesprek, maar de winkel op de hoek van Thirty-eighth en Spruce vlak bij het gerechtelijk lab volstond bij gebrek aan beter. Een instrumentale versie van 'Love Will Keep Us Together', het gerinkel van de kassa en het eindeloos gepiep van de scanner waren op de achtergrond te horen. Het krioelde er van de opgeschoten corpsballen, oververmoeide studenten geneeskunde en universiteitspersoneel, maar Vicki slaagde erin een vrij tafeltje in de uiterste hoek te vinden waar ze mevrouw Bott liet zitten met haar vriendin, die mevrouw Greenwood bleek te heten.

Er stroomde zonlicht door de grote plafondhoge ramen dat hen alle drie verwarmde en tegen de tijd dat ze aan hun grote koppen koffie en verdacht kleurige hapjes begonnen, waren de beleefdheden voorbij, was mevrouw Bott enigszins tot rust gekomen en was mevrouw Greenwood zo vriendelijk geworden als een bibliothecaresse.

'Wanneer hebt u Shayla voor het laatst gezien, mevrouw Bott?' vroeg Vicki, de koe bij de hoorns vattend.

'Ik had mijn kleine meisje al zo lang niet meer gezien. Ze kwam bijna nooit meer thuis.'

'Hoelang geleden?'

'Twee jaar ongeveer. Twee Kerstmissen geleden.'

'Dus u had haar al een tijd niet gezien. Belde u wel met haar?'

'O ja, ze belde me om te vertellen hoe het met haar ging. Om de week of zo.'

Mevrouw Greenwood knikte instemmend.

'Wist u dat ze zwanger was?' vroeg Vicki.

'Ja. Eerst zei ze niets, maar toen vertelde ze het me. Ze was bang dat ik boos op haar zou zijn.' Mevrouw Botts gerimpelde mondhoeken zakten omlaag. Ze zag er zo verloren uit in haar dikke jas, en haar haar dat in een gekroesd knotje zat had een doffe glans in het felle licht. 'Lieve Heer, een baby. De dokter vertelde daarstraks dat het een meisje was. Als ze een dochter had gekregen, had Shayla haar Shay willen noemen, naar zichzelf. Shay was haar bijnaam. Shay.'

Vicki knikte. Zoveel verdriet. Wie was daar verantwoordelijk voor?

'Shay,' zei mevrouw Bott weer.

Mevrouw Greenwood knikte weer vanachter haar kopje koffie. 'Heb ik altijd een mooie naam gevonden,' zei ze zacht.

Vicki nam een slok koude koffie en liet het moment voorbijgaan. 'Wanneer vertelde ze u dat ze zwanger was?'

Mevrouw Bott dacht even na. 'Ongeveer een maand geleden. Ik was reuze verbaasd. Ik wist niet dat ze een serieuze relatie had.'

Mevrouw Greenwood lachte zachtjes. 'Wat was je verbaasd, Tillie. Je belde me direct op. Je kon het niet geloven, ik trouwens ook niet. Ik was aan het afwassen en liet de bakplaat vallen. Er zat bijna een deuk in! Mijn beste ook nog, die uitschuifbare?' Ze keek naar mevrouw Bott. 'Die je uit kunt schuiven?'

'O, ja.' Mevrouw Bott knikte. 'Dat is een goeie bakplaat.'

Vicki zweeg even. 'Heeft Shayla u verteld wie de vader van de baby was?'

'Nee. Alleen dat ze problemen hadden en dat ze misschien ging verhuizen.'

*De dozen.* 'Waar wilde ze naartoe?'

'Dat weet ik niet precies. Ze zei dat ze ergens anders naartoe wilde en haar leven wilde veranderen.'

Vicki sloeg dit in haar geheugen op. 'Wat bedoelde ze daarmee?'

'Ik weet het niet. Ik dacht dat ze me dat vanzelf wel zou vertellen. Ik vond het gewoon fijn dat ik een kleinkind kreeg.'

'Heeft ze het wel eens over een Jamal Browning gehad?'

'Nee, nee. Die ken ik niet.'

Vicki begreep het niet. 'Volgens mij was hij haar vriend.'

'Ik ken hem niet.'

'Ik denk dat hij misschien de vader van haar baby was. Ik denk dat hij haar rekeningen betaalde, zoals de elektriciteit en de telefoon.'

'Mmm. Daar weet ik niets van. Ik ken hem niet.'

Vicki slaakte een zucht vanbinnen. 'Hebt u enig idee wie de vader van de baby was?'

'Ik weet het niet. Dat heb ik haar nooit gevraagd. Ik vond dat dat haar zaak was, niet de mijne.'

'Ging ze wel eens uit met iemand, voor zover u weet?'

'Niemand in het bijzonder. Ze ging zo vaak uit, ze hield van dansen. Shay kon goed dansen. Ze hield van muziek.' Mevrouw Bott zweeg en dacht na. 'Een tijdje geleden was er iemand, hij heette Dwayne.'

*Jippie!* 'Dwayne wie?'

'Dat weet ik niet. Misschien was het ook wel Don. Of Wayne.' Mevrouw Bott zwaaide met haar verweerde hand. 'Dat was jaren geleden.'

'Als ze op bezoek kwam, nam ze dan wel eens iemand mee? Vrienden, vriendinnen of een vaste vriend.'

'Nee, ze kwam altijd alleen.'

Vicki kwam geen stap verder. 'Wat voor werk deed ze?'

'Ze typte vroeger. Ze typte. Op een computer. Ponstypiste noemden ze het vroeger,' antwoordde mevrouw Bott vaag.

'Werkte ze voor een bedrijf, dat u weet?'

'Nee, op verschillende plekken. Tijdelijk.'

'Aha.'

'Maar ze heeft me nooit om geld gevraagd. Nooit,' voegde mevrouw Bott eraan toe.

'Dus ze was zelfstandig.'

'Ja, heel erg. Koppig.'

'Heeft ze de naam Reheema Bristow wel eens genoemd?'

'Nee.'

'Weet u het zeker?'

Mevrouw Bott dacht even na. 'Die naam zegt me niets. Die zou ik me wel herinnerd hebben. Reheema. Dat is een bijzondere naam.'

'Nou,' voegde mevrouw Greenwood eraan toe, en Vicki begon gefrustreerd te raken.

'Wie waren haar vriendinnen, weet u dat?'

'Niet echt.'

'Had ze geen hartsvriendin? Elk meisje heeft toch een beste vriendin.' Vicki knipperde met haar ogen. *Behalve ik.* 'Ik bedoel, de meeste meisjes.'

'Ze had het wel eens over vriendinnen. Mar, bijvoorbeeld.'

'Mar? En haar achternaam?'

'Weet ik niet. Mar was volgens mij haar beste vriendin. Ze had het vooral over Mar.'

'Woont Mar in Philadelphia? Hebt u een adres of telefoonnummer van haar?'

'Nee, ik weet alleen dat Shay haar wel belde op haar mobiele telefoon. Als ze bij me op bezoek was, belde ze altijd met Mar. Mar dit. Mar dat.'

Vicki sloeg deze informatie op in haar geheugen. Misschien was er geen verband tussen Jackson en Bristow. Wel was duidelijk dat Shayla Jackson haar moeder niet veel vertelde over haar leven in Philadelphia, al projecteerde Vicki nu misschien haar eigen ideeën. Het was hoe dan ook tijd om tot de kern te komen.

'Mevrouw Bott, ik heb het gevoel dat iemand in Shays leven, haar vriend misschien, in drugs handelde. Weet u daar iets van?'

Mevrouw Bott werd stil. 'Dat weet ik niet,' antwoordde ze na een minuutje. 'Vroeger deed ze zulke dingen niet. Ze was een keurig meisje. Ze dronk wel eens wat op schoolfeesten, maar verder niet.'

'Shay niet.' Mevrouw Greenwood klakte met een droge tong en schudde haar hoofd.

'Weet u of haar vrienden drugs gebruikten of verkochten? Of wapens? Ik denk niet dat ze zelf slechte dingen deed, maar ze kende wel een aantal slechte mensen. Met de informatie die u daarover hebt, kan ik wellicht haar moordenaars opsporen.'

'Daar wist ik helemaal niets van af, had ik het maar geweten.' Mevrouw Bott keek in haar kartonnen koffiebeker en zuchtte. 'Shay was makkelijk over te halen. Ze was goed van vertrouwen. Ze vertrouwde iedereen.'

'Vertrouwde ze misschien de verkeerde mensen?'

'Misschien wel.'

'Was dat misschien de reden dat ze haar leven wilde veranderen?'

'Misschien wel. Ja.' Mevrouw Bott knikte.

*Maar daar kreeg ze de kans niet toe.*

'Ik weet dat ze blij was met de baby. Ze had altijd al kinderen willen hebben.'

Vicki verdrong het beeld van Jackson die afgeslacht in haar slaapkamer lag. 'Hebt u de bijnamen Jay en Teeg wel eens gehoord?'

'Nee, dat weet ik zeker.'

'Ik denk dat zij ook betrokken waren bij drugs.'

'Daar weet ik niets van.'

'Zo te zien had ze behoorlijk wat geld. Ze had bijvoorbeeld mooie sieraden.'

'Shay hield van mooie dingen,' zei mevrouw Bott. 'Toen ze nog klein was, wilde ze altijd mooie strikken hebben. En linten. En jurken.'

Mevrouw Greenwood voegde eraan toe: 'Mmm. Die kleine witte sokjes met kanten boordjes. Met van die ruches rondom.'

'Die maakte ik zelf.'

'Dat weet ik, Tillie.' Mevrouw Greenwoods toon werd net zo zacht en rustig als die van mevrouw Bott; een geruststellend vraag en antwoord tussen twee oude vriendinnen. 'Dat weet ik.'

'En zwarte lakschoentjes.'

'O, wat was ze dol op die zwarte lakschoentjes.'

'Het was zo'n mooi meisje, zo'n mooi meisje.'

'Nou en of.'

'Nou, dat was ze zeker.' Mevrouw Bott en mevrouw Greenwood glimlachten samen, en even waren ze vergeten hoe het allemaal zou aflopen. Vicki wachtte af, liet hen wegglijden in een fantasie van wat had kunnen zijn, van mooie baby's met sokjes met ruches en glimmende lakschoentjes. Kon ze de beelden bij de patholoog maar vervangen door die gelukkige pastelbeelden met tierlantijntjes. Deze vrouwen hoorden dat soort beelden niet te zien. Vicki vond het vreselijk dat ze over de drugs was begonnen en twijfel had gezaaid over Jacksons nagedachtenis.

'Ik vind het heel erg voor u,' zei Vicki, en mevrouw Bott leek gelaten en overweldigend bedroefd.

'Dank u wel. Weet u, ik zei het haar nog, als je naar de stad gaat, dan gebeuren er dingen. Dit soort dingen.'

Daar werd Vicki ook bedroefd van omdat ze het niet kon ontkennen. Zelfs in haar eigen stad.

Na een tijdje zette ze mevrouw Bott en mevrouw Greenwood in een taxi naar het busstation. Ze bood aan een vliegticket voor hen te kopen, maar daar wilden ze niets van weten, en ze moest hun beloven dat ze langs zou komen om hun pecannotenkoekjes te proeven als ze een keertje in het noorden van Florida was. Ze bleef op de hoek in de kou staan om hen uit te zwaaien toen de taxi wegreed, en in gedachten was ze al bezig met haar volgende stap.

Ze was nog niet genoeg te weten gekomen over Shay Jackson en er was iemand anders die haar misschien meer kon vertellen. Auto's en bussen raasden voorbij over de keien van Spruce Street en bliezen witte uitlaatgassen de koude lucht in. Vicki keek of er nog een taxi was. Het was niet echt politiewerk wat ze wilde doen. Meer een klusje.

En op non-actief mocht ze toch wel een klusje doen?

# 10

De zon stond koel aan de koude, heldere hemel, maar Vicki bleef warm door Jim Cavanaugh bij te benen. Cavanaugh was lang, dun en keurig gekleed in een grijze wollen jas die hij ongetwijfeld had gekocht van zijn aanvangsbonus. Voormalig assistent-openbaar aanklagers kregen een aanvangssalaris van honderdvijftigduizend dollar als ze bij de grote advocatenkantoren in Philadelphia gingen werken, en dan kochten ze een nieuwe garderobe, een auto met overdreven veel pk's en degradeerden ze de Jetta tot 'boodschappenautootje'. Vicki was wel jaloers op het salarisstrookje. Het werk voor het ministerie van Justitie betaalde ongeveer eenderde daarvan en dat bewees maar weer eens dat er geen gerechtigheid was.

'Ik wil je iets vragen over een oude zaak van je,' zei ze, terwijl ze naast Cavanaugh haastig over de drukke stoep liep. Zijn das vloog opzij en wapperde in de wind toen ze door de straat beenden. Hij had het te druk gehad om met haar af te spreken op kantoor, maar omdat ze had aangedrongen, had hij ermee ingestemd dat ze met hem mee liep op weg naar een getuigenverklaring. 'De verdachte heet Reheema Bristow, beschuldigd van wapenrunnen. Je had de zaak vlak voordat je wegging.'

'Een wapenrunnerzaak?' Cavanaugh droeg een montuurloze bril en zijn donkere pony wapperde op, terwijl hij jachtig verder liep. Zakenmannen in overjassen, werkmieren in donsjassen en keurig geklede vrouwen stroomden lachend en pratend over de stoep langs hen heen op weg naar hun werk na de lunch. 'Had ik een wapenrunnerzaak? Ik dacht dat ik cool was.'

'Twee wapens en een informant Shayla Jackson?'

'Zegt me niets.'

'Je hebt Jackson telefonisch gesproken.'

'Kan ik me niet herinneren.'

'Je moet haar bij de onderzoeksjury hebben gezien.'

'De naam zegt me niets. Hoe zag ze eruit?'

Vicki zag het beeld voor zich van Jackson die door kogels uiteengereten was, maar verplaatste haar aandacht toen naar de foto's aan de spiegel. 'Een knap meisje, zwart, leuke glimlach.'

'Dat kan iedereen zijn.'

*Geweldig.* 'Denk eens goed na. De zaak had een bloedmooie gedaagde. Reheema Bristow. Lang, zwart, mooi gezicht, waanzinnig lijf. Net een fotomodel.'

'O, ja.' Cavanaugh glimlachte, en er kwam een ademwolkje uit zijn mond. 'Nu herinner ik me de zaak weer. Wie zou Reheema kunnen vergeten? Wat een moordwijf. Re-hee-ma.'

'Ja, Reheema. Volgens het memo in het dossier heb je nog een poging gedaan om een deal met haar te sluiten. Ik heb het hier, als je daar wat aan hebt.'

'Laat eens kijken,' zei Cavanaugh, en Vicki stuntelde met haar handtas om het memo uit haar koffertje te halen en het al lopende voor hem te houden. Een jongen met oordopjes van een witte iPod in zijn oren keek hun kant op toen Cavanaugh een blik op het memo wierp. 'Ja, oké, nu weet ik het weer.'

'Hier staat dat haar advocaat aanwezig was, plus jouw ATF-partner, Partino.'

'Ja, dat klopt.'

'Kun je je Melendez nog herinneren? Door de rechter aangewezen, klein, gezet.'

'O ja, aardige vent.'

*Tenzij hij je aanklaagt.* 'En Partino. Waar zit hij tegenwoordig? Waarom zit hij niet meer bij de ATF?'

'Hij was reservist en werd opgeroepen. Zit nog steeds in Irak, volgens mij.'

'Ik kan hem dus niet spreken.'

'Nee.'

Vicki weigerde zich te laten ontmoedigen. 'Gisteravond is mijn ATF-partner vermoord toen hij en ik naar Jackson gingen. Jackson is ook vermoord, en ze was zwanger.'

'Die informant, dat las ik op internet,' zei Cavanaugh, en het sierde hem dat hij moest huiveren. 'Ik had nog niet begrepen dat het om deze zaak ging. Reheema. Wat wil je van me weten?'

'Ik wil erachter zien te komen wat er is gebeurd.'

'Hebben we daar de politie niet voor?'

*Niet over uitweiden.* 'Oké, laten we het over Shayla Jackson hebben.'

'De informant? Wat wil je weten?'

'Om te beginnen zat het proces-verbaal van de onderzoeksjury niet in het dossier, en volgens de formulieren heb je dat wel aangevraagd. Weet jij waar het is gebleven?'

'Mijn schuld. Ik geef toe, archiveren was niet mijn sterkste kant. Misschien is het ergens verkeerd tussen gestopt. Ik vind het gewéldig dat ik nu iemand heb die mijn archiefwerk voor me doet.' Cavanaugh grijnsde. 'Ik heb mijn eigen secretaresse. Nou ja, de vent voor wie ze ook werkt is er nooit. Echt gaaf.'

'In je memo stond dat Jackson jou belde en vrijwillig wilde getuigen.'

'Juist.'

'Dus ze belde je spontaan? Vreemd.'

'Maar niet ongekend.'

'Nee, maar meestal is er een reden.' Vicki snapte er niets van. De vriendin van een drugdealer belt het OM om te klikken? Het sloeg nergens op, maar ze mocht Cavanaugh niets over de cocaïne zeggen. 'Heb je enig idee waarom ze dat deed?'

'Nee.'

Vicki keek naar de datum van het memo en sloeg al lopende het blad om. Acht maanden geleden. Shayla zou net hebben kunnen ontdekken dat ze zwanger was, als ze het al zo vroeg wist. 'Heeft ze destijds verteld dat ze zwanger was?'

'Nee.'

'Zag ze er dan zwanger uit? Ze was nog niet zover.'

'Ik weet niet of ze zwanger was. Ze was misschien een beetje gezet, maar dat is typerend. Gouden sieraden, kunstnagels. Je weet wel. Gettostijl.'

Vicki wist haar jaloezie over zijn salaris te overwinnen en begon hem puur om zijn persoon onaangenaam te vinden. 'Goed, dus Jackson kwam binnen en getuigde voor de onderzoeksjury dat Reheema de wapens had doorverkocht?'

'Ja.'

'Hoe wist Jackson dat Reheema de wapens had doorverkocht?'

'Als ik het me goed herinner, had de gedaagde haar verteld dat ze ze had doorverkocht.'

Vicki spitste haar oren. 'Bristow had het haar verteld?'

'Ja.'

'Dus ze kenden elkaar?'

'Volgens mij zei ze dat. Het waren beste vriendinnen.'

Vicki begreep het niet. Ze had Reheema die morgen gevraagd of ze Jackson kende, en de naam had ogenschijnlijk geen enkele reactie bij haar losgemaakt. En dat kwam ook overeen met wat mevrouw Bott had gezegd. 'Van wie had je dat?'

'Wat?' Cavanaugh was afgeleid en zwaaide naar iemand die hij kende.

'Wie zei dat ze beste vriendinnen waren?'

'De informant.'

'Jackson?'

'Ja.'

'Noemde Jackson Reheema wel eens Mar, of een naam die op Mar leek?' Vicki dacht in een flits aan mevrouw Bott. Ze had last van verlatingsangst.

'Hoe ga je van Reheema in godsnaam naar Mar?' Cavanaugh trok zijn neus op.

'Nou?'

'Weet ik veel. Jezus.'

'Had Jackson het wel eens over een Mar?'

'Nee.'

Vicki was verbijsterd. 'Weet je zeker dat Jackson zei dat Bristow haar vriendin was?'

'Haar beste vriendin, zei ze.'

'Hoe zijn die twee in vredesnaam beste vriendinnen geworden? En ga me niet vertellen dat je dat niet weet.'

'Ik weet het niet.'

Ze liepen haastig verder en Vicki schudde haar hoofd. 'Niet uit de buurt. Jackson woonde in het noordoosten en volgens het dossier stond Reheema's flat in West-Philadelphia.'
'Als jij het zegt.'
'Had Jackson een baan?'
'Geen idee.'
'Van het werk kan het niet zijn, ook al had Reheema twee banen.' Vicki kon zich dit uit Reheema's dossier herinneren, en ze had zo'n vermoeden dat Jackson al lange tijd geen tijdelijke baantjes meer had gehad, wát mevrouw Bott ook dacht. Het was veel waarschijnlijker dat Jackson zeer goed werd onderhouden door haar vriend de cokedealer en geen vrouw was die zelf werkte. Maar om de een of andere reden had ze zich tegen Bristow gekeerd en wilde ze haar leven veranderen toen ze ontdekte dat ze zwanger was. 'Heeft Jackson het wel eens over een Jamal Browning gehad?'
'Nee.'
'Weet je of Jackson verkering had?'
'Wat is dit, de middelbare school?' Cavanaugh moest lachen.
'Komen de namen Jay-Boy of Teeg je bekend voor?'
'Zijn dat honden of mensen?'
Vicki kon er niet om lachen. 'Goed, ga eens terug naar dat strafverminderingsgesprek. Wilde Reheema een deal sluiten?'
Cavanaugh hield het memo omhoog en bekeek het schutblad. 'Hier staat van niet, dus nee.'
'Heb je druk op haar uitgeoefend?'
'Dat mocht ik willen.' Cavanaugh lachte. 'Re-héé-ma.'
'Jim, dit is belangrijk.'
'Vast wel. Ik had altijd een goeie babbel.'
'Maar is het niet vreemd dat ze geen deal wilde? Ik bedoel, zonder strafblad had ze er vrijwel zonder straf vanaf kunnen komen als ze had gezegd aan wie ze de wapens had doorverkocht.'
'Dat is waar.'
'Waarom wilde ze dan geen deal?'
'Dat weet ik niet.'
'Heb je je dat toen niet afgevraagd?'
'Eerlijk gezegd, mijn lieve, kon me dat geen snars schelen.' Ze bleven bij het verkeerslicht op Seventeenth Street staan, waar Cavanaugh haar

aankeek en zijn schouders ophaalde in zijn dikke jas. 'Jij bent nieuw, hè?'

'Ja.'

'Dan zul je het nog wel merken. Ik stond destijds al met één voet buiten de deur. Ik was afgebrand. Het gaat je allemaal niet in je koude kleren zitten.'

Vicki hoefde niet te vragen wat 'het' was. Ze had 'het' meegemaakt bij het parket, maar het had haar niet geraakt. Gek genoeg wilde zij alleen maar meer van 'het'. Misschien zou ze er anders over denken als haar privéleven niet zo waardeloos was. Of als ze een eigen stationcar had.

'Ik heb alleen een deal geopperd omdat Melendez erop aandrong. Ik was beschikbaar voor het geval Reheema wilde praten, maar dat wilde ze niet. Ze schopte herrie toen ze werd voorgeleid, schreeuwde dat ze onschuldig was, waardoor ze definitief werd vastgezet.' Cavanaugh haalde zijn schouders weer op. 'Die lui, ze maken hun eigen keus en leven met de gevolgen. Ik probeer er niet meer achter te komen waarom ze doen wat ze doen.'

*Ze.* 'Denk je dat ze te bang was om namen te noemen?'

'Dat weet ik niet.'

'Ze kwam op mij niet bang over.'

'Zal wel.'

'Kun je je verder niets herinneren, behalve dan wat je me al hebt verteld of wat er in het memo staat?'

'Niet echt. Toen ik aan deze baan begon, is alle informatie in mijn hoofd gewist, dat zweer ik je. Ik kan me niet meer zoveel herinneren van voor die tijd.' Het licht sprong op groen en ze staken de straat over. Cavanaugh versnelde zijn pas en Vicki liep haastig met hem mee, ze had het bloedheet in haar donsjas. Een vrouw die hen voorbijliep, leek haar te herkennen en fluisterde iets tegen haar vriendinnen, maar Cavanaugh had het niet in de gaten. 'Ik werk nu een jaar op dit kantoor en ik kan je wel vertellen dat het een compleet andere wereld is. Die afspraak die ik nu heb? Een districtoverschrijdende productaansprakelijkheidszaak met 137 gedaagden. Dat is een stad, een land! Het gaat om een defecte wegwerpspuit en dan specifiek de zuiger van de spuit...'

'Sorry hoor, maar was er enige onderbouwing van Jacksons verhaal?'

'Het was allemaal indirect bewijs, niets nieuws dus. De wapenhandelaar zei dat ze ze had gekocht en de beste vriendin zei dat ze had toegegeven dat ze ze had doorverkocht,' zei Cavanaugh afwerend, en Vicki herkende die toon. Die had ze zelf ook vaak. Geen enkel misdrijf was makkelijk te bewijzen, behalve bij *Law & Order*.

'Aan wie had ze de wapens doorverkocht?'

'Dat zei Reheema niet.'

'Je bedoelt dat Jackson zéí dat Reheema dat niet had gezegd.' De staat had zo weinig bewijs dat Vicki bijna aan zichzelf begon te twijfelen. 'Hebben ze de wapens ooit weten te traceren?'

'Nee.'

'Zijn ze ooit opgedoken bij een overval of een schietpartij?'

'Nee.'

'Dus het enige bewijsmateriaal in de zaak was wat Jackson zei.'

'Ja.' Cavanaugh bleef plotseling stilstaan voor een enorme wolkenkrabber van donker spiegelglas, waar mensen naar binnen stroomden na nog een laatste trekje aan hun sigaret. 'Bekijk het eens binnen de context. Nu lijkt het niet veel, maar toen de aanklacht werd ingediend wel. Misdrijven met handvuurwapens rezen vorig jaar de pan uit, dat weet ik nog wel, en Strauss heeft toen het Schoon Schip Project opgezet om handvuurwapens op straat te weren. Het Openbaar Ministerie trad met harde hand op tegen wapenrunners. We kregen van de ATF de lijst met mensen die meerdere aankopen hadden gedaan en daar zijn we achteraan gegaan. Zo hebben we Reheema en nog wat ander klein spul in onze netten gevangen.'

'Met andere woorden, we hadden het verhaal rond en daar hielden we het bij.'

'Precies,' zei Cavanaugh met een laatste glimlach. 'En nu moet ik aan het werk.'

'Bedankt,' riep Vicki hem na, maar hij had zich al omgedraaid en stroomde met de anderen mee de spiegelende toren binnen.

Overdonderd bleef ze even staan. Misschien had ze dit helemaal verkeerd aangepakt.

Maar als ze iets nieuws wilde proberen, had ze niet veel tijd.

# 11

Vicki keek op haar horloge: 15.15 uur. Niet slecht. De lucht was ijsblauw, dus zette ze de verwarming in haar auto wat hoger en draaide ze haar oude witte cabrio het bedrijfsdistrict uit en het drukke verkeer in. Ze was naar huis gegaan om haar auto en mobiele telefoon te halen, en met een misselijk gevoel vanbinnen veegde ze hem schoon en zette ze hem in de lader aan het dashboard. Vrijwel direct begon het ding te piepen, ten teken dat ze een bericht had.

Vicki remde wat af, pakte de telefoon en deed haar best om niet te kijken naar de donkere streep opgedroogd bloed rondom de toetsen, terwijl ze door het menu scrolde om te zien wie er had gebeld. Dan. De drie berichten waren zoals was te verwachten, en ze drukte op een toets om hem terug te bellen, aan de lader verbonden als een navelstreng.

Hij was nog maar één keer overgegaan of Dan nam al op. ‘Mens! Goeie god, waar ben je mee bezig? Ben je vergeten je Ritalin te slikken?’

Vicki schoot in de lach.

‘Ik heb gehoord dat je een gedaagde bijna hebt vermoord! Ach, wie zal daar moeite mee hebben? We proberen allemaal op onze eigen manier de straten schoon te vegen. Oordeelt niet, opdat gij niet geoordeeld wordt!’

‘Ik heb haar helemaal niet bijna vermoord.’ Na de avond ervoor zou Vicki dat woord nooit meer zo luchtig gebruiken. ‘Ik wilde alleen wat informatie, meer niet.’

‘En daarom wilde je haar vermoorden?’

'Niet waar!'

'Bale kookt van woede. Er komt rook uit zijn oren. Dat staat hem niet.'

'Daar kan ik me iets bij voorstellen.'

'Je had wél gelijk over dat botoxen. Hij is hartstikke kwaad en nog steeds zitten er geen rimpels in zijn voorhoofd.'

Vicki voelde zich een beetje schuldig en nam een andere rijbaan.

Dan zei: 'Lijkt je dat geen volmaakte voorstelling van de hel? Al die boosheid en niet in staat zijn die uit te drukken.'

'Net als werk.'

'Of het huwelijk.'

Vicki ging hier niet op in en passeerde Thirtieth Street. 'Hij heeft me in elk geval niet ontslagen.'

'Gefeliciteerd. Het gaat echt geweldig met je carrière.'

'Bedankt voor je steun.'

'Maar wat is er nou gebeurd? Vertel maar aan papa,' zei Dan, en Vicki vertelde hem alles. 'Wat een verhaal. En waar ben je nu?'

'Ik zit in de auto om wat meer over Reheema te weten te komen. Over een paar uur komt ze uit de gevangenis en ik wil kijken wat ik voor die tijd te weten kan komen.'

'Is dat wel een goed idee? Coke? Wapens? Jij? Een van die drie hoort niet in het rijtje thuis.'

Vicki glimlachte. 'Het gevaarlijkste wat ik doe is telefoneren terwijl ik rijd.'

'Waarom wil je meer over Reheema te weten komen?'

'Ik ben gewoon nieuwsgierig, dat is alles.'

'De duivel heeft het vragen uitgevonden.'

'Woordspelletjes passen niet bij je, Dan.'

'Je overschat me.'

'Dat is een feit.'

'Nee, maar ik meen het.' Dans stem werd serieus en Vicki kon zich precies voorstellen hoe hij eruitzag als zijn aantrekkelijke gezicht betrok. Nog knapper. 'Je doet dit voor Morty.'

'Goh, zou het?' Vicki gaf gas toen de weg vrij was.

'De politie doet haar werk.'

'O, ja? Ik heb net de moeder van de informant gesproken die nog niet eens een telefoontje van ze heeft gehad. God weet wanneer die eens in actie komen, bovendien hou ík ze niet tegen. Ik probeer meer te weten te komen over mijn eigen zaak. Dat had ik eerder moeten doen.' Vicki slikte moeizaam en keek in haar achteruitkijkspiegel. Er zat een illegale taxi op haar bumper. 'Als ik de tijd had genomen om dat proces-verbaal te pakken te krijgen, had ik al geweten waar ik vandaag achter ben gekomen.'

'Je zat midden in een rechtszaak. Je moet het jezelf niet kwalijk nemen.'

'Het is mijn schuld.'

'Nee, dat is niet waar.'

'Genoeg.' Vicki remde bij de verkeerslichten op Thirty-eighth Street. Ze ging weer terug naar West-Philadelphia. Studenten in sjofele jassen staken de straat over tussen universiteitsmedewerkers met plastic identiteitspasjes aan een koordje. Een witte surveillancewagen kwam naast haar rijden en de agent wierp Vicki een vuile blik toe. Kennelijk keurde hij haar mobiele telefoon af of anders haar neiging tot politiewerk. 'Ik moet ophangen.'

'Bel me als je thuis bent.'

'Doe ik.'

'Zodra je thuis bent.'

'Goed, schatje,' zei Vicki, alsof het een grapje was. Ze drukte op de UIT-toets, klapte de telefoon dicht en gooide hem op de stoel naast zich. Toen het licht op groen sprong, gaf ze gas. Ze was er bijna, ook al zat ze met haar gedachten ergens anders.

Bij Dan.

# 12

'Jij bent advocaat?' vroeg de manager sceptisch, waarmee hij Vicki's angst verjoeg dat hij haar misschien van het journaal zou herkennen. Hij heette Mike huppeldepup, was ongeveer vijfendertig en zijn gezicht zat onder de oude acnelittekens. Hij droeg een morsige blauwe trui en spijkerbroek, en zijn korte, donkere haar was met gel in een ongelukkige stekeltjeskroon gestileerd. Zijn ogen waren smal en blauw, zijn neus was recht en zijn tanden waren bruin van de nicotine. Vicki stond in de deuropening van zijn kleine, raamloze kantoortje, terwijl hij haar veel te lang in zich opnam.

'Ja, ik ben advocaat,' antwoordde Vicki.

'Je ziet er niet uit als een advocaat. Je bent zo klein.'

'Ik ben een kleine advocaat.'

Mike trok een scheve glimlach. 'Heb je *The Practice* wel eens gezien? Ik keek vroeger altijd naar *The Practice.* Ik begrijp niet waarom ze dat van de buis hebben gehaald.' Ze bevonden zich in het kantoortje van Bennye's, een groezelige broodjeswinkel in West-Philadelphia. Aan de met schrootjes beklede muren hingen een oude Miller High Life-advertentie, een aan elkaar geplakte kalender uit 2001 van een plaatselijk bedrijf voor stookolie en een vunzige poster van Lil' Kim. Het rook in het kantoortje naar oud frituurvet en Vicki kreeg onwillekeurig het gevoel dat zelfs de lucht vettig was. Mike zat aan een bureautje bezaaid met oude kranten. 'Ik vond die blonde griet in *The Practice* leuk, weet je wie ik bedoel?'

'Ja, die vond ik ook leuk.' Vicki had niet de hele dag de tijd. 'Vertel me eens over Reheema Bristow. Ze werkte hier als serveerster, klopt dat?' Er had een aantekening in het dossier gezeten.

'Ben je hier om Reheema?' Mike klaarde op en ging wat rechter in zijn zwarte stoel van vinyl zitten. 'Waarom zei je dat niet eerder? Hoe is het verdorie met haar?'

'Goed.' *Omdat ik haar niet mocht wurgen.*

'Ik heb haar een paar keer opgezocht in de gevangenis. Wil je haar de groeten van mij doen?'

'O, maar ik ben niet haar...' Vicki onderbrak zichzelf. Mike dacht dat ze Reheema's advocaat was. *Zo erg is dat toch niet?* 'Tuurlijk. Ik zal haar de groeten doen.'

'Dank je. Doe haar moeder ook maar de groeten. Hoe is het met haar?'

'Haar moeder? Goed.' *Hoop ik.* 'Dus jij bent een vriend van Reheema, hè?' Vicki ging als een goedkoop medium op tv op Mikes houding af. 'Ze heeft het wel eens over je gehad. Ze zei dat je graag met me zou willen praten, als je haar daarmee kon helpen.'

'Dat wil ik ook. Wát ze maar nodig heeft.'

'Ik heb vooral informatie nodig. Achtergrondinformatie voor haar zaak.' Vicki dacht even na. 'Ik kan me niet herinneren dat ze het wel eens over iemand anders van hier heeft gehad. Had ze geen vrienden op haar werk? Mensen die haar goed kennen? Die zou ik als getuigen kunnen gebruiken tijdens de rechtszaak.'

'Niet echt. De tent is zo klein, er is maar één serveerster. Als haar baas kende ik haar waarschijnlijk het beste. Ik zou een prima getuige zijn.'

'Fantastisch, daar wil ik het zo over hebben.' Vicki deed of ze een aantekening in haar agenda maakte. 'Had ze trouwens vriendjes, weet je dat? We hebben geen tijd gehad om als meiden onder elkaar te praten.'

'Een vriend? Reheema? O, nee. Ze werkte overdag hier en maakte 's avonds schoon in Presby, het ziekenhuis. Voor vriendjes had ze geen tijd. Bovendien was ze nogal kerkelijk, weet je wel.'

*Kerkelijk?* Vicki knipperde perplex met haar ogen. 'Weet ik, daarom zijn die aanklachten tegen haar ook zo oneerlijk. De staat heeft haar aangeklaagd wegens het kopen en doorverkopen van twee wapens.'

'De staat kan mijn rug op.' Mike snoof. 'Zoiets zou ze nooit doen. Reheema was iemand die goed voor mensen zorgde. Haar moeder, de klanten. Reheema was geen gettotype, zoals sommigen.'

Vicki ging er niet op in. 'Mag ik je iets vragen? Waarom werkte ze hier en in het ziekenhuis, terwijl ze had gestudeerd? Als je het niet erg vindt dat ik het vraag.'

'Helemaal niet, ik weet ook wel dat dit The Ritz niet is. Volgens mij werkte ze hiervóór voor de gemeente als maatschappelijk werkster of zoiets, maar ze werd ontslagen. Ik wist ook wel dat ze zou vertrekken zodra ze iets beters kon krijgen.' Mike schudde zijn hoofd. 'En toen werd ze opgepakt. Wát ze volgens de politie ook heeft gedaan, het is niet waar.'

'Hoe weet je dat? Ik bedoel, hoe kan ik dat bewijzen?'

'Ze heeft nog nooit iets verkeerd gedaan, dat kan ik getuigen, ik zal het ze zeggen. Reheema was de beste.' Mike kneep zijn lippen op elkaar en Vicki zag zijn blik. Hij was verliefd op haar.

'Wat zou je in detail over haar zeggen als je werd opgeroepen om te getuigen?'

'Dan zou ik zeggen dat ze de dagdienst deed toen ik hier begon, dat ze elke ochtend de tent opende en het altijd keurig schoon was als ik arriveerde. En ze was ook heel goed voor de klanten. De klanten waren dol op haar. Ze vragen nog steeds naar haar. Ze werkte hier elke dag, zeven dagen per week, was altijd op tijd, superbetrouwbaar. De enige keer dat ze niet kwam was toen haar moeder ziek was. Vier dagen in twee jaar.'

'Wat had haar moeder?'

'Kanker. Haar moeder is ook een kerkgangster.' Mike hield zijn stekeltjeshoofd schuin. 'Wist je niet dat ze kanker had?'

*Oeps.* 'Ja, dat heeft ze wel verteld, maar ze is er verder niet op doorgegaan. Reheema is nogal gesloten.'

'Ze is stil, een lief meisje. Heel lief. Ze is beeldschoon, vanbinnen en vanbuiten.' Mike was in gedachten verzonken en Vicki hoefde hem niet te vragen waar hij met zijn gedachten was, maar zij hoefde die beelden niet te zien. 'Iedere man die hier binnenkwam, probeerde haar te versieren.'

'Tuurlijk.'

'Maar ze wees ze allemaal heel beleefd af om ze niet te kwetsen. En als ze iets te handtastelijk werden of dronken binnenkwamen, kon ze ze allemaal aan.' Mike ging rechtop in zijn stoel zitten. 'Zorg dat ze vrijgesproken wordt en zeg maar dat ze haar oude baan zo terug kan krijgen.

Ik deed hartstikke goeie zaken toen zij hier werkte. Niemand komt hier voor het eten.'

'Fijn, dank je. Had ze het wel eens over een vriendin die Shayla Jackson heette?'

'Nee.'

'Ze waren hartsvriendinnen,' zei Vicki steeds meer verbijsterd.

'Ik heb die naam nog nooit gehoord.'

*Shit.* Waren Jackson en Bristow nou vriendinnen of niet? Iemand loog of wist de waarheid niet. 'En Jamal Browning?'

'Nee.'

'Jay-Boy of Teeg?'

'Nee. Ze had het nooit over iemand behalve over haar moeder. Ze was een eenling.'

'Hoe denk je dan dat ze hierin verzeild is geraakt? Enig idee? Ik bedoel, is ze zomaar uit het niets aangeklaagd?'

'Dat vraag ik me ook wel eens af. Ze verdient dit in elk geval absoluut niet. Volgens mij is het een samenzwering.' Mike zoog op zijn onderlip. 'Volgens mij probeert iemand haar erin te luizen. Dat heb ik haar ook geschreven op mijn laatste kerstkaart, heeft ze je dat verteld?'

'Je kerstkaart? Ja, daar heeft ze het wel over gehad. Ze vond het heel attent van je.'

'Ik stuur haar moeder ook een kaart. Elk jaar.'

Vicki knipperde met haar ogen. Hij leek niet bepaald het type dat een adressenlijstje voor kerst bijhield, laat staan dat daar zieke moeders op stonden. Kennelijk was hij smoorverliefd op Reheema. *Nog verliefder dan ik op Dan.* Vicki had zich niet gerealiseerd hoe ongelooflijk kansloos ze was, totdat ze met haar onderzoek was begonnen.

'Heeft ze het daar ook over gehad? De kaart aan haar moeder?' Hoopvol trok Mike zijn wenkbrauwen op. 'Ik vraag het omdat ik er wat geld bij had gestopt, snap je, als kerstcadeau.'

Vicki kreeg een idee. 'Ze heeft het niet over een kaart voor haar moeder gehad, dat is wel vreemd. Weet je zeker dat je hem naar het juiste adres hebt gestuurd? Als je contant geld naar het verkeerde adres stuurt, komt het nooit aan, begrijp je?'

'Mmm, je hebt gelijk,' zei Mike. Hij leunde over zijn bureau heen en pakte een gore, ouderwetse kaartenbak. Hij bladerde door de witte kaartjes die met balpen waren beschreven tot hij het bewuste kaartje had. Vicki keek stiekem mee toen hij het las. 'Dit is het. Arissa Bristow. Ze woont in Lincoln Street op nummer 6847. Dat is in West-Philadelphia.'

'Dat klopt volgens mij.' Vicki sloeg de informatie in gedachten op. 'Ik zal het aan Reheema vragen.'

'Dat zou fijn zijn.'

'Nog één ding,' zei Vicki in gedachten verzonken. Ze kon er geen wijs uit worden. Reheema verdiende niet veel in deze aftandse broodjeszaak, dus had ze zonder meer een reden om haar inkomen aan te vullen met het doorverkopen van wapens. Maar het beeld klopte van geen kant. Reheema paste wel in het beeld van een typische runner, maar Vicki kon maar moeilijk geloven dat een kerkelijk meisje of een maatschappelijk werkster een plan zou beramen om een informant te vermoorden. 'Is er hier nog iemand anders geweest met vragen over Reheema?'

'Nee.'

'Geen rechercheurs?'

'Nee.'

'Agenten?'

'Nee.'

'De FBI soms?'

'Nee.'

'Misschien een advocaat? Een man die Melendez heet, of iemand die voor hem werkt?'

'Nee.'

'Oké, bedankt,' zei Vicki verward. Hoe had Melendez Reheema willen verdedigen? 'Ik ben blij dat je hebt willen helpen, en Reheema ook.'

'Graag gedaan.' Mike stond op, in een poging hoffelijk te doen. 'Weet je, volgens mij zou Reheema niet eens weten hoe ze een wapen moest afvuren.'

En even wist Vicki dat ook niet, ook al had ze bewijs dat Reheema er twee had gekocht en ze weer had verkocht.

Het was wel duidelijk dat ze nog niet klaar was met haar klusjes.

# 13

Vicki was nog nooit in deze buurt geweest, maar hij had iets vertrouwds dat ze niet kon thuisbrengen. Ze was nog steeds in West-Philadelphia, dik ingepakt in de heerlijk warme cabrio. Ze had geen idee waarom vw was gestopt met de productie van deze auto, dat hadden ze niet moeten doen. Eerst verdwijnt de cabrio en dan *The Practice.*

Het was ongeveer twintig straten rijden naar deze verlopen buurt, maar hij lag eindeloos ver verwijderd van de campus van de universiteit van Pennsylvania en zelfs van Bennye's broodjeszaak. Langs de straten stonden rijtjeshuizen met één verdieping, kenmerkend voor Philadelphia, maar ze waren vervallen en besmeurd met graffiti. De houten veranda's waren doorgezakt, de verf bladderde en schilferde en bij sommige huizen waren de ramen dichtgetimmerd met triplex. Vicki sloeg voor de derde keer rechts af. Ze had geen idee waar ze precies was omdat er geen straatnaambord was. Ze sloeg nog een keer rechts af en toen links af, reed langs een verlaten perceel met betonnen puin, bierblikjes en ander afval en vond ten slotte Lincoln Street.

Ze reed langzaam verder om de huisnummers te lezen die slordig op de stenen waren geschilderd, vaal maar nog wel leesbaar. 6837, 6839. Ze reed in elk geval aan de oneven kant van de straat. Toen ze nog voor het parket werkte, was ze wel eens in slechte buurten geweest om, al dan niet onder politiebegeleiding, getuigen te verhoren. Ze had geleerd dat ze maar het beste zichzelf kon zijn: een erg blank meisje in een erg witte cabrio, zeer opvallend in een zwarte wijk die betere tijden had gekend.

Vicki stak eerst Washington Street en daarna Jefferson Street over; ze zag een patroon ontstaan nu ze als grote detective bezig was. De dwarsstraten hadden namen van presidenten, maar nog altijd klonken ze haar vertrouwd in de oren. En toen wist ze het weer. Opeens wist ze waar ze over deze buurt had gehoord. *Thuis.* Dit was haar vaders oude buurt, Devil's Corner. Ze was hier nooit geweest, maar de naam had haar altijd geïntrigeerd. Er waren honderden buurten in Philadelphia, met allemaal namen, maar weinige daarvan waren erg logisch.

Vicki keek met andere ogen naar de huizen. Haar vader praatte niet graag over zijn jeugd hier. De buurt was destijds Italiaans en joods geweest, het startpunt voor de zich opwerkende immigrantenfamilies die de sprong naar City Line maakten en als ze geluk hadden naar Main Line, de buurt met de deftigste naam.

Ze wist zich nog te herinneren dat het bakstenen huis op de hoek van Washington Street van haar vaders familie was geweest. Ze reed een rondje, passeerde de dwarsstraat en vond het huis. Ze bleef even staan zoals mensen doen als er een begrafenisstoet passeert. Dat leek gepast. Haar vaders oude huis op de hoek, een log pand met één verdieping, stond er leeg en uitgeleefd bij, een vergaan bakstenen omhulsel met ramen die waren dichtgetimmerd met goedkoop blik. Ze voelde een steek van pijn toen ze zag hoe vervallen het huis was, onverklaarbaar, omdat ze er nog nooit binnen was geweest. Ze betwijfelde of haar vader er een traan om zou laten; hij sprak nooit met veel liefde over zijn ouderlijk huis of zijn oude buurt, zei alleen dat het er 'veranderd' was, wat in zijn woorden betekende dat er 'zwarten waren ingetrokken'. Maar Vicki zag de verandering niet; ze zag het verval.

Er was niemand op straat. Ze keek op haar horloge: 16.26 uur. Goed, het was koud buiten en het werd al bijna donker, maar de kinderen uit de buurt zouden uit school moeten zijn en buiten moeten spelen. Volwassenen zouden ook hun huis in en uit moeten gaan, of het nu thuiswerkende moeders of werklozen waren. Maar er was niemand te bekennen. De straten waren opvallend verlaten. Vicki zag huisnummer 6847. Ze parkeerde de auto, zette de motor af, griste haar tas mee en stapte uit. Ze liep naar het huis, ritste haar jas dicht, haalde haar hand door haar haar en maakte zich klaar om een kerkse dame te ontmoeten. Ze was zo succesvol geweest bij de dames Bott en Greenwood dat dit een makkie zou worden.

Vicki liep naar het huis en ging het betonnen trapje op dat dringend een opknapbeurt nodig had. De rode verf op de voordeur was gebarsten en een klein raampje boven in de deur was met tape dicht geplakt. Vicki had zo'n vermoeden dat Reheema's moeder, Arissa Bristow, niet veel geld had. Misschien schonk ze het allemaal aan de kerk. Of het ging op aan ziekenhuisrekeningen.

Vicki klopte een paar keer op de deur en wachtte geduldig op het zonnige trapje; er zaten drie sloten op de deur, inclusief twee cilindersloten, dus wist ze dat het even kon duren voor de deur openging. Maar ze hoorde niets. Ze wachtte, klopte toen opnieuw aan en riep: 'Hallo? Mevrouw Bristow?'

Plotseling, zonder dat er sloten opengemaakt hoefden te worden, ging de voordeur open en stond er een lange, maar broze zwarte vrouw in de deuropening. Net als haar dochter was ze helemaal niet wat Vicki zich van haar had voorgesteld.

'Ja?' mompelde de oudere vrouw bijna half bewusteloos. Ze droeg een slobberige bloemetjesjurk en leek niets te merken van de koude lucht die het huis binnenwaaide. Haar grijswitte haar was stug en ongekamd. Er zat wat spuug in haar mondhoek, haar lippen waren droog en er hingen velletjes aan.

'Mevrouw Bristow?' vroeg Vicki verrast.

De bruine ogen van de vrouw gaven geen reactie. Ze waren diep verzonken; rondom haar ogen en mond zaten diepe rimpels en ze was bijna uitgemergeld. De huid op haar gezicht stond zo strak dat ze meer schedel dan huid leek. Ze wankelde en met haar knokige hand hield ze zichzelf aan de deurknop overeind. Haar stakerige benen in pantykousen leken onder haar weg te zakken. Vicki wist niet goed of ze hier de verwoestende gevolgen van kanker, drugs of beide zag. Als dit mevrouw Bristow was, dan moest ze ongeveer vijfenvijftig zijn, maar ze leek wel twintig jaar ouder. Vicki vroeg zich af of ze wel het goede huis had.

'Bent u Arissa Bristow?'

'Ja, heb je iets voor me?' mompelde de vrouw. Haar pupillen waren speldenpuntjes en leken zich op Vicki te richten zonder haar te zien. 'Ik moet dope, ik moet dope. Heb je wat voor me, heb je wat voor me?'

*Drugs.* 'Ik wil graag even met u praten over Reheema.'

'Reheema? Reheema?' Mevrouw Bristow zei het alsof ze de naam nog nooit had gehoord.

'Ja, uw dochter Reheema. Mag ik even binnenkomen?'

Mevrouw Bristow trok de deur verder open, liet hem openstaan, liep voor Vicki uit en schuifelde vervolgens de kamer uit alsof Vicki er helemaal niet was.

'Mevrouw Bristow?' riep Vicki achter haar aan, maar ze kreeg geen antwoord.

Er kwam een koude wind binnen, dus deed ze de deur achter zich dicht en keek ze snel de kleine woonkamer rond. Omdat er geen gordijnen hingen en de kamer op het zuiden lag, was het er zonnig, wat detoneerde, en waardoor de verwaarlozing goed zichtbaar was. De zon scheen op een groezelige bruine bank en een blauwe strandstoel met gescheurde plastic latten. Het donkerrode tapijt lag bezaaid met vuil, lege pakjes sigaretten en oude kranten en de lucht stond stijf van de viezigheid en muffe sigarettenrook. Er stonden geen tv, stereo of radio en het was binnen bijna net zo koud als buiten. Tegen de muur stond een ouderwetse witte radiator die kapot was en waar zwart water uit was gestroomd. De verwarming was zeker uitgezet en de buizen waren gesprongen. Vicki liep naar de andere kamer en hapte naar adem.

Mevrouw Bristow lag op een smerige, kale matras met haar ogen dicht en haar mond open.

*Wees alstublieft niet dood.* Vicki rende naar mevrouw Bristow toe, bestudeerd haar roerloze gezicht en greep haar pols vast. Ze probeerde net een hartslag te voelen, toen de oude vrouw begon te snurken. Vicki schrok en ontspande zich toen.

'Mevrouw Bristow?' vroeg ze zachtjes. Ze gaf haar een duwtje, maar de vrouw verroerde zich niet. Hoe kon Vicki haar nu ondervragen?

*Verdomme!* Ze keek even vertwijfeld de kamer rond. Overal op de grond lagen lege flessen goedkope wijn, en het bijzettafeltje naast de matras bezweek bijna onder de drugsbenodigdheden; een oranje glazen pijp, een gewone pijp en lucifers. Lege cellofaanenvelopjes en zakjes; vierkante zakjes in roze en paars.

Vicki pakte een van de zakjes en rook de zoete cracklucht; ze had voldoende drugszaken behandeld en had meer dan genoeg geroken. Haar blik gleed automatisch naar mevrouw Bristows handen, die met de handpalmen omhooggekeerd lagen. De brandwonden op de kussentjes van haar vingers, waar ze de hete glazen pijp mee had vastgehouden, bevestigden wat overduidelijk was. Dit was een langdurige verslaving; ze wist niet of mevrouw Bristow überhaupt kanker had gehad, of dat ze ervan was genezen of dat het leugens waren die Reheema aan haar baas had verteld.

Vicki had vragen, maar geen antwoorden. Ze keek op haar horloge: 16.45 uur. Reheema zou zo dadelijk worden vrijgelaten uit het huis van bewaring en dan zou ze misschien naar haar moeder gaan. Vicki liet de slapende vrouw alleen en liep naar de volgende kamer. Een kwartier later had ze de begane grond doorzocht en geen bewijsmateriaal gevonden. Overal lagen lege flessen sterkedrank, sommige waren gebroken. In de koelkast lagen alleen wat snacks en restanten van afhaalmaaltijden; in de kastjes stonden alleen wat blikjes erwten, een paar losse Newport-sigaretten, een open doos ontbijtgranen en, heel raadselachtig, een pak mix voor pompoentaart. De smerige keuken was vergeven van de kakkerlakken die niet eens op de vlucht sloegen bij het zien van een openbaar aanklager.

Vicki keek nog even bij mevrouw Bristow, constateerde dat ze diep sliep en ging toen naar boven om nog wat verder rond te snuffelen. Boven aan de trap was een kleine badkamer en ze keek om het hoekje. De stank van menselijke uitwerpselen werd haar bijna te veel, ondanks het feit dat het deksel op het toilet zat. De vloer was nat van de urine vermengd met vuil en ze was blij dat het te donker was om goed te kunnen zien. Langs de wasbak zat roest en er hing een enorme bevroren druppel aan de kraan. Een witte plastic afvalemmer puilde uit met troep en toiletpapier. Ze huiverde, liep de badkamer uit en ging door het gangetje naar de dichtstbijzijnde slaapkamer aan de achterkant van het huis.

Het was er donkerder en koud, maar de slaapkamer was leeg, ongebruikt. De radiator was in tweeën gebroken, er was zwart water uit gelopen en het bed en de matras waren weg, evenals de ombouw; er was alleen een donkere vlek op de houten vloer waar het bed had gestaan. In de hoek stond een gehavend nachtkastje en er stond geen lamp of ladekast. Vicki ging de kamer uit en liep terug door de gang. Als het een typisch rijtjeshuis was, was er aan de straatkant nog een slaapkamer.

Ze deed de deur van de slaapkamer open en zag dat deze ook leeg was; alles van waarde was waarschijnlijk verkocht. Op de houten vloer tegen de binnenmuur zat een lichte vlek waar een tweepersoonsbed had gestaan, tegenover de zonnige ramen. Het kleed was weg, de lege kast stond open en een gammele stoel stond in een lege hoek. Daar had zeker een bureau gestaan, want er hing een fleurig prikbord aan de muur dat vol zat met van alles en nog wat; het enige vrolijke teken van menselijke bewoning.

Ze liep de kamer door en zag dat het prikbord vol hing met schoolspulletjes. REHEEMA BRISTOW stond er op een certificaat voor uitmuntende schoolprestaties van de National Honor Society dat met een metalen speldje op het bord was geprikt. Er hing een grote W van bruin vilt naast met rode, witte en blauwe linten. Op een van de linten stond in gouden letters PENNSYLVANIA HARDLOOPKLASSIEKER en naast de linten hing een lijstje in een meisjesachtig handschrift met: PERSOONLIJKE RECORDS: *800 meter 2:15:71, mijl 5:02.* Daaronder stond geschreven: DOELEN: *800 meter 2:11, mijl 4:55.*

Ze begreep het niet. Reheema was een goede leerlinge en een getalenteerd hardloopster geweest. Wanneer was ze zo ontspoord? Hoe was ze in het huis van bewaring terechtgekomen? Vicki staarde naar Reheema in een zwart atletiekshirt op een formele groepsfoto met haar ploeggenoten. Op hun shirts stond WILLOWBROOK LADY TIGERS, en er ging een schok van herkenning door Vicki heen. Willowbrook High was haar vaders oude school! Hij zei nooit iets over zijn middelbareschooltijd, behalve dan dat hij lid was geweest van de schaakclub, maar ze wist dat hij eindexamen had gedaan aan Willowbrook.

Haar blik viel op een kiekje van Reheema die met een vrolijke glimlach te midden van haar atletiekvrienden voor een oude Ford Ecoline stond met een laken als spandoek: PENN ESTAFETTEPLOEG. Achter het stuur van het busje zat een lange vrouw met een volwassen uitvoering van Reheema's fotogenieke gelaatstrekken en een al even verblindende glimlach.

Dit plaatje zette Vicki's emoties op zijn kop. Ze dacht dat ze alles wist van crackverslavingen, maar ze had het geleerd bij zaken die ze had behandeld. Ze had het nog nooit van dichtbij meegemaakt, gezien als deel van een gezin. En in dit geval was het niet de dochter die gebruikte, maar de moeder. Vicki had gedaagden altijd gezien als 'de gedaagde'; ze had criminelen nooit echt als mensen gezien. Maar hier zag ze het wel en het was erg confronterend. Ze vervolgde een meisje dat niet meer dan een jaar vóór haar het eindexamen had gehaald en lid was geweest van de National Honor Society, net als zij. Een meisje dat een baan had gehad en 'superbetrouwbaar' was, net als zij. Een atletiektalent dat problemen had weten te overwinnen waar Vicki nooit mee te maken had gehad, zoals een moeder die volkomen was ingestort. En stel dat mevrouw Bristow nog verder achteruit was gegaan nadat Justitie haar dochter had opgesloten wegens het doorverkopen van wapens?

Wat was hier aan de hand? Wat deed ze goed of fout? Was Reheema schuldig of niet? Kon Vicki mevrouw Bristow helpen? Ze draaide zich verward om en verliet de slaapkamer. Ze was halverwege de trap toen de aanblik van de slaapkamer beneden haar vertelde dat ze niet de goede antwoorden had.

Sterker nog, ze had niet eens de goede vragen.

# 14

Arissa Bristow was verdwenen. De matras in de geïmproviseerde slaapkamer was leeg. Vicki's tas lag op de vloer en de inhoud lag op het smerige tapijt verspreid.

*Godver!* Hoe had ze zo stom kunnen zijn! Ze rende naar haar tas en ging op haar knieën op het tapijt zitten. Haar mascara, oogpotlood, een lippenstift, haar dikke zwarte agenda, haar BlackBerry en, godzijdank, haar autosleutels waren op een hoop gegooid. Haar portemonnee was natuurlijk verdwenen en haar mobiele telefoon ook.

Vicki ging op haar hurken zitten en was kwaad op zichzelf. Ze had haar tas neergezet toen ze dacht dat mevrouw Bristow niet meer ademhaalde en ze was hem vergeten toen ze naar de keuken was gelopen. Ze wist het niet precies, maar ze dacht dat er vijftig dollar in haar portemonnee zat, een zwarte Kate Spade van nylon, die haar honderd dollar had gekost. Gelukkig had ze haar checkboekje niet bij zich, maar ze had wel een stapel creditcards: Visa, Amex, Ann Taylor, Gap, Lord & Taylor, Nordstrom. Haar bankpasje en haar rijbewijs waren verdwenen, plus, wat nog erger was, haar legitimatiebewijs van het ministerie van Justitie in het zwarte mapje.

Vicki kon het niet geloven. Je Justitie-legitimatiebewijs kwijtraken was nog erger dan je rijbewijs verliezen. Een collega was zijn pas kwijtgeraakt en had Bale toestemming moeten vragen om in Washington een vervangend exemplaar aan te vragen. Je kwam het gebouw tegenwoordig niet eens meer binnen zonder pas.

'Shit!' Vicki overwoog het alarmnummer te bellen, maar ze had geen mobieltje en mevrouw Bristow had geen telefoon. Ze propte haar spullen in haar tas, krabbelde overeind en rende naar de deur, mevrouw Bristow achterna. *Ik heb dan misschien de afgelopen dagen niet gesport, maar een crackverslaafde kan ik heus wel pakken.*

Met wapperende jas rende ze de deur uit, het trapje af, de stoep op. Het werd al donker en het was vreselijk koud; de lucht was ijsblauw. De opkomende maan was vol en hij gaf een koele witte glans. Ze keek rechts en links door Lincoln Street. De stoep was nog altijd verlaten. De rijtjeshuizen stonden er stil bij en gaven hun geheimen niet prijs. Mevrouw Bristow was nergens te bekennen. Zo lang was het niet geweest. Waar was het mens naartoe? Ze kon niet autorijden, ze kon amper staan. Was ze bij een van de buren?

Vicki rende naar het huis ernaast en tuurde door het gebarsten raam naar binnen, maar er brandde geen licht en het huis leek leeg. Ze liep naar het volgende huis en klopte aan. Er brandde geen licht binnen en niemand deed open. Ze rende naar de cabrio, haalde de sleutels uit haar tas, ontgrendelde met een piep de portieren en sprong erin. Met de auto zou ze de vrouw sneller vinden. Ze startte de motor en scheurde in de juiste richting de eenrichtingsverkeerweg op, sloeg rechts af Washington Street in, weer rechts af Harrison Street in en een derde keer rechts af Van Buren Street in.

Geen mevrouw Bristow. Vicki zette de verwarming aan die koude lucht in haar gezicht blies. Al zoekend reed ze rond. De daaropvolgende minuten waren een waas van Amerikaanse presidenten, totdat ze naar rechts keek. Achter Lincoln lag een smal straatje dat er parallel aan lag. Het was bijna niet meer dan een steegje. Op het scheve, groene straatnaambordje stond CATER STREET. De straatverlichting deed het niet en Vicki kon ternauwernood aan het andere eind van de straat schaduwen zien.

*Daar.* Schuifelend in de richting van de schaduw ging Arissa Bristow, gemakkelijk te herkennen omdat ze alleen haar bloemetjesjurk droeg. Het arme mens droeg geen jas en ze liep verbazingwekkend snel door de koude avond. Vicki parkeerde de auto langs de stoep, zette de motor af en legde haar hand op de deurkruk, klaar om uit te stappen en haar achterna te rennen. Toen bedacht ze zich.

*Wat voor indruk zou dat wekken?* Een assistent-openbaar aanklager die door de straten rent en de oude, aan crack verslaafde moeder tackelt van een gedaagde die ze gerechtelijk vervolgt? Geen goed idee. Vicki bedacht wat ze kon doen. Ze wilde haar portemonnee en telefoon terug, maar ze hoorde hier helemaal niet te zijn. Bovendien vond ze het een beetje eng om in deze buurt door een donkere straat te rennen. *Ik kom niet voor niets uit de buitenwijk.*

Toen kreeg ze een beter, of in elk geval een veiliger idee. Mevrouw Bristow wilde scoren en dankzij haar nieuwe advocaat had ze nu vijftig dollar in contanten. Er was maar één ding wat ze wilde: meer crack. Misschien was het interessant om te zien waar ze die kocht. Vicki bleef achter het stuur zitten en keek toe hoe mevrouw Bristow in haar wapperende jurk doelbewust door de straat liep. Vervallen huizen omzoomden de straat; in sommige brandde licht, in andere niet. Vijf huizen verderop leek enige activiteit te zijn bij een ogenschijnlijk kaal perceel waarvan de toegang deels was afgeschermd door een rij kale bomen. Mevrouw Bristow liep op de bomen af, ging toen naar rechts en verdween in de duisternis van het kale terrein.

Vicki's adem besloeg de ruiten en ze wreef een deel schoon aan de passagierskant. Ze hield haar blik op de bomen gericht. Er kwam een grote figuur het terrein af, met een kleinere figuur bij zich. Het werd kouder in de auto; de warmte verdween snel door het dunne doek van de cabriolet. Ze keek op haar horloge. 18.15 uur. Ze wachtte. 18.40 uur. Ze vroeg zich af hoe laat Reheema zou worden vrijgelaten uit het huis van bewaring. Zou ze haar moeder opzoeken? Vicki duwde haar koude handen in haar jaszakken. Ze kreeg pijn in haar nek van het naar rechts kijken.

De hemel werd inktzwart, maar mevrouw Bristow was er nog steeds niet. Een stuk of vijf, zes mensen gingen het terrein achter de bomen op en kwamen weer tevoorschijn. De enige activiteit in de straat was bij het lege perceel. Er moest wel in drugs gehandeld worden, maar waar was mevrouw Bristow? Stel dat de vrouw gewond was of een toeval had gehad. Of misschien had mevrouw Bristow gewoon ter plekke crack gerookt en was ze in slaap gevallen? Ze zou het 's nachts buiten niet overleven in deze temperaturen.

Vicki probeerde een theorie te ontwikkelen. Misschien had Reheema de wapens niet doorverkocht, maar had ze ze aan haar moeder gegeven, die ze had verkocht of verruild voor crack. Wapens waren een waardevol betaalmiddel voor drugdealers en de motor van de wapenrunners. Deze theorie sloot aan bij wat er was gebeurd tijdens Vicki's strafverminderingsgesprek met Reheema en klopte zelfs met Cavanaughs strafverminderingsgesprek met haar. De mogelijkheid bestond dat Reheema geen naam prijsgaf omdat ze niet van plan was haar moeder te verlinken.

BOEM! Opeens klonk er een luide knal aan haar kant van de auto. Vicki schoot angstig overeind en keek opzij. Een vuist bonkte tegen haar raampje. De cabrio schokte ervan. Een man met een zwarte capuchon verscheen dreigend ter hoogte van haar gezicht.

'Rot op, kutwijf!' schreeuwde hij, maar Vicki draaide het sleuteltje al om en trapte op het gaspedaal.

Ze scheurde door de straat, liet de motor van de cabrio zo hard mogelijk werken en remde pas iets af toen haar hartslag enigszins normaal werd. Op een gegeven moment kwam ze bij een verkeerslicht en al was ze in Atlantic City of Maine, het maakte haar niet uit, zolang er geen enge mannen met capuchons waren. Maar ze had mevrouw Bristow achtergelaten en daar maakte ze zich wel zorgen om.

Ze reed een paar straten verder totdat ze een benzinestation zag, snuffelde door haar auto, viste een rood haarelastiekje en een kauwgompje op en vond toen wat ze zocht. Ze stopte het kauwgompje in haar mond, stapte de auto uit en liep naar de telefooncel. De koude lucht overviel haar als een rukwind; ze had niet beseft dat de cabrio zo'n coconnetje was geweest. Ze trok de piepende deur van de telefooncel open, stopte geld in het apparaat en toetste het nummer van haar mobiele telefoon in. Hij ging twee keer over en werd toen opgenomen.

'Yo,' zei een mannenstem, en Vicki werd pisnijdig. Had mevrouw Bristow de telefoon nu al verkwanseld?

'Dat is mijn telefoon, man! Wie ben jij?' riep ze, maar de man hing op. Ze drukte op nummerherhaling en toen hij opnam, riep ze: 'Waar is Arissa...'

Hij hing weer op. Toen Vicki de telefooncel uit kwam, haalde ze diep adem en blies langzaam uit, ze maakte de balans op en zag hoe haar adem om haar heen hing als de rook van een kettingroker. Ze moest de politie bellen, maar dan zou blijken dat ze bij mevrouw Bristow was geweest. Waarschijnlijk zou Bale er niet achter komen, maar waarom zou ze dat risico willen nemen? Bovendien, wat kon de politie doen? Portemonnees werden zo vaak gestolen. Arme Kate Spade.

De lucht voelde koud aan en de lichten van Center City glinsterden ver weg. Vicki was in West-Philadelphia, halverwege de weg naar buitenwijken zoals Main Line. Ze had geen portemonnee, geen mobieltje, geen geld en geen creditcards. Die zou ze zo snel mogelijk moeten blokkeren. Ze was moe, had honger en voelde zich als verdoofd. Ze kon wel wat steun gebruiken. Ze had genoeg benzine, aangezien ze op advies van damesbladen de tank nooit helemaal leeg reed. Ze trok haar mouw op om op haar horloge te kijken: 19.30 uur.

Ze kon er zo zijn.

# Deel 2

*Straten zouden grotendeels moeten worden vernoemd naar planten en bomen die in het landschap groeien, zoals Wingerdstraat, Moerbeiboomstraat en Kastanjestraat.*

William Penn
Instructies aan Zijn Gelastigden, 1681

V: Wat voor soort crack, of wat voor kwaliteit crack zag je op Brooklyn Street? Goede of slechte?
A: Wat voor soort crack?
V: Was het goede kwaliteit of slechte kwaliteit?
A: O ja, het beste spul van de stad.
V: Het beste spul van de stad? Wat betekent 'het beste spul van de stad'?
A: De beste crack van de stad.
V: Bedoel je dat de hoeveelheid die je verkocht goed was, of doel je echt op de kwaliteit?
A: De kwaliteit.

David West
*Verenigde Staten vs. Williams*, United States District Court, Eastern District of Pennsylvania
Rolnummer 02-172, 23 februari 2004
Proces-verbaal regel: 736-737

# 15

'Ik ben het!' riep Vicki, toen ze de voordeur opendeed, waarop het schelle geblaf van een hond hoorbaar werd en de waarschuwingspiepjes van een inbraakalarm, dat aanstond voor het geval een psychotische moordenaar zou langskomen voor een glaasje Glenlivet zonder ijs. Ze liep naar het toetsenpaneel om het alarm uit te zetten voordat het afging, terwijl de corgi van haar ouders de gang door rende en haar schoen aanviel.

'Ruby, nee!' zei Vicki boven het gepiep uit, en ze wiebelde met haar voet heen en weer om de hond van zich af te schudden. Ze toetste haar moeders verjaardag in op het witte toetsenpaneel, maar in een oorverdovend lawaai ging het alarm af. Ze schudde met haar voet, maar de corgi bleef als een akelig wit-bruin waas hangen. Haar geschrokken ouders kwamen haastig de keuken uit.

'Mam! Pap! Hebben jullie de code veranderd?' gilde Vicki boven het kabaal uit.

'Ja, het is nu míjn verjaardag!' riep haar vader huiverend. Vicki probeerde zich te herinneren wanneer haar vader ook alweer jarig was, maar ze kon niet nadenken met zoveel herrie. Haar vader schoot langs haar heen naar het toetsenpaneel en toetste de nieuwe code in, die gelukkig het alarm, alleen niet de corgi, het zwijgen oplegde.

'Ruby, nee!' zei haar moeder, maar de hond gromde en schudde haar kop met Vicki's teen nog steeds tussen haar tanden. 'Ruby, nee!'

'Waarom doet ze dat toch?' Vicki moest onwillekeurig lachen en wist haar schoen eindelijk los te rukken. Ze had geen idee waarom haar ouders deze hond hadden aangeschaft. Elke keer dat ze thuiskwam, viel de hond op haar tenen, haar hielen en haar enkels aan. Het beest had geen langetermijngeheugen, of ze dacht dat ze 'Ruby, nee!' heette. 'Mam, kent ze me nou nog niet?'

'Ze is een kuddedier.'

'Ja, en?'

'Ruby, nee! Ruby, nee!' Haar moeder bukte zich in haar witte zijden blouse en wijde donkerblauwe rok en trok de volhardende hond aan haar roodleren halsband weg.

'Waarom bijt ze me? Ik hoor er toch bij?'

'Daarom drijft ze je ook op.'

'Dat beest is gestoord,' zei Vicki, en ze bukte zich om de puppy te aaien, maar ze schoot blaffend weg en liet zich vervolgens speels op haar korte voorpootjes zakken. Ze had ogen als bruine knikkers, worstenpootjes en een lijf als een aardappel. Ze bleef maar uithalen en naar Vicki's tenen happen. Schattig, voor een aanvalsdwerg.

'Waarom heb je niet eerst even gebeld, Victoria?' vroeg haar vader. Hij droeg zijn kantoorkleding nog – een nette broek en een gesteven wit overhemd – maar had zijn Brioni-stropdas losgetrokken, wat voor hem als casual gold. Zijn steile, donkere haar dat bovenop wat dunner werd, had dezelfde kleur als zijn donkere wenkbrauwen boven zijn kleine, bruine ogen. Hij had een haviksneus en zijn lippen waren dun met een littekentje op de bovenlip dat zichtbaar was als hij zijn wenkbrauwen fronste, zoals nu. 'We wisten niet dat je zou komen.'

'Ik heb maar vier lamskoteletjes, lieverd,' voegde haar moeder er klaaglijk aan toe. De blik in haar groenige ogen werd zachter, in weerwil van de chirurgische lift van haar ooghoeken. Haar haar, dat bij haar kin golfde, schitterde in het licht van de kroonluchter in de gang. 'We volgen het South Beach-dieet, dus we moeten goed opletten. Als ik had geweten dat je kwam, had ik wat meer gekocht.'

'Sorry, daar had ik geen gelegenheid voor.' Vicki wilde hun liever niet vertellen dat ze crackverslaafden had gestalkt. Ze vertelde haar ouders al heel lang niets meer. En eigenlijk hoopte ze een complete maaltijd te verorberen voordat haar vader begon over wat er de vorige avond was gebeurd. 'Ik was in de buurt en dacht: ik ga even langs. Het is helemaal niet erg als er niet genoeg eten is.'

‘Onzin, dan neem je een van mijn koteletjes,’ bood haar moeder aan, en ze sloeg een in zijde gehulde arm om Vicki heen en omhelsde haar even. ‘Kom binnen, we wilden net aan tafel.’ Ze rook naar Chanel en voelde al even elegant aan, maar de hond kreeg zo wel weer de kans om in Vicki’s voet te bijten.

‘Mam, jullie hond haat me,’ zei ze, toen ze naar de eetkamer liepen waar een ovale walnoothouten tafel stond met daaromheen Chippendale-stoelen en waar rood behang met ingetekende klaprozen aan de muren hing. Tegen de verste muur stond een mahoniehouten dressoir en op de grond lag een oosters tapijt van zijde met een rood-wit patroon dat paste bij de oranje rand op het servies van haar ouders dat nu met dampend eten op tafel stond.

‘Ruby wil gewoon dat je bij de roedel blijft.’

‘Ze bijt!’

‘Ze hoedt,’ corrigeerde haar moeder haar. Ze liepen samen verder, op de voet gevolgd door de hond die Vicki’s hielen hoedde.

‘Kan ze niet gewoon mijn gezicht likken zoals een normale hond?’ Vicki dacht aan de neurotische poedel uit haar jeugd die een heilige leek vergeleken bij dit exemplaar. ‘Peppy deed nooit zo.’

‘Ruby heeft andere instincten. Ze bijt je alleen opdat je doet wat ze wil.’

‘De controlfreak onder de honden.’

‘O, toe.’ Haar moeder liet Vicki met een glimlach los en liep naar de klapdeur naar de keuken, achter in het huis. Ruby liet Vicki’s hiel los en stoof achter haar aan. ‘Ga lekker zitten, dan pak ik er een bord bij. Ik ben zo terug.’

‘Kan ik iets doen?’

‘Nee, dank je. Hou je vader maar gezelschap,’ riep ze vrolijk achterom. Haar blauwe zijden rok wapperde bevallig achter haar en ze had nog altijd een slanke taille. Vicki merkte dat haar vader al met evenveel bewondering naar haar moeder keek. Ze stonden zonder iets te zeggen in de grote eetkamer, en ze vroeg zich af of er ooit een moment zou zijn waarop ze zich helemaal op haar gemak zou voelen bij haar vader als haar moeder er niet was om de stiltes op te vullen. Er was maar één onderwerp waar zij en haar vader het ooit over eens waren.

‘Wat ziet mama er fantastisch uit, hè?’ vroeg Vicki, maar het was geen vraag.

'Absoluut. Ze gaat tegenwoordig naar zo'n fitnesscentrum voor vrouwen.'

'Is er hier een Curves? Waar dan?'

'Aan Lancaster Avenue, vlak bij die tegelzaak. En Eadeh, de tapijtwinkel.'

'Je ziet om de haverklap reclame van Curves op tv.' Vicki viel zowat in slaap van haar eigen opmerkingen. Ze doodde de tijd met woorden tot haar moeder terug was en hen van elkaar redde. Waar bleef ze?

'Eadeh heeft mooie kleden. Heel mooie oosterse tapijten.'

'Dat heb ik ook gehoord.'

'Ze is dol op Curves. Ze gaat drie keer per week. Hier. Ga zitten. Het eten wordt koud.' Haar vader trok zijn stoel aan het hoofd van de tafel naar achteren en ging achter zijn bord zitten waarop twee medium gebakken Nieuw-Zeelandse lamskoteletjes lagen met drie amper gestoomde roosjes broccoli en een afgemeten portie gemengde sla met vinaigrette. Vicki ging zitten en hij gebaarde naar zijn bord. 'Je moeder heeft ons op het South Beach-dieet gezet, en ze heeft groot gelijk. We eten twintig gram koolhydraten per dag, meer niet. Veel gezonder dan Atkins.'

'Vast,' zei Vicki, terwijl ze hongerig wenste dat ze bij een van die Italiaanse gezinnen hoorde in de reclames van Olive Garden die bordenvol spaghetti met een stevige rode tomatensaus aten. Haar ouders zouden van hun leven niet naar een restaurant als Olive Garden gaan en nu waren ze ook nog de enige Italianen ter wereld die geen pasta aten.

'Ons cholesterol was te hoog en ons bloedsuikergehalte ook.'

'Goh.'

'Onze waarden zijn nu veel beter.'

'Mooi.' Vicki glimlachte besmuikt. Haar ouders waren elke minuut van de dag samen; ze reden samen naar kantoor, werkten aan weerszijden van de hal en reden dan weer in dezelfde auto naar huis. Ze kenden elkaar van hun studie rechten, waren na hun afstuderen getrouwd en waren samen een kantoor begonnen. Hun huwelijk was alleen maar beter door hun samenzijn, maar als ze ook nog dezelfde bloedsuiker hadden, zouden ze misschien samensmelten en een Siamese tweeling worden, dacht Vicki.

'We gebruiken alleen nog maar Splenda. Dat is een suikervervanger.'

'Splenda. Wat klinkt dat vrolijk.'

'Spot er maar mee, maar ik ben de eerste twee weken ruim twee kilo afgevallen.'

Vicki knipperde met haar ogen. 'Dat was niet mijn bedoeling, pap. Het is hartstikke goed dat je twee kilo bent afgevallen.'

'Nee, helemaal niet. Volgens het boek zou je zeker drie kilo moeten afvallen. Ik heb er in de auto naar geluisterd, op cd. Je moeder is wel drie kilo kwijtgeraakt.'

'Drie is niet veel minder als twee. Het scheelt maar een kilo.' *Wiskundig genie.*

'Minder dan.'

'Hè?'

'Je zei "minder als". Je bedoelt "minder dan".'

'O. Sorry.' *Ook al een taalkundig genie.* 'Afijn, een kilootje minder maakt niet uit.'

'Ik vind van wel.'

'O.' Vicki slaakte inwendig een zucht. Het was vrijwel onmogelijk om het ergens over eens te worden met haar vader, zelfs al deed je alsof. Hij was iemand die nooit genoegen nam met 'ja'. Opeens had ze spijt dat ze naar huis was gegaan. Ze had naar Olive Garden moeten gaan.

'Suiker is vergif,' voegde haar vader eraan toe. Hij vouwde zijn servet open, legde het op zijn schoot en plaatste zijn armen aan weerszijden van het bord. De klanken van *Le Nozze di Figaro* kwamen uit de cd-speler in de keuken, gevolgd door het neuriën van haar moeder. Haar vader tikte met zijn wijsvinger mee op de maat, al zou hij nooit zingen, hoezeer hij ook van opera hield. Hij leek in gedachten verzonken en Vicki wist dat hij aan de moord op Morty en Jackson dacht.

'Papa, over gisteravond...'

'Laten we even wachten tot je moeder er is. Ik weet dat zij het ook wil horen.'

'Oké.'

'Dan hoef je het niet twee keer te vertellen.'

Haar vader luisterde naar de operaklanken die uit de keuken kwamen en tikte mee met zijn vinger. Ze begon over iets anders. 'Pap, je raadt nooit waar ik vanavond ben geweest.'

'Waar dan?'

'In Washington Street.'

'Washington Street?' Haar vader zette grote ogen op. 'In Devil's Corner?'

'Ja, ik heb zelfs je oude huis gezien.'

'Werkelijk.' Hij trok zijn wenkbrauwen nog verder op, toen haar moeder met een leeg bord binnenkwam, dat ze voor Vicki neerzette en waar ze snel een van haar lamskoteletjes en twee broccoliroosjes op legde. Het was bij elkaar nog niet genoeg voor een corgi en Vicki voelde zich een beetje schuldig.

'Mama, dat hoeft niet. Ik heb niet eens zo'n trek.'

'Geen sprake van. Ik heb uitgebreid geluncht.' Haar moeder glimlachte en liep de tafel rond om te gaan zitten. *De Barbier van Sevilla* was hoorbaar op de achtergrond. De hond begon weer aan Vicki's schoen te knagen.

'Ik vertelde net dat ik vandaag in Washington Street ben geweest, mam. Ik heb papa's oude huis gezien.'

'Echt waar?' Haar moeder wierp een glimmende golf donker haar naar achteren. 'Hoe zag het eruit?'

'Hoe denk je zelf dat het eruitzag?' onderbrak haar vader hen. 'We kunnen niet allemaal uit Hilltown komen.' Hilltown was haar moeders oude buurt die veel beter was en zo'n tien straten ten oosten van haar vaders oude wijk lag. Haar moeder ging er niet op in, maar Vicki vond zijn chagrijnige reactie een beetje vreemd.

'Heb ik iets verkeerds gezegd?'

'Natuurlijk niet, Victoria.' Haar moeders groene ogen lichtten op. 'Je weet dat je vader niet graag wordt herinnerd aan zijn nederige komaf.'

'Dat is het niet, Lily,' zei haar vader, en hij wendde zich tot haar moeder. Vicki kon zo zijn gezicht niet zien, maar ze wist hoe hij keek. 'Het is tegenwoordig een afschuwelijke buurt. Een ruïne.'

*Dat is nog zwak uitgedrukt.*

'Washington Street, waar ik woonde, is nu een achterbuurt.' Haar vader nam een slokje water uit een glas dat was beslagen door het ijs.

'Ken je het steegje daarachter, Cater Street?'

'Natuurlijk. Hoe ken jij Cater?'

'Ik kom nog wel eens ergens,' zei Vicki, in een poging een glimlach te ontlokken, wat mislukte. 'Ik ben door Van Buren Street en Lincoln Street gereden.'

'De beste stukken. Ik hoop dat je je raampjes dicht hebt gehouden.' Haar vader prikte verwoed een broccoliroosje aan zijn vork en haar moeder vermeed oogcontact met hen allebei.

'Pap, was er in Cater Street ook al een verlaten perceel toen jij klein was?'

'Weet ik niet meer.'

'Heb je nog oude foto's van Washington Street of het huis? Tussen oma's spulletjes misschien.' Vicki's oma was tien jaar daarvoor overleden en haar opa al veel eerder. Zodra haar vader ertoe in staat was geweest, had hij een plek voor hen geregeld in een beschermd bejaardencomplex in Chester County.

'Nee. Ik weet niet eens waar je grootmoeders spullen liggen.'

'Op zolder?'

'Nee. Ik heb die spulletjes niet bewaard, hè Lily?'

'Je hebt helemaal niets bewaard,' antwoordde haar moeder.

'Jammer.' Vicki dacht even na. 'Jij hebt toch op Willowbrook High School gezeten?'

Haar vader legde zijn vork neer. 'Waarom wil je dat allemaal weten?'

'Het was maar een vraag.'

'Victoria, het was geen middelbare school zoals die van jou. Geen Episcopal of andere particuliere school met mooie groene sportvelden. Met lacrosse en ouderdagen. Het was niet fijn. We waren arm. Je kunt je niet voorstellen hoe arm.'

*Zo arm als de mensen die er nu wonen?*

'Mijn vader werkte dag en nacht, had drie banen om de eindjes aan elkaar te knopen. Volgens mij heb ik hem nooit in een stoel zien zitten, niet één keer.'

'Je bent de hele dag al prikkelbaar, Victor,' zei haar moeder zacht.

'Welnee.'

'Jawel.' Haar moeder wendde zich tot Vicki. 'We zijn vanmorgen een goede cliënt kwijtgeraakt. Kun je je Carlon Industries nog herinneren, de stomerijketen?'

'Ja. Jerry Solomon, toch?' Vicki's ouders kregen altijd zoveel zakenrelaties over de vloer dat ze tussen de cliënten en hun echtgenotes was opgegroeid, zoals Olive Garden-gezinnen ooms en tantes hadden. Michael, Sam en Carol rondom de eettafel van de Allegretti's geschaard. Ze waren familie, maar kennelijk alleen tot ze je ontsloegen.

'Ja, ja. Wat goed van je.'

'Het was Jerry niet, het was de zoon,' zei haar vader, maar haar moeder wuifde zijn opmerking weg.

'Toe, het was Jerry. Hij verschuilt zich achter zijn eigen zoon, de lafaard.' Haar moeder wendde zich tot Vicki. 'Hoe dan ook, Jerry had elf bedrijven. Zoals je weet doen we al jaren zijn contracten voor hem en vandaag heeft hij ons ontslagen. Het was een behoorlijke klap.'

'We redden het best zonder hem,' zei haar vader bars. 'Bovendien betaalde de zoon altijd veel te laat. We hadden nog zes maanden aan rekeningen uitstaan. Het is over en uit.' Hij wendde zich beledigd tot Vicki, maar deed zijn best het niet te laten merken. 'Bovendien willen we het daar helemaal niet over hebben. Je moeder en ik willen weten wat er gisteravond is gebeurd. Als ik de hele dag prikkelbaar ben geweest, dan komt het daardoor.'

'Dat is niet helemaal waar, Victor,' corrigeerde haar moeder hem, maar haar vader negeerde haar.

'We hebben zo veel mogelijk uit de kranten gehaald. Als jij nu eens de rest vertelt. Ons enig kind is op het nieuws, betrokken bij geweld, een meervoudige moord, een schietpartij en wij krijgen alleen een voicemailberichtje.'

'Ik zei nog zo dat we op hadden moeten blijven om naar het nieuws te kijken,' kwam haar moeder ertussen. 'Was je op het journaal van elf uur?'

'Ja. Een ATF-agent met wie ik samenwerkte, is gisteravond vermoord.' Vicki nam een slok gekoeld water en hoopte dat ze het langs de brok in haar keel zou krijgen. De barbier zong vrolijk verder in de keuken. Wat een ironische soundtrack bij Morty's moord, flitste er door haar heen. 'Hij heette Bob Morton.'

'Ik heb het in de krant en online gelezen. De naam kwam me al bekend voor.'

'We hebben samen die zaak gewonnen, van Edwards. Morty, heette hij.'

'O, nu weet ik het weer. Hij is samen met een zwangere vrouw, een zwarte, in een huis vermoord.' Haar vaders donkere ogen werden staalhard. 'In de krant stond dat jij tijdens de schietpartij in het huis was. Is dat zo?'

'Nee, ik was niet binnen toen het gebeurde.' Vicki bedacht dat ze misschien helemaal niet had leren liegen tijdens haar studie rechten, maar aan deze keurig gedekte tafel. 'Ik was buiten en het gaat prima met me.'

'In de krant stond dat je binnen was.' Haar moeder legde haar vork neer en wachtte.

'De krant heeft het mis. Die lui willen alleen maar meer kranten verkopen.'

'Maar je was gisteravond wel bij dat huis?'

'Dat hoort bij mijn werk.' Vicki deed haar best om zich niet op te winden. Haar vader haalde zijn servet van zijn schoot en legde het op tafel. Ze wist dat hij vanavond geen hap meer zou eten. Die ene kilo zou hij binnen de kortste keren kwijt zijn. De corgi daarentegen genoot van haar schoen.

'Dit is geen werk voor jou, Victoria.' Haar vader schudde zijn hoofd. 'Er zijn twee mensen vermoord. Als die ervaring je denkwijze niet aantast, dan weet ik het niet.'

*Morty.*

'Ik begrijp niet waarom je niet gewoon voor ons komt werken. Het wordt zo langzamerhand absurd. Mijn god, wat is er voor nodig om jou wakker te schudden?'

*Daar gaan we weer.*

'Als je zo graag strafrecht wilt doen, dan kun je dat bij ons uitoefenen. We hebben maar vier partners nu Rachel met zwangerschapsverlof is. Je kunt witteboordenmisdrijven doen. Dat soort krijgen we heel vaak doorverwezen van de grote kantoren.'

'Dat is verdedigen, niet aanklagen.'

'Wees toch niet zo kieskeurig!'

'Ik ben niet kieskeurig!'

Haar moeder stak haar hand op en haar opgemaakte ogen waren groot van schrik. 'Wacht eens, Victoria. Moet ik hieruit opmaken dat je in een huis was waarin twee mensen zijn doodgeschoten?'

'Dat zei ik toch, Lily!' Haar vader ontplofte en richtte zijn boosheid op haar moeder.

'Papa, ga nou alsjeblieft niet schreeuwen,' zei Vicki, maar hij luisterde niet.

'Natuurlijk was ze daar, Lily! Dat zegt ze net! Dat is haar werk! Ze werkt op de afdeling Zware Misdaad, of hoe ze het ook maar noemen. En daarmee staat ze precies in de vuurlinie!'

'Je had wel dóód kunnen zijn?' vroeg haar moeder geschrokken.

Vicki was verbijsterd bij het zien van haar moeders verdriet dat even onverwachts kwam als een tornado midden in Broad Street. Kennelijk was ze al de hele dag gespannen en was haar bezorgdheid een onderdrukt gevoel geweest tijdens dagelijkse werkzaamheden als het beantwoorden van e-mails, het aannemen van telefoontjes en het aanwezig zijn bij het sluiten van contracten. Ze hadden er waarschijnlijk onderweg naar huis ruzie over gemaakt.

'Victoria, ik begrijp jou gewoon niet meer.' Haar moeders lichte ogen glinsterden. 'Hoe kun je dat doen? Hoe kun je? Het is alsof je ons moedwillig wilt kwetsen.'

'Mam, dat is absurd, het is niet moedwillig...'

'Daar ben ik het niet mee eens,' onderbrak haar vader haar. Hij zag er zo verhit uit dat ze hoopte dat hij zijn pillen had ingenomen. Sevilla klonk nu erg ver weg, maar de hond was dat niet. 'Is het zo langzamerhand niet moedwillig? Je blijft volharden terwijl je weet hoe wij erover denken.'

'Papa, het gaat niet om jullie.'

'Nee, het gaat om jou. Omdat jij ons om de een of andere reden wilt kwetsen, terwijl we je alles hebben gegeven. Je verdient nota bene veel minder dan je bij ons zou kunnen verdienen en je hebt geen enkel vermogen! Je bouwt niet eens iets op!' Haar vader verstarde, deed zijn best om het beschaafd te houden. 'Weet je, als we een boerderij gehad hadden, zou je hem zo hebben overgenomen, zonder meer. Maar we hebben een advocatenkantoor en dus vertik je het. En dat vind je dan nog terécht ook. En om de zaak nog erger te maken is het niet zo dat je geen advocaat wilt zijn. Dát zou ik misschien nog kunnen begrijpen. Maar nee, je wilt ons soort advocaat niet zijn. Alsof je zegt: ik wil wel alfalfa voor mijn familie verbouwen, maar geen maïs!'

'Dat is iets anders...'

'Niet waar! Je bent advocate, Victoria, en je weet wat de consequenties daarvan zijn. Als je weet wat de consequenties zijn, dan is het toch opzet, of niet?'

'Ja, maar...'

'Het is dus te verwachten dat ons kantoor zonder opvolger eenvoudigweg' – haar vader was zo boos dat hij niet meer uit zijn woorden kwam – 'ophoudt te bestaan. Advocatenkantoor Allegretti is er dan eenvoudigweg niet meer. Dat weet je en toch hou je vol en word je aangeklaagd wegens het moedwillig veroorzaken van die consequentie. En waarom? Omdat jij niet zo'n advocaat wilt zijn!'

'Pap, je gaat me toch niet serieus vertellen dat we deze discussie weer gaan voeren?' vroeg Vicki, en ze werd eindelijk boos. 'Ik mag dat toch zeker zelf uitmaken?'

'Niet als je een verplichting hebt! Tegenover ons, tegenover mij en je moeder! En niet als het je dood kan betekenen! Als je het zelf wilt uitmaken, dan ga je je gang maar! En als je als armoedzaaier wilt leven, doe dat dan!' Haar vader kwam overeind en gebaarde naar haar moeder. 'Kijk nou! Kijk nou wat je doet!'

Vicki keek. Haar moeders glanzende hoofd hing iets naar voren boven haar bord, en haar lippen, waar de glans inmiddels van af was, waren van verdriet op elkaar geperst. Ze deed haar best om niet te huilen.

'Mam, het spijt me, niet huilen,' zei Vicki. Niet voor het eerst deed het pijn aan haar hart. Morty was dood en nu was haar moeder overstuur. Het was allemaal vreselijk fout gelopen. Ze wilde haar werk niet opgeven. Ze vond dat ze geen gelijk hadden. Maar ze was zo moe. Opeens ging de telefoon in de keuken.

'Ik ga wel.' Haar vader stond op, liep naar de keuken en liet hen in een treurige stilte achter. Vicki wist dat haar moeder naar de telefoon luisterde en wilde weten of het een cliënt was; zoals de meeste zelfstandig ondernemers werkten ze vierentwintig uur per dag. De twee vrouwen zaten in een vacuüm, totdat haar vader met rechte rug en bewegingloze gelaatstrekken terugkwam.

'Het is voor jou, Victoria,' zei hij.

'Voor mij?' Ze kwam stijfjes overeind met de hond aan haar teen, en op dat moment drong tot haar door dat haar ouders haar misschien op hun eigen manier bij de kudde probeerden te houden; dat ze haar beten om haar dicht bij zich te houden. Ze wist dat ze van haar hielden, en zij hield ook van hen, ondanks hun pogingen het tegendeel te bewerkstelligen.

'Ik ben zo terug,' zei ze, en ze vroeg zich af wie er aan de telefoon was.

# 16

'Vicki, waarom neemt een zwarte vent jouw telefoon op? Doe je het met een ander?'

*Dan.* 'Ik kan nu niet praten.'

'Wat is er aan de hand? Je zei dat je zou bellen en toen je dat niet deed, heb ik je mobiel gebeld. Wat is er gebeurd?'

'Dat is een lang verhaal.' Vicki kon een ijzige stilte in de eetkamer horen. Haar moeder huilde in elk geval niet.

'Ik heb je ook ge-e-maild. Heb je je BlackBerry niet bekeken?'

'Daar heb ik nog geen tijd voor gehad.'

'Waarom heeft hij jouw telefoon? Hij wist niet eens wie je was. Zit je in de problemen?'

'We hebben het er straks wel over.'

'Ja, dus. Gaat het wel?'

'Best.'

'Je klinkt anders niet best. Je klinkt overstuur.'

*Ik bén overstuur.* 'Het gaat wel.'

'Blijf je vannacht bij je ouders slapen?'

'Ben je gek?'

Dan schoot in de lach. 'Wanneer ga je naar huis?'

'Over een uurtje.'

'Wil je dat ik langskom? Mariella heeft dienst.'

'Nee, dank je.'

'Bel me dan, het maakt niet uit hoe laat. Ik wil met je praten. Zo te horen gaat het niet goed me je. Ik maak me de laatste tijd zorgen om je, vanwege Morty en zo.'

'Oké,' zei Vicki geroerd. De man wist precies wat er in haar omging. 'Ik moet ophangen.'

'Het maakt niet uit hoe laat, bel me.'

'Oké.'

'Beloofd?'

'Beloofd.'

'Goed zo. Dag, schatje.'

Met een warm gevoel vanbinnen hing ze op. Dan maakte zich echt zorgen om haar. En dat zonder te bijten.

Vicki was rond twee uur thuis, waar ze haar rekeningen, de post, e-mails en telefonische berichten negeerde en uitgeput naar de telefoon in haar slaapkamer liep. Onderweg naar boven liet ze haar jas en tas vallen en schopte ze haar afgekloven schoen uit. Ze wilde zo snel mogelijk Dan bellen en hem vertellen wat er in Cater Street was gebeurd. Hij kon haar helpen. Hij was al zo lang assistent-openbaar aanklager, dat hij zeker met goede ideeën zou komen. Moesten ze mevrouw Bristows dealer arresteren? Zouden ze een afkickprogramma voor haar moeten regelen? Vicki wilde ook een aantal theorieën met hem bespreken over Shayla Jackson en Bristow.

Ze deed de lamp naast haar bed aan, liet haar jasje en bloes van haar schouders glijden, liet haar panty en rok zakken en voelde zich al een stuk beter nu ze thuis was. Ze was dol op haar slaapkamer. Ze had de muren vorig jaar kobaltblauw geverfd en er stond een grote tv/dvd-speler op een witmetalen rek aan de wand. Naast haar klerenkast stond een vurenhouten ladekast met vier laden die ze tweedehands had gekocht. De kamer was opgeruimd, schoon en gezellig. Ze deed de rest van haar kleren uit, trok een oud Harvard T-shirt aan, ging onder haar donzige witte dekbed liggen en belde Dan.

'Hallo?' vroeg een vrouwenstem, waardoor Vicki even van haar apropos was. Natuurlijk, het was Mariella. Ze herkende het lichte Britse accent. Toen hoorde Vicki een man op de achtergrond lachen. *Dan.*

'Mariella, o hoi. Met Vicki.'

'Vicki, hé, het komt heel slecht uit. Héél slecht.' Er werd nog meer gelachen en Vicki besefte dat Mariella en Dan samen in bed lagen. Dan lachte en daarna begon Mariella ook te lachen. 'Nee! Nee! Daniel, niet kietelen! Daniel!'

Vicki voelde een golf van schaamte over zich komen en wist toen niet goed waarom. Waar schaamde ze zich voor? Dat ze ernaar snakte om met een getrouwde man te praten? *Ja, bijvoorbeeld.* Dat hij op dit moment met zijn vrouw aan het vrijen was? *Ja, dat ook.* Dat ze zó van bed zou willen ruilen? *Drie uit drie!*

'Daniel! Niet kietelen!'

'Mariella, sorry, ik moet ophangen,' zei Vicki, maar Dans diepe stem kwam hijgend aan de lijn.

'Vick, ik spreek je morgen wel! De plicht roept!'

Ze wilde nog dag zeggen, maar Dan had al opgehangen.

En zo lag Vicki in haar eentje in de blauwe slaapkamer in gezelschap van niets dan stilte. Ze bleef even stil op haar kussen liggen en probeerde te verwerken wat er net was gebeurd. Mariella had zeker pauze en was naar huis gegaan; dat deed ze soms op merkwaardige tijdstippen. Dan was natuurlijk dolblij om zijn vrouw te zien. Hij was gelukkig met elk minuutje dat ze hem gunde, of ze het hem nu bewust gaf of niet.

*Hij is gek op haar, stommerd. Ze zijn op dit moment vijf straten verderop aan het vrijen.* GEEF HET OP, LOSER! *Moet je het voor je neus zien gebeuren ?*

Vicki wilde geen medelijden met zichzelf meer hebben – voorlopig niet in elk geval – en pakte de telefoon. Ze had genoeg te doen. In gedachten had ze een lijst gemaakt van al haar creditcards en het daaropvolgende halfuur was ze bezig om ze allemaal te blokkeren. Ze vroeg met spoed een nieuwe bankpas aan en zou nog steeds een nieuw rijbewijs en een nieuw legitimatiebewijs bij Justitie moeten aanvragen. Ze slaakte een zucht en ging achterover in de kussens liggen om een goede leugen te verzinnen om uit te leggen hoe ze die was kwijtgeraakt. Ze deed haar ogen dicht tegen het licht van de lamp. Haar gedachten dwaalden af. Ze bleef nog een minuut liggen, draaide zich toen om en pakte de telefoon, toetste een nummer in en wachtte.

Hij ging een keer over, twee keer, drie keer, vier keer. Na vijf keer ging hij over op het antwoordapparaat.

'Dit is het antwoordapparaat van Grootmeester Bob Morton en, ja, ik ben inderdaad nog knapper dan ik klink. Laat een berichtje achter voor mij en The Commodores.' Hierna klonk Morty's favoriete nummer 'Brick House'.

Vicki voelde een intense pijn diep vanbinnen. Ze luisterde naar het nummer, hing toen op en belde nog een keer. Dat deed ze nog vier keer en bij de vijfde keer voelde ze zich beter omdat ze de hoorn vasthield, Morty's stem hoorde en zich op de een of andere manier met hem verbonden voelde. Ze wist nog niet wat ze moest doen aan zijn moord, maar de volgende dag vast wel. Ze moest wel. Ze was ervan overtuigd dat ze iets op het spoor was en ze kon het niet aan de politie, de ATF of iemand anders overlaten. Morty was haar partner. Nog lang nadat het nummer was afgelopen, bleef Vicki de telefoon vasthouden, en toen de tranen kwamen, liet ze ze over haar wangen stromen tot ze in een diepe slaap viel.

*Tring! Tring!* Vicki lag met haar gezicht in het kussen geduwd, toen de telefoon haar wekte. Ze trok een jeukerig ooglid open en keek naar haar wekker. De rode digitale cijfertjes gaven 08:15 uur aan. Ze had uitgeslapen.

*Tring! Tring!* Ze kwam moeizaam overeind en pakte de telefoon.

'Vick.' Het was Dan en zijn stem klonk ongewoon ernstig. 'Ben je in de buurt van een tv?'

'Eh, ja.'

'Doe hem aan. Nu meteen.'

'Hoezo? Ik slaap nog.'

'Doe het nou maar.'

Vicki pakte de afstandsbediening van het nachtkastje en zette de tv aan op tien. Akelige beelden flikkerden over het scherm: geel politielint, agenten in uniform bij een rijtjeshuis, een zwart busje en een lage metalen brancard op wielen met daarop een zwarte lijkzak. Vervolgens kwam er een aantrekkelijke, blonde verslaggeefster in beeld.

'Arissa Bristow werd vanmorgen dood aangetroffen in haar woning in West-Philadelphia, waar ze door meerdere messteken om het leven is gebracht. De politie heeft vooralsnog geen verdachten.' Vervolgens was er een reclame voor een of andere margarine.

*Mijn god.* Het nieuws verbijsterde Vicki. Ze had het opeens ijskoud in de slaapkamer, rukte de sprei van het bed en wikkelde die om haar naakte lichaam.

'Heet jouw wapenrunner niet Bristow?' vroeg Dan. 'Denk je dat het familie is?'

'Het is haar moeder.' Als verdoofd zette Vicki het geluid bij de reclame uit.

'Haar moeder wordt de avond na Morty vermoord? Denk je dat het toeval is?'

Vicki was niet in staat antwoord te geven. Haar hoofd tolde, haar gedachten waren verward. Dan wist niet wat er de avond ervoor was gebeurd. Ze had nog geen kans gehad om hem dat te vertellen. Ze wist niet waar ze moest beginnen.

'Vick? Gaat het wel?'

'Ik heb haar gezien, ik was daar,' begon Vicki, maar ze kon haar zin niet afmaken. *Ik had bij mevrouw Bristow moeten blijven. Ik had ervoor moeten zorgen dat ze weer veilig thuiskwam.* Haar knieën begonnen te knikken en ze voelde dat ze in de sprei gewikkeld op het bed zakte.

'Vick, wat is er aan de hand?'

'Wist ik het maar.'

'Ik kom naar je toe. Ik ben er over een kwartier.'

'Dat hoeft niet,' zei Vicki, maar ze werd onderbroken door de deurbel, gevolgd door een luid gebons op de deur. Het lawaai gaf haar een onverklaarbaar angstig gevoel. 'Er is iemand aan de deur. Ik moet gaan.'

'Vick?'

'Wacht even.' Vicki liet de sprei vallen en keek om zich heen op zoek naar iets om aan te trekken. Ze voelde zich naakter dan ze was. Er klopte iets niet. Opeens liep de situatie uit de hand, had ze er geen zeggenschap meer over. Er werd hard op de deur gebonsd. Ze moest zich aankleden. Ze moest gaan. 'Dan?' hoorde ze zichzelf zeggen.

'Ik kom eraan, schat,' antwoordde hij, omdat hij het direct begreep.

# 17

Vijf minuten later vond er iets plaats wat Vicki zich van haar leven niet had kunnen voorstellen. Twee rechercheurs Moordzaken zaten tegenover haar op de bank en chef Bale stond tegen de muur geleund. Hij had een officiële houding aangenomen, trok geen glimlach onder zijn gekamde snor en in zijn donkere blik stond een mengeling van afstandelijkheid en afkeur te lezen. Hij droeg zijn beste zaterdagse kleren, een spijkerbroek en een zwarte coltrui onder zijn kasjmieren jas, maar zijn manier van doen was allesbehalve casual. De rechercheurs zaten aan de ene kant van de salontafel, Vicki aan de andere kant en tussen hen in lag een doorzichtige plastic bewijsmateriaalzak met daarin haar zwarte portemonnee van Kate Spade.

Ze was bijna misselijk geworden toen ze die als eens soort troef op tafel hadden gezet. Daarnaast lagen twee kleinere zakjes, eentje met haar groen met witte bibliotheekkaart en het andere met een omgekruld wit kaartje, haar lidmaatschap van het Philadelphia Museum of Art. Kennelijk zouden crackverslaafden geen kans krijgen om de nieuwe Manet-tentoonstelling te bekijken. En als Vicki de boel nu verpestte, zíj ook niet. Ze wist niet of chef Bale hier als vriend of vijand was, maar je hoefde geen voormalige hulpofficier van justitie te zijn om te beseffen dat de rechercheurs haar wilden verhoren in verband met de moord op mevrouw Bristow. De portemonnee maakte haar tot een aanwijzing, dan wel een verdachte.

'Uw portemonnee is op het lichaam aangetroffen,' zei de zwarte rechercheur. Hij heette Albert Melvin en hij was jong en aantrekkelijk; helderbruine ogen, een gulle mond en een gespierd lijf in een zwartleren jas die de winterkou leek vast te houden. Hij had zijn hoofd helemaal kaalgeschoren; een macholook die Vicki helemaal niet vond passen bij zijn warme, maar officiële glimlach. Ze had zo'n vermoeden dat hij nog niet zo lang geleden promotie had gemaakt, omdat ze hem niet kende en omdat hij niet zo netjes gekleed ging als de gemiddelde rechercheur Moordzaken uit Philadelphia. Rechercheur Melvin gebaarde naar het bewijsmateriaal op de salontafel. 'Dat is toch uw portemonnee?'

'Ja, natuurlijk.'

'Er zat geen geld in. Geen creditcards, geen rijbewijs. Alleen de lidmaatschapspas en de bibliotheekkaart.'

'Dat verbaast me niets.'

'Hoe kwam mevrouw Bristow aan uw portemonnee? Weet u dat?'

'Ja. Ze heeft hem gisteravond van me gestolen. Mijn portemonnee en mijn mobiele telefoon.' Vicki dwong zichzelf rustig te blijven. Ze kon om een advocaat vragen, maar dat suggereerde dat ze iets te verbergen had en dan zou Bale haar nóg een keer ontslaan, nadat hij haar eerst zou ontslaan voor het feit dat ze überhaupt naar mevrouw Bristow was gegaan. Ze kon zichzelf wel vertegenwoordigen; ze wist hoe rechercheurs van politie hun zaken opbouwden en ze kon van tevoren inschatten welke vragen ze haar zouden willen stellen. 'Ik zou graag willen uitleggen wat er is gebeurd, als dat goed is.'

'Graag,' zei rechercheur Melvin met zijn officiële glimlach. Naast hem op de bank maakte de andere rechercheur een aantekening in zijn notitieboekje; zijn voorovergebogen hoofd vertoonde een roze kale plek. Hij droeg een bril en een donkerblauw pak met een smalle, gestreepte das.

'Om te beginnen ben ik assistent-openbaar aanklager, en ik had niets te maken met de moord op Arissa Bristow.' Vicki keek rechercheur Melvin recht in de ogen om hem te laten zien dat ze onschuldig was, maar dat bleek moeilijker dan ze had verwacht. Ze had mevrouw Bristow weliswaar niet vermoord, maar ze voelde zich wel schuldig over de moord, en zelfs zíj kon dat aan haar stem horen. 'Ik ben gisteravond bij mevrouw Bristow geweest en het is heel goed mogelijk dat ik de laatste persoon ben geweest die haar levend heeft gezien. Dat zal afhangen van het tijdstip van overlijden dat de lijkschouwer heeft vastgelegd.' Vicki wachtte even, maar ze lieten niets los. 'Ik zal bij het begin beginnen, en dat is toen ik het kantoor van chef Bale gisteren vlak voor de middag verliet.'

Opeens werd er luid op de voordeur gebonkt, en iedereen draaide zich om.

*Dan.* 'Ik zal even opendoen.' Vicki sprong zo ongeveer overeind en rende naar de deur. Toen ze de deur opentrok, kwam haar een kille lucht tegemoet die niet helemaal door het weer veroorzaakt werd. Dan deed erg nonchalant, ondanks het feit dat hij op de stoep stond met twee geüniformeerde agenten naast zich. Natuurlijk, die wilden zeker huiszoeking doen.

'Kijk nou eens wat ik aan mijn zool heb hangen,' zei hij met een ironische glimlach. Vicki's overburen, mevrouw Holloway en haar drie kinderen, stonden bij het raam naar de twee surveillanceauto's te staren die dubbel geparkeerd voor haar huis stonden.

'Kom binnen, allemaal,' zei Vicki, alsof ze de volmaakte gastvrouw was. De drie mannen drentelden het huis binnen, ze deed de deur achter hen dicht en probeerde haar gedachten op een rijtje te zetten, terwijl de agenten zich voorstelden. Ze drukte hun koude in zwarte handschoenen gehulde handen. 'Ik zou wel koffie voor jullie willen zetten, agenten, maar ik word net verhoord.'

De agenten lachten en Dan verborg zijn verrassing over Bales aanwezigheid. 'Dag, chef,' zei hij.

Bale gromde alleen iets.

Rechercheur Melvin glimlachte weer. 'Mevrouw Allegretti, vindt u het goed dat deze agenten even rondkijken?'

Dan sperde zijn ogen open. 'Ze gaan echt huiszoeking doen? Allemachtig zeg, waarom?'

'Ga uw gang.' Vicki had geen keus, ze moest wel instemmen met een vrijwillige huiszoeking. Ze ondertekende het formulier dat ze tevoorschijn haalden, terwijl Bale toekeek bij alles wat ze deed en met zijn armen over elkaar tegen de muur leunde. Ze wendde zich tot rechercheur Melvin. 'Ze mogen overal kijken. De kleren die ik gisteren droeg liggen in de slaapkamer boven. Het is een zwart pakje en het ligt waarschijnlijk op de grond. U zult op mijn kleren haren en vezels aantreffen die afkomstig zijn uit mevrouw Bristows huis en andersom. Dat kan ik allemaal uitleggen.'

'Dank u.' Rechercheur Melvin knikte, waarop de agenten de kamer verlieten. Vicki liet zich weer op de bank zakken en aan de andere kant van de salontafel gingen de rechercheurs weer zitten. Dan Malloy bleef even verbijsterd in zijn spijkerbroek en zwarte donsjas staan, liep toen om de salontafel en ging naast Vicki zitten, die hoopte dat haar dankbaarheid niet zichtbaar was.

'Goed, dit is wat ik gisteren vanaf de middag heb gedaan,' begon ze, terwijl de andere rechercheur aantekeningen begon te maken. En ze vertelde hun alles, inclusief haar telefoontje met Dan, maar niet haar telefoontjes naar Morty's antwoordapparaat, omdat ze zich al kwetsbaar genoeg voelde. Door het gerammel van potten en pannen op de achtergrond wist ze dat de agenten haar keuken doorzochten. Vicki haalde diep adem. 'Dat is de waarheid en niets dan de waarheid.'

'Aha.' Rechercheur Melvin keek van zijn notitieboekje op dat hij halverwege haar verhaal uit zijn achterzak had gehaald. Zijn blik leek opgelucht en zijn frons was verdwenen. Ze zouden haar vandaag in elk geval niet aanklagen. 'Ik heb nog wel een paar vragen. Was er...'

'Wacht eens even,' onderbrak Dan hem, en hij boog zich voorover. 'Jullie zien Vicki toch niet serieus als verdachte van deze moord, of van welke moord dan ook? Ik bedoel, dat is belachelijk!'

'We moeten alle aanwijzingen checken, meneer.'

'Doe toch normaal, rechercheur. Die portemonnee is geen aanwijzing,' snoof Dan. Hij was al zo lang openbaar aanklager dat hij dacht dat de plaatselijke politie maar uit sukkels bestond, en dat liet hij merken. 'Wie vermoordt er nou iemand om vervolgens zijn portemonnee met bibliotheekkaart achter te laten?'

'We zeiden niet dat het niet vreemd was, meneer.'

'Kent u veel moordenaars die lid zijn van het kunstmuseum? Die crackverslaafde heeft Vicki's portemonnee natuurlijk gestolen. Ik bedoel, wat denkt u nou? Dat Vicki een crimineel is? Ze is een wetshandhaver. Een assistent-openbaar aanklager, nota bene!'

'Dan, laat hen de vragen stellen die ze moeten stellen.' Vicki was bang dat hij te ver zou gaan. Het gerammel in de keuken achter haar was opgehouden en was vervangen door de zware passen van de agenten die met hun dikke zolen de trap op liepen naar de eerste verdieping.

'Maar het zijn absurde vragen!' barstte Dan los. Bale gebaarde dat hij zijn mond moest houden en tegelijkertijd kwam Vicki tussenbeide.

'Ga uw gang, rechercheur, u zei?'

Rechercheur Melvin begon opnieuw. 'Mevrouw Allegretti, hoeveel geld zat er in uw portemonnee?'

'Ongeveer vijftig dollar. Plus mijn creditcards, rijbewijs en bankpas. En mijn legitimatiebewijs van Justitie,' voegde Vicki eraan toe, alsof ze zich dat op het laatst bedacht. Bale rolde met zijn ogen. *Nu zouden ze allebei een leugen moeten verzinnen.*

'Hebt u de diefstal aangegeven bij de politie?'

'Nee, ik dacht dat het geen zin zou hebben. Ik zag het maar als pech.'

Rechercheur Melvin maakte een aantekening. 'Ik neem aan dat u er geen bezwaar tegen hebt dat we contact opnemen met de mensen uit uw verklaring, inclusief uw ouders?'

*O, geweldig.* 'Natuurlijk niet. Ga uw gang.' Vicki gaf de adressen en telefoonnummers die de beide rechercheurs opschreven. Ze zou haar ouders moeten bellen om uit te leggen waarom ze door de politie zouden worden gebeld, en dat vond ze bijna net zo erg als het feit dat agenten haar slaapkamer doorzochten. Ze werd, absurd genoeg, opeens bang dat ze iets belastends in haar huis zouden leggen. Maar goed, ze dacht ook dat föhns spontaan in badkuipen sprongen.

'U zei dat u bij Arissa Bristow langsging om de moord op de ATF-agent te onderzoeken. Dacht u dat Reheema of haar moeder verantwoordelijk was voor die moord?'

'Eerlijk gezegd wist ik dat niet zeker. Dat probeerde ik juist te achterhalen.' Vicki zweeg even. Als ze dachten dat ze een mogelijk motief had voor het vermoorden van mevrouw Bristow, dan was het wel wat vergezocht. Had ze Reheema's moeder vermoord om wraak te nemen op Reheema voor het feit dat ze de informant had laten vermoorden? Iets te veel van het goede. En hoe hadden de tieners kunnen weten dat zij en Morty in het huis zouden zijn? Of was hun theorie veel subtieler en had Vicki mevrouw Bristow vermoord uit wraak op Reheema omdat haar partner was vermoord? Nee, er bestond geen motief. 'Maar na wat ik te weten ben gekomen, weet ik niet zeker of Reheema wel betrokken was bij een samenzwering om mijn informant of Morty te vermoorden.'

Bale keek nijdig en wiebelde slecht op zijn gemak van zijn ene voet op de andere. Volgens hem hoorde ze helemaal niet over dat soort dingen na te denken, laat staan erover te praten, maar ze kon nu niet ophouden. En ze was nog steeds nieuwsgierig. 'Rechercheur Melvin, op het journaal zeiden ze dat mevrouw Bristow thuis is gevonden en was neergestoken. Wat was het geschatte tijdstip van overlijden?'

'Om ongeveer halfacht gisteravond.'

Dit antwoord raakte Vicki als een klap in het gezicht. *Ik had achter haar aan moeten gaan. Ik had me niet moeten laten afschrikken door die man met de capuchon.*

'Mevrouw Allegretti?' vroeg de rechercheur, en Dan legde troostend een hand op haar arm.

'Vick. Gaat het?'

Vicki vond haar stem terug. 'Ze is direct nadat ik ben vertrokken vermoord.'

'Deze kwesties zijn natuurlijk nooit exact, dat zult u ook weten. Het is altijd plus of min een halfuur.'

'Dat weet ik.' Vicki deed haar best om de puzzelstukjes op hun plek te leggen. *Terwijl ik lamskoteletjes zat te eten, werd mevrouw Bristow vermoord.* 'Mijn mobiele telefoon was tegen die tijd al verdwenen.'

'Hoe weet u dat?'

'Omdat ik vanaf een tankstation het nummer heb gebeld en toen nam er een man op. Misschien had hij iets te maken met haar moord.' Vicki voelde een golf van adrenaline door haar lijf gaan. Had ze met mevrouw Bristows moordenaar gesproken? 'Ga maar na. Mevrouw Bristow had de portemonnee en het mobieltje en ze wilde de telefoon en het geld ruilen voor crack. Daarna wilde ze ergens naartoe – waarschijnlijk naar huis – om de crack te roken. De man is haar misschien gevolgd, heeft toen haar drugs gestolen en haar vermoord. Of misschien kocht ze de drugs en is de man haar gevolgd, heeft hij haar om de drugs vermoord en heeft toen het mobieltje gestolen. We moeten hoe dan ook die man zien te vinden.'

'We?' Rechercheur Melvin trok een wenkbrauw op en Bale hief zijn kin in de lucht. 'Wie zijn "we"?'

'U hebt gelijk. Niet we.' *Ik bedoelde ik.* 'Ik bedoelde u.'

'Mooi. Hoe klonk de man aan de telefoon?'

'Een zwarte man. Met een rasperige stem.'

Naast haar zat Dan verwoed te knikken. 'Precies. Hij klonk rasperig. Ik heb haar mobiele nummer ook gebeld. Er nam een man op die zijn naam niet wilde zeggen. Hij is de man die u zoekt, niet Vicki.'

'Hoe laat hebt u gebeld, meneer?' Rechercheur Melvin maakte een aantekening.

'Rond een uur of negen, geloof ik.' Dan haalde zijn hand door zijn weerspannige rode haar, zoals hij in de rechtszaal ook altijd deed. 'U hebt net zo goed als ik gehoord wat Vicki zei. Bristow was een crackverslaafde die met vijftig dollar door de straten van een waardeloze buurt schuimde. Het meest waarschijnlijke is dat Bristow naar huis is gevolgd en vermoord is vanwege de drugs.'

'Dat is zeker een mogelijkheid, meneer.'

'Het is een verdomd stuk waarschijnlijker dan dat een assistent-openbaar aanklager haar heeft neergestoken!' Dan verhief zijn stem, maar Vicki snoerde hem de mond.

'Dan, heus, het is al goed.'

'U zou nu in Lincoln Street moeten zijn, of in Cater Street,' ging Dan onbehoedzaam verder. 'Waar het ook was, u zou nu de buurt moeten uitkammen! Controleren wie gisteravond in het huis van Bristow is geweest!'

'We hebben de buurt al onderzocht, meneer.' Rechercheur Melvin stak een grote hand met een balpen tussen zijn vingers op. 'Rustig aan. Het is noodzakelijk dat we uw vriendin een paar vragen stellen.'

'Ik ben zijn vriendin niet,' zei Vicki voor de duidelijkheid.

Dan reageerde: 'Wie houdt u hier voor de gek? U doorzoekt haar huis!'

Bale ging rechtop staan en deed een stap naar voren. 'Malloy, genoeg!' zei hij resoluut. 'Laat de rechercheurs hun onderzoek afronden. Jij en ik weten allebei dat Vicki niemand heeft vermoord, maar zij moeten hun werk doen.'

Vicki slaakte een zucht van verlichting. Bale stond dus aan haar kant. Dat gaf haar moed, of misschien was ze gewoon blij met haar promotie tot Dans vriendin. 'Rechercheur Melvin, wie heeft mevrouw Bristows lichaam gevonden?'

'Haar dochter, Reheema.'

Vicki voelde een golf van medelijden. Ze kon zich niet voorstellen hoe gruwelijk het moest zijn om je moeder doodgestoken aan te treffen. 'Waar lag het lichaam in huis?'

'In een slaapkamer beneden.'

'Wanneer is ze gevonden? Ik weet niet hoe laat Reheema uit het huis van bewaring is vrijgelaten.'

'Eens kijken.' Rechercheur Melvin bladerde terug in zijn notitieboekje en gleed toen met zijn duim over de bladzijde omlaag. 'U hebt de dochter gisterochtend gesproken, klopt dat?'

'Ja.' Vicki was het bijna vergeten, het leek zo lang geleden. Er klonk een luide bons in haar slaapkamer die iedereen negeerde.

'De dochter is gisteravond pas na middernacht vrijgelaten.'

'Waarom zo laat?'

'Kennelijk waren er wat problemen met de papieren. Ze ging direct naar het huis van haar moeder en trof het lichaam aan. Wij kregen de zaak rond één uur vanmorgen.'

*Wat afschuwelijk.* 'De verslaggever zei dat mevrouw Bristow doodgestoken was. Ik ga ervan uit dat u het mes niet hebt gevonden.'

'Nog niet. Het was geen fraai gezicht. Het slachtoffer was negen keer gestoken.'

*Mijn god.* Vicki's maag keerde zich om. 'Dat klinkt als woede, alsof het persoonlijk was, of misschien onder de invloed van drugs.'

Dan voegde eraan toe: 'Een crackverslaafde.'

'Is er crack bij haar aangetroffen?' vroeg Vicki. 'Had ze gebruikt?'

'We hebben ter plekke de pijp naast haar bed onderzocht, die was positief. Het toxicologisch onderzoek op het lichaam is nog niet afgerond.'

'Dat zal ook positief blijken.' Vicki dacht even na. 'Waar lag mijn portemonnee?'

'In een zak van de jurk van het slachtoffer. Maar dan zonder de creditcards en het geld dat u had.'

'Reheema heeft het lichaam aangetroffen en de politie gebeld?'

'Dat klopt.'

'En wie heeft de portemonnee gevonden, u of Reheema?'

'De dochter.'

'Dus Reheema weet dat het mijn portemonnee is. Daar was ze zeker wel verbaasd over?'

Rechercheur Melvin knikte. 'Ze was erg boos. Ze eiste dat we u gingen ondervragen en ik heb haar gezegd dat we direct hiernaartoe gingen.'

'Ze denkt toch niet dat ik haar moeder heb vermoord?'

'Ik kan niet namens haar spreken, mevrouw Allegretti.' Rechercheur Melvin maakte een aantekening. 'Nog even over de man die uw telefoon opnam. Wat is uw telefoonnummer?'

Vicki noemde het nummer en hij noteerde het. Maar ze moest steeds aan Reheema denken. Dacht ze dat Vicki haar moeder had vermoord?

'En wat voor telefoon was het?'

'Een Samsung, het nieuwere model. Het heeft zo'n speciaal frontje, zilver met blauwe madeliefjes met groene hartjes op de voorkant.'

'Dát zou nog eens een misdrijf moeten zijn.' Rechercheur Melvin glimlachte, maar Vicki kon het niet.

'Hoe gaat u die opsporen, rechercheur? De telefoon zoeken? De lijn aftappen? U hebt genoeg voor een arrestatiebevel.'

'Laat u dat maar aan ons over. Ik wil u wel vragen de telefoon niet af te sluiten, om ons bij ons onderzoek te helpen.'

'Natuurlijk.'

Rechercheur Melvin klapte zijn notitieboekje dicht. 'Ik begrijp dat u zich hier persoonlijk bij betrokken voelt, maar u moet de zaak aan ons overlaten. Mijn partner en ik hebben bij Moordzaken het hoogste aantal opgeloste zaken. We weten wat we doen.'

'Ik heb alle respect voor de politie van Philadelphia, ik ben hulpofficier van justitie geweest.' Vicki besloot een gokje te wagen. 'Al vroeg ik me wel af waarom u geen contact hebt opgenomen met mevrouw Bott om met haar te praten over Shayla Jackson.'

'We hebben haar wel gebeld, maar ze nam niet op en ze heeft geen antwoordapparaat. Vervolgens kregen we te horen dat ze om drie uur 's middags het lichaam zou identificeren in plaats van om twaalf uur. Het was een eenvoudig misverstand.' Rechercheur Melvin leek er ook niet blij mee. 'IJver zonder verstand is schade voor de hand, mevrouw Allegretti. Iedereen denkt maar dat hij politiewerk kan doen. U had gisteravond wel gewond kunnen raken, zelfs vermoord kunnen worden.'

Chef Bale stond achter rechercheur Melvin en zei niets. Dat was ook niet nodig.

'Maar de drugsactiviteiten in Cater Street? Gaat iemand daar nog wat aan doen?'

'Mevrouw Allegretti.' Rechercheur Melvin fronste zijn wenkbrauwen tot boven op zijn kaalgeschoren hoofd. 'Zoals u weet, hebben we een afdeling Narcotica. Dit is hun werk. Ik zal ze op de hoogte brengen van wat u aan drugsactiviteiten in Cater Street hebt gezien en ik zal het ook doorgeven aan de hoofdinspecteur van het district. Ze zullen zeker hun surveillances opvoeren. Als er drugsactiviteiten zijn, zullen zij dat afhandelen. U kunt dat niet. Sterker nog, ik heb van chef Bale begrepen dat u een week op non-actief bent gesteld.'

'Dat is bij deze voor onbepaalde tijd geworden,' kwam Bale er met een dreigende blik tussen. 'En dat is onbetaald.'

*Nee!* 'Chef...'

'Mond houden, Allegretti.' Met een waarschuwende vinger snoerde Bale haar de mond.

'Goed, chef.'

'Ik heb jouw toestemming niet nodig,' was Bales weerwoord, en even later werd zijn aandacht naar de trap getrokken. De twee agenten in uniform kwamen naar beneden met de bruine papieren zakken die worden gebruikt om bewijsmateriaal in te doen.

'Hebben jullie mijn pakje gevonden?' vroeg Vicki, hoewel ze het er moeilijk mee had zich voor te stellen dat haar kleren in een bewijsmateriaalzak zaten.

'Ja, dank u. We hebben de schoenen ook meegenomen.' De agenten leken kalm, dus ging Vicki ervan uit dat ze geen moordwapen hadden gevonden. Ze wilde niet weten hoe haar kamer er nu uitzag.

'Jullie hebben de boel niet al te erg overhoopgehaald, hoop ik.'

'We hebben het juist opgeknapt,' zei een van de agenten met een glimlach. 'Mogen we hier ook even rotzooi maken?'

'Ja, hoor,' antwoordde Vicki, en iedereen stond op, terwijl de agenten kussens van de bank begonnen te halen. Ondertussen liet rechercheur Melvin zijn notitieboekje in zijn achterzak glijden, net als de andere rechercheur.

'Zo te zien zijn we hier voorlopig klaar,' zei hij. 'Bedankt voor de medewerking. U weet hoe het werkt. Voorlopig mag u het district niet verlaten.'

'Dat meen je niet,' kwam Dan ertussen, maar Vicki legde even een hand op zijn arm.

'Begrepen, heren.'

Bale ging ook weg. Hij trok zijn overjas wat hoger op de schouders en liep naar de deur. 'Ik heb een vergadering. Ik bel je nog, Vick.' Hij wierp een blik op Dan. 'Malloy, zet haar tot nader orde achter slot en grendel.'

'Ja, hoor,' zei Dan, maar hij lachte er niet bij. Hij keek toe hoe de geüniformeerde agenten Vicki's boeken bekeken, ze uit de kast trokken en erachter keken. Vicki liep naar de deur om Bale en de rechercheurs uit te laten, en er waaide een natte koude wind de kamer binnen. Het was een beetje gaan sneeuwen en grote, platte vlokken dwarrelden uit de grijze lucht omlaag. De kinderen van Holloway kwamen weer voor het raam staan en keken met grote ogen naar de geüniformeerde agenten.

'Fijn dat je er bent,' zei Vicki, terwijl ze de deur dichtdeed en zij en Dan slecht op hun gemak toekeken hoe de agenten haar woonkamer doorzochten.

'Bijna klaar, agenten?' vroeg Dan, ook al was dat duidelijk nog niet het geval. Vicki was geroerd door zijn trouw. Hij stond dreigend naast haar naar de agenten te staren totdat ze klaar waren met het vernielen van haar woonkamer en ze hen uitliet. De sneeuw was te nat om te plakken, maar de Holloway-kinderen waren buiten in hun dikke jassen en met een wirwar aan wanten, ze buitelden tussen de sneeuwvlokken door en staken hun tong zo ver mogelijk uit. Hun moeder Jenny lachte met hen mee en nam foto's van hen met een wegwerpcamera. De kinderen bleven staan toen de agenten achter elkaar Vicki's voordeur uit kwamen en in hun surveillancewagens stapten, het portier dichtsloegen en de krachtige motor startten die uitlaatgassen de lucht in spuugde. Vicki maakte een 'niets aan de hand, gewoon werk'-gebaar en vervolgens begonnen de kinderen weer te rennen en schoot hun moeder vrolijk kiekjes.

Vicki keek even naar hen en deed toen de deur dicht.

En ze bedacht een plan om haar vriendje te lozen.

# 18

De sneeuw viel gestadig en hulde de wereld in de eigen isolatie van moeder natuur. Vicki's kleine keuken baadde in een zacht, natuurlijk licht. Het zou heel gezellig zijn geweest als Dan niet met iemand anders getrouwd was en zij niet steeds aan een moord moest denken. Ze moest een manier bedenken om hem het huis uit te krijgen zonder dat het verdacht leek. 'Weet je zeker dat je niet naar huis moet?' vroeg ze.

'Nee, ik wil je helpen met opruimen.'

'Ik ruim straks wel op. Ik moet nog wat klusjes doen.'

'Ik ook. Als we nou eerst opruimen, dan doen we de klusjes samen.' Met een bruin plastic maatschepje, lepelde Dan koffie in het papieren filter. 'Eerst kunnen we wel een kop koffie gebruiken.'

*Shit.*

'Het is echt belachelijk dat ze jou ondervragen. Ik kan er niet over uit.'

'Laat maar. Ze doen gewoon hun werk.'

'Clowns. Jokers. Karikaturen.' Dan zette de koffie weer in de kast, pakte de glazen koffiekan en vulde hem met kraanwater. Hij had zijn jas uitgetrokken en droeg zijn spijkerbroek met blauwe sweater zonder shirt eronder, waardoor Vicki zich hem onwillekeurig naakt voorstelde. Eindelijk begreep ze waarom mannen vrouwen zonder beha zo sexy vonden.

'Dat valt wel mee,' zei ze passief, maar Dan draaide zich ongelovig om.

'Een bibliotheekpasje? Bewijsstuk A?'

Vicki kon er niet om lachen. Ze vond het nog steeds afschuwelijk dat mevrouw Bristow dood was, zo gruwelijk vermoord was.

'Wat is er?'

'Ik voel me gewoon klote, meer niet.'

'Waarom?' Dan schonk water in het koffiezetapparaat, zette de lege pot op zijn plek en drukte op de zwarte knop.

'Omdat ik zo naïef ben geweest. Niet alleen door naar mevrouw Bristows huis te gaan, maar door mijn portemonnee te laten liggen.' Vicki bleef met haar hoofd schudden. 'Als ik niet zo dom was geweest, had ze nog geleefd. Ik maak er de laatste tijd zo'n zootje van en het kost mensen hun léven. Jezus.'

'Hoe kom je daar nou bij?'

'Ik heb haar het geld gegeven om de crack te kopen die haar het leven heeft gekost.' Vicki beet op haar lip.

Dan snoof. 'Doe normaal, zeg. Je hebt haar het geld niet gegeven, dat heeft ze gestolen. Jij hebt geen drugs voor haar gekocht, dat heeft ze zelf gedaan. Ze heeft haar eigen leven op het spel gezet, daar had jij niets mee te maken.'

'Dat weet ik nog zo net niet.' Vicki wou dat ze het ermee eens kon zijn, maar dat kon ze niet. Waarom ging alles zo mis? Eerst Morty en Jackson, nu mevrouw Bristow. Ze wreef in haar ogen en voelde zich misselijk.

'Je moet jezelf niet de schuld geven. Jou valt niets te verwijten. Trouwens, sorry dat ik je gisteren zo afwimpelde.' Dan draaide zich om en liep naar de kast om hun twee reisbekers te pakken, met Harvard en Elvis erop. Hij zette ze met een harde klap op het betegelde aanrecht en leek opeens in gedachten verzonken. Het koffiezetapparaat borrelde en vulde de keuken met een koffiearoma.

'Maakt niet uit. Ik had niet moeten bellen. Ik dacht dat Mariella aan het werk was.'

'Ze kwam even thuis.'

'Dat dacht ik al.' Vicki had er een hekel aan om over Mariella te praten. De sneeuw viel dwarrelend op haar vensterbank, maar ze werd er niet vrolijk van zoals anders. Dan keek van de koffiebekers op en zag het ook.

'Hoelang sneeuwt het al?'

'Nog niet zo lang.'

'Niets van gemerkt.' Dan bleef uit het raam staren en het weerspiegelende licht verlichtte zijn mooie gelaatstrekken. Zijn blauwe ogen hingen een beetje omlaag van ochtendvermoeidheid en er zaten rossige stoppels op zijn kin. Hij fronste zijn wenkbrauwen. 'Sneeuw is gek. Je weet nooit wanneer het gaat vallen. Het bekruipt je en opeens is het er. Voor je er erg in hebt, zit je in een sneeuwstorm.'

'Zal wel.'

'Het is wel heel erg wat er nu gebeurt.' Dan ging met zijn rug naar het raam staan en fronste nog steeds zijn wenkbrauwen. Vicki wist niet goed wat hij bedoelde.

'Dat mevrouw Bristow is vermoord?'

'Nee, dat jij voor onbepaalde tijd op non-actief bent gesteld.'

Vicki knipperde met haar ogen. 'Ik ben in elk geval niet ontslagen.'

Dan zei niets. Het koffiezetapparaat borrelde en zonder haar verder aan te kijken boog Dan zich voorover om te kijken of de koffie goed doorliep.

'Nou, dat is toch zo? Als ik was ontslagen, had Bale dat wel gezegd.'

'Met die rechercheurs hier?'

'Tuurlijk, nog leuker.'

'Dat is waar.' Dan lachte. 'Je hebt gelijk. Bale mag jou wel. Volgens mij ben je zijn lievelingetje.'

Vicki glimlachte verwonderd. 'Ik dacht dat jij dat was.'

'Nee, Strauss mag mij, Bale mag jou.'

'Maar Strauss is pappie en Bale is mammie, dus jij wint.'

'Het is geen wedstrijd,' was Dans weerwoord, en Vicki stak haar handen in de lucht

'Ho ho, niet schieten.'

'Sorry, het ligt niet aan jou. Ik heb vannacht niet zo goed geslapen. We hebben ruzie gehad.'

'Wie?'

'Mariella en ik.'

Opeens had Dan Vicki's onverdeelde aandacht, zeker aangezien hij geen beha droeg en zo. Maar ze wist dat ze moest doen alsof ze niet alles wilde weten, anders zou ze niet alles te weten komen. Ze pakte de kan uit het koffiezetapparaat, terwijl nog niet al het water was doorgelopen en schonk koffie in zijn Elvis-beker. Luchtig zei ze: 'Niet aan denken. Maak je geen zorgen. Dat waait wel over.'

‘Deze keer niet.’ Dan pakte zijn beker aan en nam een bedachtzame slok. ‘Dit was een heel heftige ruzie.’

‘Komt wel goed,’ zei Vicki, hoewel er in het huishouden Malloy/Suarez nooit grote ruzies waren. Sterker nog, ze hadden bijna nooit ruzie. Daar zagen ze elkaar niet vaak genoeg voor.

‘Dat weet ik nog zo net niet.’

‘Tuurlijk wel.’ Vicki schonk koffie in haar Harvard-beker. De dag dat ze was toegelaten, hadden haar ouders driehonderd stuks gekocht. Ze probeerde een nieuw gespreksonderwerp te bedenken en dat was niet zo moeilijk. ‘Hoe zou het met die vent zitten die mijn telefoon opnam?’

‘Je zou verwachten dat die agenten daardoor wel wakker geschud zouden worden. In plaats daarvan zitten ze jou op de nek. Stelletje hufters.’

‘Dat gaan ze nog wel onderzoeken.’ Vicki wachtte en nam een slok van haar koffie. Hij was warm en lekker. Buiten dwarrelden de sneeuwvlokken. Het was stil in de keuken.

‘Je wilt niet geloven waar we ruzie over hadden,’ zei Dan, na een minuut.

‘Dat doet er niet toe. De ruzie gaat nooit over de ruzie.’ Vicki wist dit van haar ouders, twee heftige affaires en Dr. Phil.

‘Mariella vindt dat wij te veel samen zijn.’

‘Wie?’

‘Jij en ik.’

‘Jij en ik zijn te veel samen?’ Vicki voelde zich zowel beschuldigd als veroordeeld. Zijn woorden hadden haar beschermlaag doorboord. De ruzie ging over hén?

‘Ze beschuldigde me ervan dat ik een verhouding met je heb.’

‘Wát?’

‘Je hebt het wel gehoord.’

Vicki bloosde. ‘Maar dat is niet zo!’

‘Natuurlijk niet, maar daar kan ik haar niet van overtuigen. Het is niet de eerste keer dat we er ruzie over hebben.’

*Mijn god.* ‘Nee?’

‘Je lijkt verbaasd.’

‘Dat bén ik ook! Ik had geen idee. Waarom heb je me daar niets van verteld?’

‘Waarom zou ik? Dat wilde ik niet, het is iets tussen haar en mij. En ik weet dat het niet waar is, dus maak ik me niet druk.' Dan haalde zijn schouders op. 'Maar ik kan haar er niet van overtuigen en het is kritiek aan het worden. Het begon toen ik haar erop betrapte dat ze in mijn BlackBerry op zoek ging naar e-mailtjes van jou.'

'Echt waar?' Vicki voelde zich meteen schuldig. 'Tja, we e-mailen wel.'

'Dat is niet verboden.'

'En we zijn ook wel veel bij elkaar. Heel veel.'

'Maar we zijn gewoon vrienden.'

*Aha.* 'Misschien moeten we het wat rustiger aan doen.'

'Ik zou niet weten waarom.'

'Zodat ze niet overstuur raakt en je nergens van verdenkt.' Vicki voelde een golf van schaamte over zich heen komen omdat ze heimelijk naar hem verlangde. Hij hoorde bij Mariella en nu was wel duidelijk wat al die tijd al duidelijk had moeten zijn. 'Hoor eens, onze vriendschap ondermijnt jullie huwelijk.'

'Niet waar.'

'Dan, dat is wel zo.'

Dan fronste zijn wenkbrauwen. 'Maar ze hoort helemaal niet zo overstuur te zijn!'

'Dat doet er niet toe. Haar gevoelens zijn haar gevoelens. Ze is je vrouw.'

'En jij bent mijn beste vriendin.'

'Nou en, vrienden doen het wel eens wat rustiger aan. Misschien moeten we niet meer elke godvergeten dag samen lunchen. Zal ik jou eens wat vertellen, ik heb genoeg van je.' Vicki deed alsof ze glimlachte. *Jij zonder je beha.*

'Nee.' Dan zette zijn beker neer en de koffie golfde tegen de rand. 'Ze is er toch nooit en we houden elkaar gewoon gezelschap. Ze hoort me te vertrouwen.'

'Misschien doet ze dat ook wel, maar vindt ze het gewoon niet leuk.' Vicki moest toegeven dat Mariella niet onredelijk was. 'Jullie lagen in bed toen ik belde. Dat vindt ze niet leuk, dat zou geen enkele vrouw leuk vinden.'

'Ik had toch gezegd dat je me moest bellen, en wat dan nog? Het is de laatste tijd een gekkenhuis. Eerst wordt Morty vermoord en nu Bristows moeder. Ze doet alsof dat helemaal niet gebeurt. Mijn god, het is alsof ik een heel leven heb waar ze helemaal niets vanaf weet!'

'Je moet begrip voor haar hebben,' zei Vicki, en ze slaagde erin zich niet in de woorden te verslikken.

'Bovendien weet ze helemaal niet hoe het is om voor het OM te werken, om daar je best te doen hogerop te komen.' Dan verhief zijn stem en zijn toon werd scherper. 'Ze weet niet hoe het is om dag in dag uit in de rechtbank te staan, om 's avonds nog verzoekschriften te schrijven, om buiten rechtbankuren om nog met getuigen te spreken.'

*Niemand weet hoe dat is, behalve andere assistent-openbaar aanklagers,* dacht Vicki, maar dat zou ze nooit hardop zeggen, omdat het waar was. Collega's deelden dingen met elkaar die buitenstaanders nooit zouden snappen.

'Ze weet niet hoe het was om Morty te verliezen. Ik heb twee jaar met hem samengewerkt, ik had drie zaken met hem. Jij had een jaar lang elke dag contact met hem vanwege Edwards. Je kende hem en nu is hij dood!' Dans stem sloeg over van verdriet. Om Morty. Om haar. Om zichzelf. Vicki zou het liefst haar armen om hem heen willen slaan, maar wist dat ze dat niet kon. Het verwarde haar. Ze wilde hem, maar niet op deze manier, en ze wilde geen problemen voor hem veroorzaken.

'Dan, rustig maar. Mariella wil alleen wat meer tijd van je.'

'En ik wil meer van haar tijd!'

*Au.* 'Juist. Dus jullie willen allebei hetzelfde, en dit waait wel weer over.' Vicki zette haar beker neer. 'Is ze nu thuis?'

'Ja.'

'Je hebt haar alleen gelaten om hiernaartoe te komen?'

'Ja.'

'Slimme zet, Malloy.'

'Ik wilde je helpen! Je zit in de shit! Je had me nodig.'

Vicki's wangen begonnen te gloeien. Een dag geleden had ze dat dolgraag willen horen. Nu was het een probleem. 'Je hebt me geholpen en dat vind ik fijn. Maar nu moet je naar huis.'

'Ik hoor niet eens thuis te zijn. Ik moet zout halen voor de oprit en daarna moet ik naar de stomerij.'

'Ga dan naar huis en vraag of ze met je mee wil. Of trakteer haar op een brunch.'

'Dan zegt ze toch dat ze te moe is. Ze heeft drie dagen dienst gehad.'

'Dan zal ze het fijn vinden dat je haar in elk geval hebt gevraagd.' Vicki zwaaide gedag. 'Ga. Tot kijk.'

'Maar Bale dan? Hij zei dat hij je zou bellen. En je huis is een bende door die agenten.'

'Dat regel ik zelf wel. *Sayonara.*' Vicki legde haar handen op Dans gespierde schouders, wat akelig goed aanvoelde, draaide hem om en duwde hem de keuken uit. Ze griste zijn jas mee en gaf die aan hem. 'Hier. Doe een beha aan en ga naar huis, naar je vrouw die van je houdt.'

'Hè?'

Maar Vicki had de deur al opengedaan. Ze nam niet de moeite het uit te leggen en negeerde de harde knoop in haar maag. De juiste beslissing nemen was helemaal niet leuk. Haar enige troost was dat ze op deze manier ook alle bemoeienis de deur uit werkte.

Dus kon ze aan de slag.

# 19

Het was harder gaan sneeuwen en er werd nog meer sneeuw voorspeld, maar Vicki maakte zich niet druk om het weer. De cabrio hield zich geweldig in de sneeuw, de ruitenwissers zwiepten enthousiast heen en weer en ze had belangrijkere dingen aan haar hoofd. Devil's Corner lag onder een dunne deken van verse sneeuw bedolven; vijf centimeter volgens AccuWeather. Door de ruit zag ze dat de straat van mevrouw Bristow er net zo verlaten bij lag als de dag ervoor, alleen lag er nu een laag verse sneeuw over de rommel, het puin en het vuil eronder. Er speelden geen kinderen voor de huizen; geen tongen die uitgestoken werden om sneeuwvlokken op te vangen. Er was geen sneeuwpop te bekennen.

Vicki vond een parkeerplaats iets voorbij het huis van mevrouw Bristow, stapte uit de cabrio en kwam in natte prut terecht. De ijskoude windvlaag was als een klap in het gezicht en gaf haar een schok van besef. Er stonden geen officiële voertuigen voor het huis geparkeerd; geen auto's van de Technische Recherche of surveillancewagens met draaiende motor. Ze had geen agent bij mevrouw Bristows huis gezien die de plaats delict bewaakte, geen mensen die rondliepen. Sterker nog, er hing geen politielint, er stonden geen afzettingen. Ze keek op haar horloge. Twaalf uur. Enkele uren nadat mevrouw Bristow doodgestoken was aangetroffen, was de plaats delict alweer vrijgegeven.

Met haar hoofd gebogen tegen de sneeuw, liep ze haastig naar het huis. Er raasden allerlei gedachten door haar hoofd. Onwillekeurig zag ze een sterk contrast tussen deze plaats delict en die van Morty. Daar waren tientallen agenten in uniform geweest, om nog maar te zwijgen van de rechercheurs, de Technische Recherche, de FBI, de ATF, en mensen van het ministerie van Justitie. Goed, Morty was een overheidsagent en op de plaats delict was een drievoudige moord gepleegd, maar Vicki vond niet dat dat een volledige verklaring was voor hetgeen ze zag. Bij het trapje aarzelde ze even voordat ze de treden op liep. Ze keek niet uit naar wat ze moest doen, maar ze wist dat ze het moest doen.

Ze klopte op de deur en toen nog een keer. Niemand deed open. De sneeuw waaide in haar oren en haar; ze had geen muts opgedaan omdat ze zo'n haast had gehad. De wind beet in haar neus; het was vier graden onder nul. Ze droeg ook geen handschoenen en bonkte nog een keer hard op de deur. Hij ging een klein stukje open.

Vicki knipperde met haar ogen. De deur stond op een kier. Ze wilde niet zomaar binnenwalsen. 'Hallo?' riep ze. 'Hallo, is er iemand thuis?'

Geen antwoord.

Ze voelde een rilling tot in haar tenen en die was niet van de kou. Er was hier een vrouw vermoord en de laatste keer dat ze door een openstaande deur was gegaan, was Morty vermoord. Te veel geweld, te veel dood; al deze rijtjeshuizen besmeurd met bloed. Zelfs de sneeuw kon dat niet bedekken en verbergen. Niet voorgoed.

'Is er iemand thuis?' riep ze luider, en ze klopte nog een keer op de open deur. De kille wind waaide nog harder, droeg haar stem mee met de sneeuwvlokken en blies de voordeur wijdopen.

*Shit.* Nu stond Vicki voor een open deur te kijken naar de sneeuw die de donkere woonkamer in waaide. Ze deed wat ze moest doen, liep naar binnen en deed de deur achter zich dicht. Ze knipperde met haar ogen de verblindheid door de sneeuw weg, wachtte tot ze aan het licht binnen gewend was en draaide zich toen om.

De woonkamer zag er totaal anders uit dan de dag ervoor. Het was er veel donkerder, omdat er kranten als tijdelijke gordijnen voor de ramen waren geplakt en er alleen indirect licht binnenkwam. De strandstoel lag opgeklapt op de bruine bank die naar het midden van de kamer was geschoven en nu vol lag met zwarte vuilniszakken waarvan het gele lint was dichtgetrokken. Het donkerrode kleed was opgerold en lag op de twee leuningen van de bank en elk beetje rotzooi in de kamer was schoongemaakt en opgeruimd. De vloer leek geveegd en was zelfs gesopt; er zaten hier en daar nog natte plekken en er stond een rij lege waterkannen tegen de muur naast een metalen veger en blik en een nieuwe bezem. De lucht rook weer iets normaler, maar het was binnen nog steeds net zo koud als buiten.

'Hallo?' zei Vicki. Het was stil in huis. Ze haalde diep adem en liep naar de slaapkamer waarin mevrouw Bristow was vermoord. De smerige matras was op zijn kant gezet en stond met de bloederige kant tegen de muur aan. Er kwam nog steeds een afschuwelijke stank vanaf; rottend mensenbloed.

Vicki draaide zich om. Het bijzettafeltje was tegen de matras geduwd om hem overeind te houden, en ook deze kamer was schoongemaakt. Alle rommel en crackattributen waren in vuilniszakken gestopt die nu midden in de slaapkamer stonden. Ze liep naar de keuken en verwachtte daar hetzelfde; ze had gelijk. De kastjes stonden open en waren leeg; al het eten en de sigaretten waren weggehaald en waarschijnlijk in de vuilniszakken gestopt die midden in de keuken stonden. De vloer was geveegd en gedweild; er stond een grote witte emmer in de hoek en er hing een citroenlucht. Een kakkerlak scheerde over het aanrecht, maar Vicki had zo'n vermoeden dat die geen lang leven beschoren was.

'Wie is daar?' riep iemand opeens, en Vicki draaide zich geschrokken om.

Ze stond als verlamd toen ze Reheema Bristow zag die een kleine, dodelijke Beretta op haar had gericht. De mond van de zwarte vrouw was een grimmig streepje en ze was lang en breedgeschouderd. Ze stond met haar voeten iets uit elkaar stevig op de vloer alsof ze klaarstond om te schieten.

'Ik heb het recht om je dood te schieten, Allegretti.' Reheema's donkere ogen glinsterden onder een donkerblauwe muts. Er zaten sneeuwvlokken op de muts en op de brede schouders van haar donkerblauwe jekker.

*Blijf rustig.* 'Dat is de derde keer in twee dagen dat iemand een pistool op me richt en ik krijg er een beetje genoeg van. Als je dat ding nou eens wegstopt voordat ik je arresteer wegens zware mishandeling en overtreding van de wapenwet?'

'Je bent op verboden terrein.'

'Dan ga ik weer. Ik wilde je condoleren met je moeder.' Vicki hield haar adem in. Ze was er redelijk zeker van dat Reheema haar niet zou neerschieten, maar 'redelijk zeker' had te veel speelruimte als het ging om een klein kaliber pistool.

'Waarom had ze jouw portemonnee bij zich?' was Reheema's weerwoord, en haar toon was ijzig koud.

'Doe dat pistool weg, dan geef ik je antwoord. Ik hou er niet van bedreigd te worden.'

'En ik hou er niet van in de gevangenis gestopt te worden. Ik zéí: waarom zat jouw portemonnee in mijn moeders zak?'

'Oké. Die had ze uit mijn tas gepakt. Ik ging bij haar langs en toen ik de kamer uit liep...'

'Hoe wist je dat ze hier woonde? Uit het telefoonboek?'

*Ja, hoor.* 'Dat zou te makkelijk zijn. Ik hoorde het van je oude baas bij Bennye's.'

'Waarom was je hier?'

'Om meer te weten te komen over jou.'

'Wat wilde je weten?'

'Of je iets te maken had met de moord op mijn partner. Of je Shayla Jackson had laten vermoorden zodat ze niet tegen je zou getuigen, of dat iemand het voor je had gedaan. Of je de wapens had doorverkocht en aan wie, wat ik me nog steeds afvraag omdat het wapen in je hand niet het wapen is waarvoor je bent aangeklaagd. Om maar eens te beginnen. Doe dat pistool nou weg.'

'Ha.' Reheema lachte kort, als een semi-automatisch wapen. Ze ontspande de haan, liet het wapen zakken en duwde het in haar jaszak alsof het een pakje kauwgom was.

'Bedankt.'

'Graag gedaan. Nu staan we quitte.' Reheema snoof. 'Dat was een regelrechte aanval van je tijdens dat strafverminderingsgesprek.'

'O, dat. Zal ik maar gaan?' Nu de dreiging voorbij was, was Vicki haar gevoel voor humor kwijt. Het leek alsof het andersom moest zijn, maar ze was te boos om het nu uit te puzzelen. 'Ik heb het wel gehad met die condoleances. Je hebt het verpest.'

'Nog niet.' Reheema rukte de muts van haar hoofd en schudde zich uit. Haar haar was platgedrukt onder de muts, maar daar scheen ze zich niet aan te storen; ze was nog steeds opvallend knap voor een keiharde trut. Haar jukbeenderen hadden een bijna tere ronding en haar mond was zacht en vol, hoe vals haar blik ook was. 'Waarom denk je dat ik iets te maken heb met wat er met je partner en Jackson is gebeurd?'

'Omdat jij baat had bij Jacksons moord. De timing is té toevallig en Jackson had je verlinkt. Ze heeft het OM verteld dat jullie hartsvriendinnen waren. Ze heeft voor de onderzoeksjury getuigd en was bereid om jou tijdens een rechtszaak te laten veroordelen.'

'Ik heb je al gezegd, ik ken dat mens niet. Ze loog.'

'Ze stond onder ede.'

'Ooo. En niemand liegt onder ede.' Reheema grijnsde scheef en Vicki kleurde.

'Weet je zeker dat je haar niet kent?'

'Nog nooit gezien.'

'Jackson zei ook dat ze wist aan wie je de wapens had doorverkocht. Ze was mijn informant in de zaak.'

'Dat is ook een leugen. Ik heb die wapens aan niemand doorverkocht.'

'Wat heb je dan met ze gedaan?'

'Gaat je geen zak aan.'

'Het zou beter zijn als je het me vertelt.'

'Pech.'

*Ik had je de nek om moeten draaien toen ik de kans had.* 'Als het waar is dat je haar niet kende, dan betekent dat dat Jackson, voor jou een volslagen vreemde, jou een wapenrunnerzaak in de schoenen heeft geschoven. Met nog eens het risico van meineed, trouwens. Waarom zou ze je dat aandoen? Hoe kent ze überhaupt je naam?'

'Dat weet ik niet en dat kan me niets schelen.' Reheema's blik bleef standvastig. 'Ik wil dit huis schoon hebben, dát kan me schelen. Tijd om te gaan.'

'Niet zo snel. Wat heb je met de wapens gedaan?'

'Dat zéí ik toch, dat gaat je geen zak aan.'

'Zal ik het je dan zeggen? Je hebt ze aan je moeder gegeven en die heeft ze verkocht of verhandeld voor drugs. Of je hebt ze zelf verkocht en haar het geld gegeven voor drugs.'

'Ik zou mijn moeder nooit drugs geven.'

'Maar je hebt de wapens voor haar gekocht, of niet soms? Een voor jou en een voor haar? En op de een of andere manier heeft zij ze toen allebei verkocht. Daarom wilde je geen deal sluiten. Je wilde je moeder niet verraden.'

Reheema knipperde met haar ogen en Vicki wist dat ze gelijk had.

'Zeg het me gewoon. Als je het me zegt, ga ik weg.'

'Je gaat sowieso.'

'Nee, hoor. Ik kan een behoorlijke lastpak zijn.'

'Weet ik,' zei Reheema zonder glimlach. 'Best. Ook goed. Ze zei dat ze een pistool wilde om zich te kunnen beschermen. Toen ik op mijn flatje ging wonen heb ik het mijne hier laten liggen en zij heeft het gepakt.'

'Heeft ze ze voor drugs verkocht?'

'Ze zou míj nog voor drugs verkopen. Ze heeft alles wat van mij was verkocht.' Reheema's toon was meer dan verbitterd; ze sprak zonder enig gevoel, maar Vicki vond het nog steeds vreemd om kwaad te spreken van een vrouw die in deze kamer was vermoord.

'Ik weet waar je moeder haar drugs gisteravond heeft gekocht.'

'Ben je nou trots op jezelf?'

*Eh, ja,* dacht Vicki, al was het waarschijnlijk een retorische vraag.

'Denk je dat ik dat niet weet?' Reheema trok een wenkbrauw op. 'Denk je niet dat ik dat vijf minuten nadat ik haar vond doorhad?'

'In Cater Street.'

'Weet ik, dat lege perceel. Ze hebben er een winkel geopend.'

*Een winkel?* 'Kom jij daar wel eens?'

'Dat gaat je niks aan.'

'Ik was er gisteravond. Ik had je moeder gevolgd nadat ze mijn portemonnee had gejat.'

'Jij?' Reheema lachte, en het klonk deze keer wat minder als een pistoolschot. 'Een blank meisje?'

'In een witte auto.' Vicki glimlachte. *Joepie! We krijgen contact!*

'Waarom?'

'Om te beginnen wilde ik mijn portemonnee terug en ik wilde weten waar ze haar drugs kocht.'

'Waarom?'

'Uit nieuwsgierigheid.' Vicki voelde zich met de minuut killer worden, alleen door te praten met iemand die zo kil was. Ze wist zeker dat ze nooit meer een emotie zou ervaren. 'Jij wilde dat ook weten. Je bent ernaartoe gegaan om te zien wie je moeder had vermoord.'

'Mis. Ik weet wie mijn moeder heeft vermoord. Mijn moeder heeft mijn moeder vermoord. De junkie die het werk voor haar heeft afgemaakt, heeft haar een dienst bewezen.'

Die gedachte was zo wreed dat Vicki even niet uit haar woorden kwam.

'Tijd om te gaan, advocaatje. Ik heb een pick-up op de stoep staan en ik moet naar de vuilstortplaats voordat er te veel sneeuw ligt.'

'Nog één ding. Ken je echt geen Jamal Browning?'

'Geen idee wie dat is,' antwoordde Reheema snel, rechtstreeks en geloofwaardig.

'Ik denk dat hij Shayla Jacksons vriend was.'

'Best.'

'En Jay-Boy en Teeg?'

'Dat heb ik je al gezegd, nee.'

'Het zijn drugdealers of ze werken voor een dealer.' Vicki zei haar niets over de zuivere cocaïne. Het was niet wijs om politiezaken door te spelen aan een met een wapen zwaaiende ex-crimineel.

'Tijd om te gaan.' Reheema gebaarde naar de deur, maar Vicki bleef staan.

'Jay-Boy en Teeg waren de schutters. Zij hebben mijn partner en Shayla Jackson vermoord die zwanger was. Ik heb ze gezien.'

'Zo gaat dat in de grote stad. En nu eruit.'

'Je moeder was heel knap toen ze jong was,' hoorde Vicki zichzelf zeggen, al vroeg ze zich af waarom. Als ze een band wilde creëren, dan was dat zinloos. Reheema's gezicht bleef uitdrukkingsloos en ze had al twee vuilniszakken in elke hand vast en sleepte ze naar de deur die ze met moeite opentrok.

'Wegwezen.'

Vicki slikte moeizaam, liep naar de deur en bleef toen op de drempel staan. 'Ik zal degene die de drugs aan je moeder heeft verkocht te pakken krijgen.'

'Doe je best, meisje.' Reheema liet de zakken vallen en begon te klappen. Haar ironische applaus achtervolgde Vicki toen ze de deur uit liep.

De sneeuwstorm in.

# 20

Het sneeuwde hard en Vicki rende naar haar auto met haar hoofd gebogen tegen de ijsvlokken die in haar wangen sneden. Ze stapte in de cabrio, maar reed niet direct weg. Er lag een laagje sneeuw op haar plastic achterruit, maar ze zag in haar buitenspiegel dat Reheema vuilniszakken het huis uit sleepte en ze achter in een oranje met witte pick-up gooide die dubbel geparkeerd voor het huis stond.

Ze zette de motor aan, keek naar Reheema en deed of ze de motor liet warmdraaien. Dat was duidelijk een vastberaden meid, een Lady Tiger. Ze droeg een wapen bij zich dat ze richtte zonder met haar ogen te knipperen; ze maakte het huis schoon waarin haar moeder die ochtend was vermoord. Over alles praktisch, nuchter en emotieloos, zelfs wat betreft haar moeders verslaving. Je hoefde geen Dr. Phil te zijn om te raden dat Reheema waarschijnlijk de ouder was geweest en voor haar moeder had moeten zorgen toen ze opgroeide. Ze had zelfs een pistool voor haar gekocht. Was Reheema bedrogen of had ze het geweten? Had ze Vicki de waarheid verteld? Reheema was er hoe dan ook voor opgedraaid en had bijna een jaar in het huis van bewaring gezeten. En ze zou zijn veroordeeld als Jackson niet was vermoord.

*Jackson. Morty.* Wat betekende Jackson voor Reheema? Hoe waren ze met elkaar verbonden, áls ze al met elkaar verbonden waren? Was het mogelijk dat Jackson Reheema kende, maar niet andersom? Hoe dan?

Vicki rukte de handrem los en reed weg. Er was niemand op straat, er werd niet gespeeld, er waren geen auto's. Geen mens, alleen Reheema die het huis uit kwam met de volgende lading vuilniszakken; een lange, donkere figuur met donkere zakken tegen de witte sneeuw die langzaam in de achteruitkijkspiegel verdween.

Vicki kwam bij de hoek en sloeg af. Nu het dag was en de straat iets vertrouwder aandeed, vielen haar dingen op aan de huizen die ze nog niet eerder had gezien. Hier en daar brandde licht binnen en in een van de ramen brandde een elektrische kaars omgeven door een plastic hulstkrans die nog over was van Kerstmis. Er was nog steeds leven in Devil's Corner; er waren nog steeds gezinnen die het er probeerden te rooien en er waren nog steeds mensen als Reheema die er kwamen wonen.

Vicki reed verder, terwijl de auto langzaam opwarmde. Ze naderde Cater Street. Op de hoek aan het begin van de steeg stond niemand. Geen enge mannen met donkere capuchons. Ze reed langzaam verder, kwam tot stilstand en keek net als de avond ervoor naar rechts. Ze parkeerde de auto en keek door de straat die er bij daglicht heel anders uitzag. Er stonden geen auto's geparkeerd, dus zou ze er best doorheen kunnen rijden, en aan weerszijden stonden huizen waarin licht brandde en waarvoor vuilnis bij de stoep stond sneeuw te vergaren; zwarte vuilniszakken als misvormde lijkzakken. Maar zelfs in het slechte weer zag ze dat er aan de andere kant van de straat mensen rondhingen. Ze leken het lege terrein op te gaan.

*De winkel.* Vicki stak haar hand in haar zak om haar agenda en pen te pakken en begon aantekeningen te maken. Of het aan het slechte weer lag, of aan het feit dat de politie in het huis van Bristow was geweest, wist ze niet, maar er waren geen uitkijken. Ze zat te rillen in de koude auto, maar ging door omdat ze nooit meer een kans zou krijgen.

Na een tijdje begonnen de voetgangers een patroon te vormen; klanten liepen het verlaten terrein op en kwamen dan vijf, tien minuten later weer tevoorschijn. Enkele auto's kwamen met zwiepende ruitenwissers tegen de sneeuw vanuit de dwarsstraat op Vicki af. Ze bleven voor het lege perceel staan om iemand uit te laten en na de koop weer in te laten stappen; de koop werd nooit op de stoep gesloten. Slechts een of twee auto's passeerden haar en sloegen Cater in omdat het verlaten perceel dichter bij de andere straathoek stond. Ze noteerde hun nummerborden.

Ze schreef alles op in haar zakagenda. Ongeveer elk uur kwam dezelfde man – een kleine man met een zwartleren jas en een zwartleren honkbalpet – van het verlaten terrein af. Dan liep hij door de straat en kwam vijfentwintig tot dertig minuten later terug. Afwisselend was er een langere man in een Eagles-jas en een zwarte gebreide muts die op ongeveer hetzelfde schema dezelfde route liep. Vicki's theorie was dat het loopjongens waren die naar het crackhuis liepen om voorraad te halen.

Toen de man in de Eagles-jas voor de derde keer het huis verliet, legde Vicki haar aantekeningen opzij en startte ze de motor van de cabrio. Ze reed door de dichte sneeuwval en zette eindelijk de verwarming en de voorruitverwarming op zijn hoogst om de voorruit schoon te houden. Op de hoek sloeg ze rechts af en reed snel naar het eind van de straat. Haar ruitenwissers zwiepten heen en weer om de sneeuw bij te houden. Bij het verkeerslicht bleef ze staan, scoorde een punt voor rechtmatig gedrag overal ter wereld en sloeg rechts af.

Tegen de tijd dat ze bij de dwarsstraat was, was de man in de Eaglesjas te voet aan het eind van Cater Street. Vicki reed heel langzaam verder en zette toen de auto naast een met zout bedekte Taurus om te volgen wat hij deed. Eagles-jas had zijn rug naar haar toe; de vogel op zijn rug had zijn klauwen gespreid. Het was stil op straat; er was weinig verkeer. Niemand was buiten in deze sneeuw; op de heenweg had ze op de radio waarschuwingen voor een sneeuwstorm gehoord.

Eagles-jas stapte in een krakkemikkige blauwe Neon die halverwege een rij auto's stond. Vicki wachtte tot hij de Neon had gestart, en toen hij de weg op reed, liet ze een zwarte Ford-truck voorgaan om haar dekking te bieden en reed toen achter hem aan. Ze reden samen naar het eind van de straat, hij sneller dan zij. Ze gaf gas en kleefde aan de bumper van de zwarte truck. Haar hart ging sneller slaan toen de Neon linksaf Cleveland Street in ging naar het westen.

De zwarte truck reed rechtdoor, waardoor ze zichtbaar werd, maar er lag een dikke laag verse sneeuw op de achterruit van de Neon en de chauffeur deed geen moeite om hem schoon te maken. De Neon was zeker tien jaar oud en had een fikse deuk in de achterbumper. Vicki had wel eens gehoord dat drugdealers mooie auto's hadden om te cruisen en krakkemikkige auto's gebruikten voor 'werk', omdat ze op die manier minder opvielen. De criminele versie van een stationcar.

De Neon reed hard, ondanks het slechte weer en de sneeuw die dwars over straat waaide. Hagelkorrels tikten tegen de ruit en de ruitenwissers deden verwoed hun werk. Vicki reed zo snel mogelijk en liet zo nu en dan een auto voorgaan om haar kans om ontdekt te worden te verkleinen, aangezien de sneeuw van de achterruit van de Neon begon te vallen.

Ze reden slingerend Devil's Corner uit en Vicki zag door de beslagen ramen dat de buurt steeds slechter werd. Ze sloegen rechts af en links af, waarna de Neon nog een afslag nam en tot stilstand kwam. Ze passeerde de auto omdat ze niet snel genoeg kon stoppen en wilde vermijden dat ze zou worden ontdekt. Ze reed een rondje tot aan de straat die de Neon was ingeslagen en keek naar het straatnaambord. Het stond scheef, maar de felgroene letters waren toch leesbaar in de sneeuwstorm: ASPINALL STREET.

*Wauw.* Vicki dacht aan de enveloppen op Shayla's ladekast in het rijtjeshuis. Die waren doorgestuurd naar haar vriend, Jamal Browning. Hij woonde in Aspinall Street.

Vicki's hart ging nog harder kloppen. Ze boog zich over het stuur, maar de Neon stond te ver weg en ze kon niet veel zien. Ze wachtte. Probeerde rustig te blijven. Wenste dat ze een mobiele telefoon had. Wie zou ze bellen? De politie. Dan. Iemand. Wie dan ook.

Ze nam aan dat Eagles-jas naar Jamal Brownings huis in Aspinall Street ging, omdat het niet waarschijnlijk was dat er twee drugdealers aan Aspinall Street zaten. Dat betekende dat Jamal mogelijk de drugs leverde voor de nieuwe winkel in Cater, waarin mevrouw Bristow haar drugs had gekocht. Was dat het verband? Had Reheema haar moeder wapens gegeven die haar moeder in Cater Street had verkocht of verhandeld voor crack, die weer werd geleverd door Jamal Browning? Betekende dit dat de wapens bij Browning terecht waren gekomen? En wat was de link met Reheema?

Vicki was zo opgewonden dat ze bijna niet zag dat Eagles-jas uit een huis halverwege de straat kwam en over de besneeuwde stoep liep. Hij stapte in de Neon en reed weg, vermoedelijk terug naar Cater. Vicki trapte op het gaspedaal, sloeg Aspinall in en reed door de straat, al durfde ze niet bij het huis te stoppen. Het was een vervallen stenen rijtjeshuis met een gele plastic luifel die doorgezakt was van bouwvalligheid en het gewicht van de sneeuw.

Nummer 3635. Het huis van Jamal Browning.

'Ja!' Vicki riep het zo hard dat haar stem door de kleine cabrio galmde. Maar wat nu?

Ze was niet van plan om bij Browning aan te kloppen, maar ze wist hoe ze dat doel kon bereiken.

# 21

Een uur later kwam Vicki bij het Roundhouse, het hoofdbureau van politie van Philadelphia. Het zag er bijna mooi uit in de sneeuw, maar alleen omdat de witte laag de gebarsten vensterbanken en het vuile beton van de verouderde voorgevel aan het zicht onttrok. Het gebouw bestond uit twee in elkaar verweven cirkels en het ontwerp was in de jaren zeventig nogal futuristisch geweest. Ze zette de auto op de plaats van de pers op de parkeerplaats, zoals ze als assistent-openbaar aanklager wel vaker deed, zette de motor af en stapte de cabrio uit. De kou overviel haar en ze trok haar jas wat strakker om zich heen. Het was bijna zes uur en het was donker. De parkeerplaats was slechts voor een deel bezet, maar dat was bedrieglijk; het Roundhouse was in het weekend niet gesloten en het werd er zelfs drukker. Ze was hier vaker geweest dan ze kon tellen. Ze rende naar de ingang, sneeuw spatte tegen haar enkel op, en ging de draaideur door.

Tien minuten later had Vicki rechercheur Melvin gevonden in de aftandse ruimte van de afdeling Moordzaken. De blauwe verf op de muren was groezelig en overal stonden grote, saaie bureaus die elke normale manier van lopen onmogelijk maakte. Vlekkerige gordijnen hingen aan scheve roeden aan de verste muur die in een bocht met de zuidzijde van het gebouw meeliep. Het stonk er naar sigaretten, ook al was roken verboden. Op tv werd bij *Cold Case* elke week een opgeschoonde versie van een politiebureau getoond. Niemand zou geloven hoe armoedig het werkelijk was, en dat was het probleem met de waarheid.

'Gezellig met mijn ouders gebabbeld?' vroeg Vicki, toen ze in de oude, metalen stoel naast het bureau van rechercheur Melvin ging zitten.

'Nog niet. Bent u daarom hier?'

'Nee,' antwoordde Vicki, en ze vertelde hem het hele verhaal in detail. Tegen de tijd dat ze klaar was, keek rechercheur Melvin naar haar zoals haar vader ook wel deed, en dat was niet goed.

'Wacht even,' zei hij met zijn hand in de lucht. 'U zei dat u naar Reheema ging om uit te leggen waarom haar moeder uw portemonnee had. U vond dat u haar dat verschuldigd was.'

'Klopt.'

'Waarom hebt u dan aantekeningen gemaakt over drugstransacties in Cater Street?' De rechercheur gebaarde naar Vicki's agendablaadjes die op het overvolle bureau uitgespreid lagen.

'Ik weet wat ik heb gezien en u ook.' Vicki leunde naar voren. 'Er is in Cater een crackwinkel geopend die wordt bevoorraad door een dealer in Aspinall Street. En Browning staat in verband met Shayla Jackson vanwege de rekeningen in haar huis. Het wordt u op een presenteerblaadje aangereikt.'

'Het is mooi, maar het bewijst nog niets.'

'Ik leg een beëdigde verklaring af over wat ik heb gezien, zodat u redelijke verdenking kunt aantonen voor een huiszoekingsbevel en een arrestatiebevel voor de twee straatdealers plus wie zich nog meer in dat crackhuis bevindt. Ze doen daar goede zaken en dat wordt alleen maar meer. We kunnen er nu een eind aan maken.'

'We?'

'Ja, we. Dit kan ons naar de moordenaar van Shayla en Morty en misschien zelfs mevrouw Bristow leiden. Het is een goede aanwijzing.'

'Ik ben het ermee eens dat het een goede aanwijzing is, ik heb niet gezegd dat het geen goede aanwijzing is.'

'Om nog maar te zwijgen van het feit dat dat drugspand eerst de ondergang van de straat zal betekenen en daarna van de hele buurt.'

'Ik heb gehoord dat dat zo gaat, ja.' Rechercheur Melvin pakte haar aantekeningen bijeen, en zijn spieren bewogen zich onder de grijze trui die hij die morgen waarschijnlijk onder zijn leren jas had gedragen. Moeilijk voor te stellen dat het dezelfde dag was; Vicki had nu al het gevoel dat ze oude vrienden waren, al was dat misschien een waanidee.

'Hebt u Browning al gezien? Hebt u hem ondervraagd?'

'Nog niet, maar dat gaan we doen.'

'Waarom duurt het zo lang?'

'Daar zijn procedures voor, mevrouw Allegretti.'

'Zeg toch Vicki als u tegen me liegt.'

'Dat doe ik niet.' Rechercheur Melvin perste zijn lippen op elkaar.

'Welke procedures dan? De procedure die ik me bij een moord kan herinneren, is het nagaan van aanwijzingen. Browning is een duidelijke aanwijzing in de moord op Jackson en Morty, en mogelijk staan ze allemaal in verband met elkaar.'

'Dit is een ingewikkelde situatie en ik ben niet bevoegd om de details van het onderzoek met u te bespreken,' antwoordde rechercheur Melvin resoluut, waarop Vicki zich achterover in haar stoel liet zakken. Met drammen bereikte ze niets en ze zag dat Melvin ook niet blij was met de situatie.

'Betekent dat dat er ook niet over afluistermogelijkheden valt te praten? Gaat u een tap op mijn mobiele telefoon zetten? Met deze feiten zou dat zonder meer mogelijk zijn.'

'Dat begrijpen we en we onderzoeken het.'

'De ATF zou zo een Titel III-tap installeren.'

'We onderzoeken het op onze manier, niet op die van u of van de ATF.'

'En wat houdt dat in?' Vicki wist dat ze zich op glad ijs begaf en rechercheur Melvins blik verhardde.

'Hoor eens, ik hoef u nergens van op de hoogte te houden. Als ik uw baas bel en hem vertel waar u mee bezig bent geweest, staat u binnen de kortste keren op straat.'

*Slik.* 'Maar als u me nu vertelt wat u tot nu toe hebt gedaan, dan kan ik misschien iets doen.'

'Ik heb uw hulp niet nodig, dank u. Ik dacht dat ik daar vanmorgen duidelijk over was geweest.' Rechercheur Melvin legde haar aantekeningen op een stapel. 'Ik zal mijn brigadier vertellen wat u vandaag te weten bent gekomen over Browning, Aspinall en de Neon. En ik zal uw aantekeningen doorspelen aan Narcotica.'

'Aan Narcotica? Maar als de winkel aan Cater Street nu verband houdt met de moord op mijn partner?'

'Wij nemen dat deel voor onze rekening, zij het andere deel. Ze hebben al eerder klachten gekregen van de buren. Ze weten van de situatie af, maar ze hebben het druk. Als de informatie van Moordzaken komt, zullen ze er zeker aandacht aan besteden.'

'Zullen ze samenwerken met de overheidsinstanties?'

'Vast wel, maar er zijn wat kwesties over wiens rechtsgebied het is.'

'Valt dit onder de rechtspraak van de staat of van het land?'

'Ik ben niet bevoegd dat met u te bespreken,' antwoordde rechercheur Melvin, maar Vicki was niet van plan om al dat werk voor niets te hebben gedaan.

'Volgens mij hebt u de rechtsbevoegdheid over de hele zaak. Het gaat om een moord, of het nu een overheidsagent is of niet, en ik denk dat de bevoegdheid bij u moet blijven en niet naar Narcotica moet gaan.' Vicki dacht hardop; probleemoplossing in strafrechtelijke procedure. Ze wist dat Moordzaken kon werken op een manier die overheidsinstanties niet konden.

'Bedankt voor het vertrouwen.' Rechercheur Melvins voorhoofd ontspande zich en zijn stem werd wat vriendelijker. Ze wisten allebei dat rechtsbevoegdheid een kwestie van juridische macht was, en dus werd het altijd weer een juridisch machtsspelletje en daarmee zou deze situatie alleen maar erger worden. 'Op dit moment zien we het als een plaatselijk misdrijf, dus is het onze zaak. Dat betekent niet dat we niet moeten coördineren.'

'Met wie?'

'Met een taakgroep.'

'O, nee.' Een taakgroep was een codewoord voor een commissie. Vicki kon alleen maar gissen naar de druk waar hij onder stond. 'Maar iemand moet nú de toko runnen. Tijd is belangrijk in een moordonderzoek.'

Melvin slaagde erin een glimlach op zijn gezicht te toveren. 'Dat heb ik ook gehoord.'

'Wat zijn de precedenten in zaken als deze?'

'Die zijn er niet.'

'Dat moet wel,' zei Vicki ongelovig. 'Morty zal heus niet de eerste overheidsagent zijn die tijdens zijn werk komt te overlijden.'

'In Philadelphia toevallig wel. Er is wel een andere zaak, maar daar hebben we niet veel aan. Een FBI-agent, Chuck Reed, die in de jaren negentig werd vermoord tijdens een undercover drugstransactie, weet u nog? In een auto in Penn's Landing.'

'Nee.' In de jaren negentig studeerde Vicki nog, maar ze had het nooit over haar leeftijd zolang dat niet nodig was. 'Vertelt u eens.'

'Het was een inval die fout liep in die yuppie cocaïnekliek. De dealer was hartstikke stoned en raakte in paniek. Hij schoot Reed neer en die schoot terug. Allebei dood.' Rechercheur Melvin huiverde van verdriet dat politiemensen tonen bij het overlijden van een collega. Verdriet was het enige dat rechtsgebieden overschreed.

'Er was dus geen onderzoek nodig om Reeds moordenaar te vinden.'

'Precies, dus bestaat er in dit geval geen precedent.'

'Maar het is een staatszaak en er zijn ook burgers omgekomen... Jackson, haar baby en mevrouw Bristow, als haar moord er iets mee te maken heeft.' Toen hield zelfs Vicki het voor gezien. 'Maar goed, iedereen bij de ATF was dol op Morty. Zij willen voor hun eigen mensen zorgen.'

'Juist, logisch. Dat zouden wij ook willen.' Aan beide kanten van het bureau werd het stil. De tegenstrijdige belangen deden Vicki verdriet en rechercheur Melvin slaakte een zucht, een gelaten geluid dat diep uit zijn brede borstkas kwam. 'We hebben morgen al een vergadering over de moord op jouw partner met hoge omes van het OM en met de ATF, DEA en de FBI.'

'Waarom heeft de FBI hier rechtsbevoegdheid? Omdat ze die zich toe-eigenen?'

'Dat zei ik niet.'

'Nee, dat zei ik.' Vicki dacht even over de situatie na. De FBI was de meest inhalige overheidsinstantie die er bestond, op de belastingdienst na. 'Wanneer is die vergadering van de taakgroep?'

'Ze hadden het over dinsdag, maar waarschijnlijk zal het eerder woensdag worden. Ze hebben een dag nodig na de herdenkingsdienst van je partner.'

*Morty's rouwdienst.* Vicki kreeg een beklemmend gevoel. Ze was zo opgegaan in het opsporen van zijn moordenaar, dat ze niet over zijn begrafenis had nagedacht. 'Wanneer is de herdenkingsdienst?'

'Ik heb er een memo over gehad. De dodenwake is morgenavond, de herdenkingsdienst maandag.'

Vicki hield haar emoties in bedwang. 'En woensdag komen jullie allemaal bijeen? Dat is een eeuwigheid in een moordzaak.'

'Dit moet goed gebeuren,' zei rechercheur Melvin, maar zo te horen geloofde hij het zelf ook niet. Vicki schudde haar hoofd.

'Procedures?'

'Kort samengevat.'

'Het is dus de vraag of het onder de rechtspraak van de staat of het land valt, en vervolgens is het touwtrekken over welke overheidsinstantie er dan over moet gaan, de ATF, de FBI of de DEA.'

Rechercheur Melvin keek bijna net zo triest als Vicki. 'Ik ben niet eens uitgenodigd voor die bijeenkomst, alleen mijn brigadier en de overheidsinstanties.'

'Zo veel wetgeving die de gerechtigheid dwarsboomt.'

Rechercheur Melvin glimlachte, maar Vicki kwam al overeind.

'Hebt u een kopieerapparaat?'

'Natuurlijk, hoezo?'

'De klok tikt.'

Vicki boog zich voorover en pakte haar aantekeningen.

# 22

Het was bijna zeven uur tegen de tijd dat Vicki door de sneeuwstorm naar het United States Custom House liep. Er kwamen kille windstoten vanaf het water van de Delaware, sneeuwvlagen waaiden rond het gebouw en de Amerikaanse vlag bovenop wapperde als een bezetene. Custom House, dat per cabrio maar tien minuten rijden was vanaf het hoofdkwartier van politie, was een degelijk, grijs bouwwerk op de hoek van Second Street en Chestnut Street waarin verschillende overheidsinstanties waren gehuisvest: Bureau Paspoorten, de FDA, GSA en ATF. Het gebouw zag er vreselijk bureaucratisch uit vergeleken met de excentrieke restaurants, kunstgaleries en bistro's die in de Olde City stonden. Slechts twee mensen liepen op straat op deze bitterkoude avond en die liepen dicht bij elkaar tegen de storm in. Vicki passeerde hen snel en ging de schoongeveegde granieten trap op naar Custom House.

Op dit tijdstip was het gebouw voor het publiek gesloten en de lobby was verlaten op twee veiligheidsmedewerkers na die bij de metaaldetector stonden. De onvriendelijk man die aan het houten bureau zat en de filmagenda in de *Daily News* zat te lezen, kende ze amper, maar de andere man, haar vriend Samuel, keek op van zijn nagels waar hij aan zat te pulken. Hij verschoot van kleur toen hij Vicki zag en ze wist waarom.

'Yo, Samuel.' Vicki wilde net haar legitimatiebewijs tevoorschijn halen, toen ze bedacht dat ze die kwijt was. 'Ik heb mijn pas niet bij me, is dat erg?'

'Geen probleem, Vicki.' Samuel gebaarde dat ze om de metaaldetector heen kon lopen. Ze was hier het afgelopen jaar bijna elke dag geweest toen zij en Morty getuigen ondervroegen en hun zaak op het kantoor van de ATF hadden opgebouwd.

'Fijn. Zijn er nog mensen boven?'

'O ja, een heleboel, zelfs de bazen.'

'Mooi.'

'Gecondoleerd met agent Morton,' zei Samuel, toen Vicki al bijna weg was. Het kwam eruit alsof hij het net had bedacht, maar ze wist dat dat niet zo was; kennelijk had hij zijn moed bijeen moeten rapen om het te zeggen en dat ontroerde haar des te meer.

'Dank je.' Vicki wist haar emoties op tijd te beheersen. Ze voelde zich hier in de lobby al een beetje wankel. De laatste keer dat ze hier had gelopen, was samen met Morty geweest. Ze waren naar buiten gegaan om broodjes te halen en hadden nog ruziegemaakt over wie de paprika had besteld.

'Ik zweer je dat ik die heb besteld,' had hij gezegd.

'Niet waar, jij neemt altijd pepertjes.'

'Ik ben me aan het ontwikkelen.'

Vicki liep naar de kleine ronde lobby die in art-decostijl was ingericht. Ze kende zijn geschiedenis dankzij Morty, die dol was geweest op dit gebouw; Custom House was in de jaren dertig gebouwd als een werkgelegenheidsproject en Morty had altijd beweerd dat het gebouw bedoeld was om steenhouwers uit Zuid-Philadelphia bezig te houden, want de lobby was volledig uit marmer gemaakt. Tegen de ronde muren van de ingang zat bruinroze marmer en er stonden opvallende koningsblauwe pilaren die waren geëtst met lange lijnen waardoor hun plafondhoge uitstraling nog hoger leek. De pilaren stonden in een kring tot aan het gewelfde plafond. Bloemen van bladgoud glinsterden in de koepel tegen een hemelsblauwe achtergrond waardoor de hele lobby een hemelse, ongrijpbare uitstraling kreeg.

*Morty.*

Vicki liep snel verder naar boven. Haar voetstappen werden gedempt door restjes sneeuw. Ze liep zoals altijd naar de eerste verdieping, zag weer de merkwaardig beschilderde zachtpaarse deurposten en toetste de toegangscode in op het paneel naast de paarse deur. Het was een ingang die alleen werd gebruikt door ATF-agenten die de grote glazen receptie wilden omzeilen, en Morty had haar de code gegeven. Ze deed de deur open en was er bijna in geslaagd haar gedachten aan hem opzij te zetten toen hij haar opeens recht in het gezicht aanstaarde.

HERDENKINGSDIENST VOOR BOB MORTON stond erboven en daaronder hing een bijna levensgrote foto van hem aan de wand, grijnzend met een stropdas om die hij alleen droeg als er foto's genomen werden. Het was een gekopieerde aankondiging van wanneer zijn dodenwake en begrafenis waren. Vicki was bijna vergeten hoe aantrekkelijk hij was; ze slikte moeizaam en sloeg rechts af de hal in naar een roomwitte doolhof van kamers waarvan de meeste leeg en donker waren, maar sommige ook niet. Op de verschillende verdiepingen van het ATF-kantoor in Philadelphia werkten honderden agenten en ze kon zich alleen maar voorstellen hoe druk het hier de afgelopen dagen was geweest, krioelend van de agenten die over Morty spraken, verhalen uitwisselden en elkaar troostten. Gezien wat er gebeurd was, had ze wel gedacht dat er dit weekend mensen aan het werk zouden zijn; sterker nog, omdat agenten zo veel tijd in de rechtszaal doorbrachten, werkten veel mensen met regelmaat 's avonds en in het weekend om administratie in te halen, getuigen te ondervragen en de reputatie van luie ambtenaren onderuit te halen.

Vicki liep verder door de gang en zwaaide even naar wat agenten die van hun werk opkeken en naar haar knikten; ze werkte hier nog maar een jaar en kende ze niet allemaal omdat ze veel tijd met Morty had doorgebracht. Ze liep over het paarse bewerkte tapijt en voelde zich hier zonder hem niet thuis. In de volgende gang hing een sterke lucht van oplosmiddelen en ze liep langs een klein kamertje met drie mannen in lange witte jassen die geweren op een tafel aan het schoonmaken waren. Ten slotte kwam ze bij de drempel van het grote hoekkantoor, ze klopte op een paarse deurpost en zette zich schrap voor een ontmoeting met de baas.

'Meneer Saxon?' begon Vicki. Ze hield haar mond toen ze zag dat hij aan de telefoon zat en aantekeningen maakte. Hij zag haar staan, maar wenkte haar niet naar binnen. Dat verbaasde haar niet, want ze wist niet zeker of hij wist wie ze was. In de tussentijd probeerde ze niet te luisteren naar een mogelijk strikt geheim gesprek.

'Eieren, melk... magere, en geen fruit in fase 1,' zei Saxon in de hoorn, en Vicki glimlachte. De hele wereld volgde het South Beach-dieet. Het telefoongesprek deed Vicki denken aan het etentje bij haar ouders, voordat ze haar uitgefoeterd hadden. Misschien was dat het probleem. Niet genoeg koolhydraten.

'Bruine of witte eieren, maakt dat wat uit?'

Vicki bekeek zijn kantoor, het grootste dat ze hier had gezien. De drie ramen waren donker achter omlaag getrokken schermen, en aan de muur achter het bureau hing de geijkte ingelijste poster van *The Untouchables* met Kevin Kostner. ATF-fanaten waren gek op *The Untouchables*, Hollywoods versie van het begin van de dienst en allemaal aanbaden ze de echte Elliot Ness. Morty was elk jaar naar het Elliot Ness-feest geweest dat ze in Baltimore hielden en kwam dan met een geweldige kater terug.

'Ricotta? Maggio? Moet dat óók mager zijn? Doe me een lol, Kath.'

Rechts op het bureau stond een Amerikaanse vlag en in de hoek stond een kapstok met een honkbalpet, een winterjas en een donkerblauw kogelvrij vest waar met de bekende vette gele letters ATF op stond. Het bureau was groot en eenvoudig van lichtgekleurd hout en helemaal leeg op een plastic beeldje van Jezus na dat nog in de doos zat naast een naambordje met JOHN SAXON, DIRECTEUR.

'Pistachenoten, amandelen, niet geroosterd, ongezouten.'

Saxon maakte een aantekening met een balpen en zijn grote hand zwierde over het papier; hij leek net een uit de kluiten gewassen schooljongen, behalve dan dat er op zijn grijsblonde hoofd een kalende plek zat. Saxon zelf was een reus, zeker zo'n een meter negentig met brede gespierde schouders in een witkatoenen poloshirt dat veel te dun was voor de winter. Zijn neus en jukbeenderen waren groot en staken uit; zijn ogen waren een overwerkt en bloeddoorlopen blauw en zelfs zijn huid leek rozerood. Toch was hij met zijn middelbare leeftijd op een dominante manier aantrekkelijk en Vicki mocht hem wel omdat hij het telefoongesprek afrondde met: 'Ik hou ook van jou.'

Saxon keek op naar Vicki die zich voorstelde, de kamer in liep en haar hand uitstak. Hij kwam half overeind en pakte haar hand vast. 'Allegretti, die naam ken ik.'

'Ik ben de assistent-openbaar aanklager die samen met Morty werkte. We hebben die veroordeling in de zaak-Edwards weten te bewerkstelligen en we deden de zaak-Bristow.'

'Natuurlijk. Morty.' Saxon fronste zijn wenkbrauwen en tuitte zijn lippen, die dun en gebarsten waren, terwijl hij zichzelf in zijn hoge stoel liet zakken. 'Jezus, god. Arme Morty. Ga zitten, meisje.' Hij wuifde naar een van de twee bruinleren leunstoelen voor zijn bureau. 'Jij was bij hem, hè?'

'Ja.' Vicki dacht aan Morty die in de deuropening lag terwijl er bloed bij zijn lippen bubbelde. Ze dwong de gedachte opzij.

'Ik heb je verklaring gelezen. Goed gedaan, veel details. Dat moet moeilijk zijn geweest.' Saxon keek haar aan, nam haar op. 'Ja, weet je, we vinden het allemaal heel erg. Erg voor ons. Erg voor Morty. Hij was een fantastische agent. Een grondige, professionele agent. Hij onderzocht een zaak goed, hoelang het ook duurde.' Saxon wreef met zijn enorme handpalm over zijn voorhoofd, waardoor hij zijn dunne haar alleen maar in de war maakte. 'Hij was zo'n goeie vent, zelfs zijn ex belde nog om te zeggen hoe erg ze het vond.' Saxon glimlachte en Vicki ook.

'Morty zei altijd dat hij met zijn werk getrouwd was.'

'Dat was hij ook. De ATF was zijn familie, de enige familie die hij had. De hele dienst is er van slag van.'

'Dat kan ik me voorstellen.' Vicki voelde zich schuldig dat ze niet aan de ATF had gedacht tijdens haar rechtsgebiedanalyse. Het was bijna alsof ze Morty's nagedachtenis had verraden.

'En wat kan ik voor je doen?' Saxon keek op zijn horloge, een goudkleurige Seiko. 'Je hebt moeder de vrouw gehoord. Het is laat en ik moet ervandoor.'

'Ik wil het met u hebben over het onderzoek naar de moord op Morty.'

'Nu? Op zaterdagavond?' Saxon trok zijn dikke, blonde wenkbrauwen op. 'Een knap meisje als jij heeft toch zeker wel iets leukers te doen.'

*Toevallig niet.* 'Ik heb het moeilijk vanwege Morty en dus heb ik zelf hier en daar wat zitten spitten.'

Saxon kneep zijn ogen samen. 'Je bent assistent-openbaar aanklager?'

'Ja, en hiervoor was ik hulpofficier van justitie.'

'Wat bedoel je, je hebt zelf wat zitten spitten?'

'Hier en daar vragen gesteld en...'

'Dat is jouw werk helemaal niet.' Saxon fronste zijn wenkbrauwen. 'We hebben je beschrijving naar elk ATF-kantoor in het land gestuurd. Daar eindigt jouw taak en nemen wij het over. We vinden de klootzakken wel.'

'Betekent dat dat de ATF het onderzoek zal leiden?'

'Waarom wil je dat weten?' Saxons gelaatstrekken veranderden in een bureaucratisch masker en Vicki haalde haar schouders op.

'Omdat het me interesseert. Omdat ik om Morty geef.'

'De ATF geeft ook om Morty.' Saxon lachte zonder blijdschap en hij werd met de minuut onaangenamer. Vicki slaakte een zucht. Wat had ze verkeerd gezegd? Of had die man gewoon een gebrek aan koolhydraten?

'Ik zei ook niet dat dat niet zo was. Ik heb vandaag alleen een paar dingen ontdekt die verband houden met zijn moord.'

'Wat voor dingen?'

'Dat wilde ik u vertellen.' Dit was niet de manier waarop het gesprek had moeten gaan, maar Saxon had in elk geval geen wapen op haar gericht. Ze begon het verhaal bij het begin. 'U zult wel gehoord hebben over de moord op Arissa Bristow vanmorgen.'

'Bristow?' Saxon fronste zijn wenkbrauwen. 'Die naam zegt me wel iets.'

'Het was op het nieuws.'

'Wat heeft dat met Morty te maken?'

'Arissa Bristow was de moeder van mijn gedaagde in de wapenrunnerzaak, de reden dat Morty en ik bij de informant langsgingen. De informant heette Shayla Jackson.'

'Jackson, die kan ik me herinneren. Maar Bristow? Wanneer is ze vermoord?'

'Vanmorgen, het was op tv,' zei Vicki weer. 'Heeft chef Bale u niet gebeld, of iemand van Moordzaken?'

'Nee. Wat is er gebeurd?' Saxon leunde naar voren en Vicki vertelde hem over mevrouw Bristow, Reheema en Cater Street en tot slot over Aspinall Street en Jamal Browning. Ze pakte een kopie van haar aantekeningen uit haar tas die ze aan hem gaf en uitgebreid met hem doornam. Zijn ogen werden groter terwijl ze praatte en hij maakte aantekeningen op het notitieblok waarop ook zijn boodschappenlijstje stond. Toen ze was uitgesproken, leunde hij achterover in zijn stoel en legde hij diep in gedachten verzonken zijn pen neer.

'Ik denk dat de moord op mevrouw Bristow te maken heeft met de moord op Morty en dat de drugshandel met alles te maken heeft.' Vicki dacht weer hardop. 'Het is alleen nog onduidelijk wie de vent is die mijn mobiele telefoon heeft. Maar volgens mij is het meer dan genoeg voor een Title III-telefoontap, denkt u niet?'

'Dit baart me zorgen,' zei Saxon, maar hij had het niet langer tegen Vicki. Zijn blik dwaalde naar het raam, maar de schermen zaten dicht. Toch bleef hij die kant op kijken, misschien uit gewoonte. 'Het zint me niet dat mij hier niets over is verteld.'

'Mij ook niet.' Vicki had het gevoel dat hierdoor informatie verloren zou kunnen gaan. Door de ruzie over wiens rechtsgebied het was. Deze diensten zouden met elkaar moeten praten wilden ze Morty's moordenaars te pakken krijgen. 'Wie heeft volgens u de rechtsbevoegdheid? Natuurlijk zal de ATF onderzoek willen doen vanwege Morty, maar juridisch gezien denk ik dat Moordzaken...'

'Dat ga ik niet met jou bespreken.'

Vicki knipperde met haar ogen. 'Ik dacht dat we het al aan het bespreken waren.'

'Nee, hoor. De relatie tussen de ATF en andere overheidsdiensten is geen onderwerp dat ik met jou wens te bespreken.'

Vicki had het gevoel alsof ze een klap in het gezicht had gekregen. Hij vond het prima om de zaak te bespreken zolang zij degene was die informatie met hem deelde. 'Dat zal dan wel besloten worden tijdens de vergadering van woensdag.'

Saxon trok een wenkbrauw op. 'Hoe weet jij van die vergadering af?'

'Ik heb het uiteraard strikt vertrouwelijk gehouden.'

'Dat doet er niet toe. Hoe weet je daarvan?'

Vicki zweeg even. Ze wilde rechercheur Melvin niet in moeilijkheden brengen. Het plastic Jezus-beeldje staarde haar aan. Achter Jezus zat John Saxon. Even wist ze niet wat ze moest zeggen.

'Allegretti,' zei Saxon streng, 'je bent je boekje heel ver te buiten gegaan. Door naar Bristows huis te gaan, in Cater Street te surveilleren, een verdachte te volgen naar Aspinall Street. Je bent geen beroeps en dit is gevaarlijk werk. Het is niet de bedoeling dat jij een deel van het onderzoek op je neemt.'

'Dat was ik ook niet van plan. Ik vervolgde alleen mijn werk door naar Reheema te gaan.'

'Dat had je ook niet moeten doen. Je kunt het beter aan wetshandhavers overlaten.'

Vicki kreeg er een beetje genoeg van om dat te horen. 'Ik bén wetshandhaver.'

'Je bent advocaat.'

'Ik ben assistent-openbaar aanklager en het is míjn partner die is vermoord.'

'Je bent een ongeleid projectiel,' zei Saxon, alsof het een officiële aankondiging was, en Vicki kon zich niet langer inhouden.

'Tja, als ik geen vooruitgang had geboekt, had u misschien gelijk.' Opeens werd ze overvallen door emoties, het verdriet en de vermoeidheid die ze de afgelopen twee dagen had onderdrukt en ze kwam overeind. 'Maar hier heb ik geen zin in. Ik weet alleen dat Morty dood is en dat ík degene ben die achter de slechteriken aan zit. Neem me niet kwalijk dat ik niet instort.'

'Nu ga je te ver, meisje.' Saxon kwam overeind en wees met een dikke vinger naar haar. 'Weet Bale waar je mee bezig bent geweest?'

Maar Vicki was te boos om antwoord te geven. Ze draaide zich om en liep naar de deur.

'Waag het niet om zomaar weg te lopen, Allegretti! Geef antwoord! Weet je baas waar je mee bezig bent geweest?'

'Weet u wat?' Op de drempel draaide Vicki zich om. 'Gaat u lekker boodschappen doen, dan laat ik wel weten wanneer ik weer een aanwijzing heb, goed?'

Ze liep de deur uit voordat hij kon schieten.

Toen Vicki thuiskwam, nam ze een nog groter risico dan het surveilleren van een drugdealer of het in twijfel trekken van de mannelijkheid van een ATF-baas: ze belde haar ouders. Ze wilde uitleggen waarom rechercheur Melvin had gebeld. Ze toetste het nummer in en gokte erop dat de ouder die ze aardig vond zou opnemen. Na twee keer nam haar moeder op. *Yes!*

'Mama, heeft rechercheur Melvin jullie al gebeld, van Moordzaken?'

'Goeie hemel, ja, ik heb net opgehangen,' zei haar moeder geschrokken. 'Wat is er toch aan de hand? Is alles goed met je, lieverd?'

'Ja, hoor.'

'Goddank! Had je een alibi nodig?'

'Nee, niet echt.'

'Je vader is naar fitness. Ik was in alle staten. Weet je zeker dat alles goed is met je?'

'Prima. Mijn portemonnee is gisteren door een crackverslaafde gestolen die gisteravond is vermoord.'

'Maar je was gisteravond hier en daar heb je ons helemaal niets van verteld.'

*En dat wil ik graag zo houden.* 'We hadden ruzie, weet je nog?' Vicki voelde zich een beetje schuldig. 'Het spijt me dat ik je overstuur heb gemaakt, mam.'

'Het spijt mij ook, lieverd.' Haar moeders toon werd zachter.

'En even voor de duidelijkheid, ik leef niet als een armoedzaaier.'

Haar moeder zuchtte. 'Je kent je vader.'

'Eh, ja.'

'Misschien moet ik hem maar niet vertellen dat die rechercheur heeft gebeld.'

'Dank je.' Vicki voelde zich geroerd. 'Ik moet ophangen, mam. Maak je geen zorgen.'

'Doe nou maar voorzichtig.'

'Zal ik doen. Dag. Ik hou van je.'

'Ik hou ook van jou. Dag.'

Vicki hing op en negeerde de knoop in haar maag. Ze dacht erover om Dan te bellen, maar wilde niet nog meer problemen voor hem veroorzaken. Ze voelde zich een beetje afgesneden van de wereld. Zonder Morty. Zonder Dan. En als Saxon met Bale had gesproken, zonder carrière.

Vicki dacht hierover na. Als ze slim was, belde ze Bale op om Saxon een stap voor te zijn, maar dan werd ze zeker ontslagen. Ze piekerde en piekerde, maar ze kwam er niet uit. Ze moest dringend iets eten en een nacht goed slapen.

En pas daarna zou ze precies weten wat ze moest doen.

# 23

Vicki werd wakker van een typisch winters geluid; het *s-c-h-raap, s-c-h-raap, s-c-h-raap* van een van de buren die de sneeuw van zijn stoepje veegde. Ze kreunde en keek op de klok op het nachtkastje: 10.49 uur. Laat. Ze voelde zich schuldig. Zij moest ook sneeuwschuiven als ze niet aangeklaagd wilde worden. Als dochter van twee advocaten was Vicki gehersenspoeld om te sneeuwschuiven voordat de gevreesde onderlaag van ijs een puinhoop maakte van de Amerikaanse civielrechtelijke aansprakelijkheid.

Ze draaide zich om en duwde haar hoofd onder het kussen. Ze had een hekel aan sneeuwschuiven en stelde het altijd zo lang mogelijk uit. Ze troostte zichzelf als een klein kind. Het was fijn en donker onder haar kussen en haar bed was zacht en lekker en warm. De radiator siste geruststellend en fluisterde: *slaap, slaap, slaap*, maar het kon het *s-c-h-raap, s-c-h-raap s-c-h-raap* niet overstemmen en geen van beide geluiden had een schijn van kans bij: *straks word je nog aangeklaagd, straks word je nog aangeklaagd, straks word je nog aangeklaagd.*

Vicki draaide zich om en kneep haar ogen dicht, maar het was onvermijdelijk. Niets kon haar advocatengeweten tot zwijgen brengen en geen kussen kon het besef tegenhouden dat vandaag de dodenwake voor Morty was. Ze kon nog steeds niet geloven dat hij er niet meer was. Ze wierp het kussen opzij, kwam haar bed uit en deed haar best om niet nog meer droevige gedachten te hebben, terwijl ze naar de badkamer liep, een oude joggingbroek en een rood sweatshirt met capuchon aantrok en vervolgens de trap af slofte door het koude huis. Ze trok haar winterjas, laarzen en wanten aan en zette haar belachelijke Smurfy-muts op. Toen liep ze naar het souterrain om de sneeuwschep te pakken, ze slofte weer naar boven, trok de voordeur open en werd begroet door een vlaag koude lucht.

Het sneeuwde niet meer, de lucht was helder en blauw. Zo te zien aan de sneeuwpop met een klein Beetlejuice-hoofd en M&M-ogen die blauwe tranen huilde, hadden de kinderen van Holloway buiten gespeeld. De sneeuwploeg was door de straat geweest waardoor de geparkeerde auto's de komende eeuw onder de sneeuw waren bedolven, maar vrijwel de hele stoep was sneeuwvrij, inclusief haar eigen deel.

*Hè?* Midden op de keurig schoongeveegde stoep voor haar huis stond Dan Malloy te grijnzen in zijn donsjas met een honkbalpet op zijn hoofd, leunend op de sneeuwschep.

'Toffe muts, schat,' zei hij.

Vicki klapte verrukt in haar handen, al ging het geluid in haar wanten verloren. 'Wat heb je gedaan, Dan?'

'Dat zal je leren om nog eens aan verhuizen te denken. Alle buren in Center City zijn gemeen.'

'Wat lief van je!'

'Alles voor een kop koffie.'

'Geregeld!' Vicki wenkte hem naar binnen. Tien minuten later hadden ze hun laarzen, jassen, mutsen en wanten uitgetrokken en in een rommelige hoop van hem en haar bij de deur gelegd. Die aanblik gaf Vicki een onverklaarbaar tevreden gevoel. Ze trippelde op kousenvoeten over de koele vurenhouten vloer voor Dan uit naar de keuken. 'Dat was echt ontzettend lief van je. Ik heb een hekel aan sneeuwschuiven.'

'Weet ik.'

'Hoe weet jij dat nou?'

'Dat heb je me een keer verteld.'

'O, ja?'

'Ja.' Dan glimlachte en ging op zijn vaste plekje aan de keukentafel zitten, terwijl zij voor de verandering de koffie uit de kast pakte. Hij zag er karakteristiek ongeschoren uit en zijn rossige pony hing over zijn blauwe ogen waardoor hij er zelfs met zijn platgedrukte haar goed uitzag. Gelukkig droeg hij dit keer een beha in de vorm van een haveloze witte coltrui onder dezelfde blauwe sweater met een ronde hals.

'Dus je bedacht zomaar dat je mijn stoepje wilde vegen?'

'Ja. Mariella moest werken, dus heb ik vandaag vrij.'

Het M-woord. Met haar kop in het zand gestoken was Vicki haar bijna vergeten. Dans laarzen stonden naast die van haar, maar zijn slaapkamerslippers stonden naast die van Mariella. Ondertussen droeg hij wel haar lievelingsspijkerbroek die aan de onderkant doorweekt was van de sneeuw. Als dit een film was, zou Vicki voorstellen dat Dan zijn broek uittrok zodat ze hem in de droger kon stoppen en zouden ze in elkaars armen belanden. Helaas was dit Philadelphia waar zulke dingen nooit gebeurden en mensen gewoon in hun natte broek bleven zitten.

'Praat me eens bij, Vick. Wat is er aan de hand? Ik heb je niet meer gezien sinds ze je wilden arresteren. Je moet echt een nieuwe mobiele telefoon kopen.'

'Ga ik doen.' Vicki schonk kraanwater in het koffiezetapparaat en zette hem aan. 'Zin in ontbijt?'

'Heb je eten in huis?'

'Ik heb vast wel eieren.' Dat wist ze omdat ze ze de avond ervoor ook had gegeten. Dan stond al op en liep op zijn blote voeten naar de koelkast.

'Roereitje?'

'Lekker.'

'Mijn specialiteit.' Dan pakte de eieren en een pakje boter, en Vicki genoot veel te veel van het feit dat ze samen in haar keuken bezig waren. Dan legde de eieren en de boter op het aanrecht en dook in het onderste kastje om de koekenpan te pakken. 'Maar ik weet dat je stoute dingen hebt gedaan, want Bale belde me vanmorgen om te vragen waar je was.'

'Echt waar?' Vicki draaide zich verrast om. Grappig dat echtgenoten je niet alles vertelden. Andermans echtgenoten althans. 'Wat zei hij?'

'Dat hij je hier had gebeld, maar dat er niet werd opgenomen. Dat hij je zocht.'

'Wanneer heeft hij dan gebeld?'

'Gisteravond en vanmorgen.'

Saxon had Bale zeker gebeld. 'O, nee. Daar ben ik zeker doorheen geslapen. Ik sliep zodra mijn hoofd het kussen raakte.'

'Ik heb gisteravond laat en vanmorgen ook gebeld.'

'Dan sliep ik zeker heel diep. Ik heb niet eens gehoord dat de kinderen van Holloway een sneeuwpop hebben gemaakt.'

'Heb je je berichten niet afgeluisterd?'

'Nee, ik was veel te moe toen ik thuiskwam.' En eerlijk gezegd had ze niet willen weten of Dan had gebeld. Sinds zijn ruzie met Mariella vond ze niet dat ze hem terug moest bellen. Vicki liet het onderwerp maar even rusten. 'Wat zei Bale? Is hij kwaad? Ik weet dat ik ver ga.'

'Dat zei hij niet. Je kunt hem maar beter even bellen, maar niet voordat je mij hebt verteld wat er gisteren is gebeurd.'

Vicki kreeg er zo langzamerhand genoeg van om iedereen verslag te doen, maar Dan was een geweldig klankbord en hij stond aan haar kant. De koffie liep door en het vochtige aroma vulde de lucht. De keuken was licht en rustig; de sneeuw was de dag ervoor dempend geweest, maar deze dag had het een ware cocon gecreëerd. Vicki pakte haar Elvis- en Harvard-bekers, onderbrak het doorlopen van de koffie en schonk voor hen beiden een beker in.

'Dank je.' Dan liet de boter in de Calphalon-pan smelten, terwijl Vicki tegen het aanrecht leunde en vertelde wat er was gebeurd. Tegen de tijd dat ze klaar was, was er van het roerei alleen nog een restje over en was Vicki met haar derde kop koffie bezig, die slap was omdat ze hem halverwege het zetten had ingeschonken.

'Ik vind het toch zo stom van mezelf, als ik dat doe,' zei ze.

'Wat?'

'De koffie verpesten waardoor de eerste kop te sterk is en die daarna nergens naar smaken. Ik erger me gek aan mezelf.'

'Je bent te ongeduldig.' Dan legde zijn vork neer.

'Is dat mogelijk? Kun je dan precies goed ongeduldig zijn?'

'Jíj niet.' Dan glimlachte. 'Daarom werk je jezelf ook in de nesten bij de bazen.'

'Hier komt de preek.'

'Van mij geen preek. Je weet zelf ook wel dat je idioot bezig bent.'

'Door Saxon te beledigen?'

'Ja, en drugdealers te stalken.' Dans mond werd een ernstig lijntje.

'Daar wil ik het niet over hebben. Ik wil dat je me helpt uit te vinden wat het verband is tussen Jamal Browning en de Bristows, áls er een verband is.'

Dan hield zijn hoofd schuin. 'Tja, leg de feiten naast elkaar en bekijk ze alsof ze bewijsmateriaal zijn. Bouw een zaak op, om te beginnen met de onbetwiste feiten. Dan gaan we van daaruit verder.'

'Een: Browning levert crack aan Cater.' Vicki telde op haar vingers. 'Twee: Browning was het vriendje van mijn informant.'

Dan schudde zijn hoofd. 'Dat is niet onbetwist. De moeder had nog nooit van hem gehoord.'

'Maar het is wel waarschijnlijk, en de moeder kende helemaal niemand.'

'Niet goed genoeg.' Dan sprak op officiële toon alsof hij een juryplei-dooi hield. 'Het tweede onbetwiste feit is dat mevrouw Bristow werd vermoord direct nadat ze drugs had gekocht in Cater.'

Vicki telde verder op haar vingers. 'En drie en vier: ik durf te wedden dat Jamal Browning het vriendje van Shayla Jackson was en dat mevrouw Bristow de wapens die ze van Reheema had gekregen aan de dealers in Cater Street heeft gegeven in ruil voor crack.' Vicki dacht hierover na en vond toen dat ze gelijk had. Grappig hoe dat altijd zo ging. 'Het is gewoon té toevallig dat de informant wordt vermoord in een huis vol zuivere cocaïne en dat ze toevallig het vriendinnetje is van de dealer die aan Cater Street verkoopt.'

'Zo te horen gaat het om kleine dealers en, geloof het of niet, dat is in Philadelphia een klein wereldje. Toevalligheden genoeg.'

'Zou kunnen. En we weten dat Reheema Jackson noch Browning kende.'

'Mis. Dat weet je helemaal niet.'

'Dat weet ik wel. Ik geloof Reheema.'

'Waarom?' vroeg Dan vol ongeloof.

'Omdat zij me heeft overtuigd, plus die dingen op haar prikbord. Bovendien heeft haar baas bevestigd dat ze Jackson niet kende.'

'Jackson heeft getuigd dat ze hartsvriendinnen waren.'

'Mensen liegen wel eens onder ede,' zei Vicki, omdat Reheema haar zulke dingen had geleerd.

'En als het om Jackson en Reheema gaat, geloof je Reheema, een crimineel? Alleen omdat ze aan atletiek heeft gedaan?'

'Het is gewoon een gevoel dat ik bij haar heb. Reheema is anders. En ze is geen crimineel, want ze is niet veroordeeld.' Zelfs Vicki hoorde hoe belachelijk dat klonk en Dans mond viel open.

'Ze heeft een pistool op je gericht, Vick!'

'Ze dacht dat ik het huis was binnengedrongen.'

'Nou, en? Als jij dacht dat iemand jouw huis binnendrong, zou je dan een pistool op hem richten? Zou je überhaupt een pistool hebben? Of zou je wegrennen en de politie bellen?'

Vicki vond het een retorische vraag.

'Natuurlijk niet. Maar zoals jij hebt geleerd om de politie te bellen, heeft Reheema geleerd om dat juist niet te doen. Haar ervaring met de politie is heel anders dan die van ons. Voor jou is de politie je redding. Voor haar is ze de vijand. Jij bent de vijand.' Dan knikte. 'En daar komt Episcopal Academy om de hoek kijken.'

'Waar slaat dat nou weer op?'

'Vick, je bent een groentje in deze subcultuur, bij gebrek aan een beter woord. Je ziet dit met nieuwe ogen en het is spannend.'

'Wat Morty is overkomen, vind ik anders niet zo spannend.'

'Zo bedoel ik het niet, en dat weet je best.' Dan werd rood en Vicki had spijt van haar woorden.

'Sorry.'

'Ik bedoel die hele "gangsta"-cultuur. De sieraden, de coke, de bijnamen.'

'Dat is helemaal niet nieuw. Dat heb ik als hulpofficier ook meegemaakt.'

'Niet dit. Niet met zo'n hoge inzet. Als deze jongens gepakt worden, worden ze levenslang opgesloten. De jongens die dat spel spelen zijn van een heel ander kaliber. Het verschil tussen amateurs en professionals. Die gaan voor het grote geld – miljoenen dollars – en ze zijn bereid daar een moord voor te plegen.'

'Dat weet ik,' zei Vicki geïrriteerd, maar Dan leunde ingespannen naar voren.

'Nee, dat weet je niet. Jij brengt een heel andere achtergrond met je mee. Je gelooft Reheema als ze beweert dát ze die wapens echt niet aan mammie heeft gegeven. Als ze zegt dat ze Jackson niet kent. Je gelooft haar omdat jij de waarheid spreekt en je die idee op haar projecteert. Je gelooft haar omdat je bent opgegroeid in een wereld waarin mensen de waarheid spreken.'

*Hij heeft duidelijk nog nooit bij de Allegretti's gegeten.*

'Sorry hoor, maar je bent vreselijk naïef. Je moet haar niet geloven. Je moet ze geen van allen geloven. Ze liegen constant tegen je. Liegen is wat ze doen, zeker tegen jou, als assistent-openbaar aanklager.'

Vicki kon deze nieuwe kant van Dan niet waarderen. 'Nou klink je heel racistisch. Alles is "zij" en "hun".'

'Het heeft helemaal niets met ras te maken. Ik ken deze mensen, hun mentaliteit.'

'Welke mensen?'

'Mensen als mijn vader.'

Hier wist Vicki even niets op te zeggen. Dan had het nooit over zijn vader. 'Hoe bedoel je?'

'Een leugenaar, een bedrieger. Een kwaaie jongen die nooit heeft geleerd hoe hij geld moest verdienen en dus maar ging stelen. Zwendelen om geld. Glimlachen om geld. Die vent kon de stoel onder je vandaan praten en je had pas door dat hij weg was als je omlaag keek.' Dan schudde zijn hoofd. 'Hoe moet ik je dit duidelijk maken? Mijn vader groeide op in een arme buurt, net als jouw vader. Sommige kinderen gaan het rechte pad op, zoals je vader. Die gaan naar school, halen goede cijfers, doen eindexamen. Anderen liegen en bedriegen en gaan voor de makkelijkste weg. Het snelle geld. Ze willen mooie jongens zijn. Mijn vader is zo blank als een Ier, maar hij is een gangsta in hart en ziel.'

Vicki was geroerd door de vurigheid waarmee hij sprak, maar ze vond niet dat het van toepassing was op Reheema. 'Ik hoor wat je zegt en ik begrijp het ook. Maar sluit je niet af voor de mogelijkheden. Zelfs in de slechtste gangsta gaat een mens schuil. Zelfs in je vader.'

'Niet in mijn vader.' Dan glimlachte zonder vreugde en Vicki hervatte haar redenatie weer.

'Laten we er even van uitgaan dat Reheema de waarheid spreekt. Bekijk de feiten eens. We zien iets over het hoofd. Misschien kende Reheema Shayla Jackson niet, maar kende Shayla Jackson háár wel.'

'Hoe dan?'

'Je kunt toch iemand kennen die jou niet kent.' Vicki dacht hardop, een slechte gewoonte waar haar baas bij was, maar een goede gewoonte bij roerei. 'Je ziet iemand wel eens lopen en iemand anders vertelt je wie het is. Je kent die persoon, maar de persoon kent jou niet.'

'Oké, goed. En?'

'Ga ervan uit dat Shayla en Jamal een relatie hebben en dat Shayla bij hem in Cater Street komt.'

Dan trok zijn wenkbrauw op. 'Hoe weet je dat Jamal in Cater Street komt? Op zijn niveau is het niet waarschijnlijk dat hij ooit in Cater Street komt en de loopjongen in de Eagles-jas levert de crack in de winkel af.'

'Goed, laten we dan zeggen dat hij er wel een keer is geweest. In het begin bijvoorbeeld, toen hij locaties bekeek, of wat drugdealers dan ook doen voordat ze een winkel openen.'

'Meestal hangen ze een bord op: GROTE OPENING.'

'Juist. Een bord met lichtjes.' Vicki was zo in gedachten verzonken dat ze niet glimlachte. 'Of hij rijdt langs en ziet Reheema samen met haar moeder in Cater Street.'

'Niet de heilige Reheema. Mensen gaan niet samen met hun moeder crack kopen, tenzij ze zelf ook gebruiken.'

'Oké, laten we zeggen dat Jamal met een van zijn loopjongens door de buurt rijdt en hij ziet Reheema bij haar moeders huis staan en zegt tegen zijn vriend: "Wie is dat meisje?"' Vicki zag het al voor zich. 'Dan zegt die vriend: "Dat is Reheema Bristow en haar moeder is een klant van ons." Stel dat Shayla op dat moment in de auto zit.' Vicki dacht na en vond dat ze weer gelijk had. 'Dat kan toch?'

'Het is niet waarschijnlijk.'

'Maar wel mogelijk.'

'Ja.'

*Joepie!* 'Misschien is het zo gegaan.' Vicki zag het helemaal zitten, maar Dan had een weifelende blik op zijn gezicht.

'Waarom zou Shayla Jackson iemand een wapenrunnerzaak in de schoenen schuiven terwijl ze de persoon helemaal niet kent?'

'Ik kan één reden bedenken, maar die raad je nooit omdat je Reheema nooit hebt gezien.'

'Waarom dan?'

'Ze is beeldschoon. Echt bloedmooi. Ze is Beyoncé, maar dan chagrijnig.'

'Vanwege het pistool.'

'Precies.'

Dan moest lachen. 'En?'

'Als mijn vriendje interesse in haar zou tonen of misschien zou vragen wie ze was, dan zou ik me zorgen maken.' Vicki was als door de bliksem getroffen, het leek zo logisch. Misschien was het toch verdiend geweest dat ze op Harvard was aangenomen. Of misschien wist ze gewoon veel van jaloezie af. 'Als ik verliefd op iemand was en hij had een oogje op iemand anders of begon zich van me terug te trekken, dan zou ik die ander haten. Dan zou ik haar weg willen hebben.'

'Wat ben jij vals.' Wat was Dan toch naïef, zelfs voor een man.

'Een aanklacht wegens wapenrunnen is ideaal, en Shayla zou terecht hebben aangenomen dat Reheema haar eigen moeder nooit zou verraden.'

Dan luisterde nu en hield zijn hoofd schuin.

'Stel dat Jamal interesse begon te tonen in Reheema' – Vicki dacht aan de rekeningen op Shayla's ladekast – 'dan zou Shayla zich daardoor bedreigd voelen.'

'Niet slecht, maar Reheema heeft jou verteld dat ze Jamal niet kent. Liegt ze?'

'Nee, stel dat ze hem niet kent, maar hij haar wel, net als Shayla. Hij benadert haar niet, probeert haar niet te versieren. Misschien maakt hij er grapjes over of hoort hij een vriend uit over Reheema en komt Shayla daar achter.'

'Dat moet dan wel een stinkend jaloerse vrouw zijn.'

'Ze bestaan.' *Kijk maar eens naar de andere kant van de tafel, vriend.* 'En we weten dat Shayla en Jamal uit elkaar waren, want ze stuurde rekeningen naar hem door. Als ze nog steeds een relatie met hem had gehad, had ze ze gewoon kunnen geven.' Vicki werd er opgewonden van. De puzzelstukjes vielen op hun plek, een paar in elk geval. 'Waarschijnlijk wist Shayla van de wapens af, want als mevrouw Bristow ze had verhandeld voor crack, zijn ze misschien bij Jamal terechtgekomen. Dan had hij er in elk geval van geweten. Als Shayla wist dat de wapens van Reheema afkomstig waren, had ze genoeg informatie om haar een aanklacht wegens wapenrunnen in de schoenen te schuiven. Daar is maar één telefoontje voor nodig.'

'Niet slecht.' Dan pakte zijn beker die leeg was.

'Wil je nog koffie? Ik wel.' Vicki wilde opstaan, maar Dan wuifde dat ze moest blijven zitten.

'Niet doen, je hebt al genoeg cafeïne in je lijf.'

Vicki glimlachte. 'Maar wat denk je? Ben ik geniaal of niet?'

'Je bent geniaal.' Dan knikte. 'Het is allemaal erg interessant.'

'De vraag is, wat doe ik ermee?'

'Niets,' antwoordde Dan resoluut.

'Wat? Hoezo? Ik moet Bale tóch bellen, dan kan ik het hem direct vertellen.'

'Vertel het hem een andere keer maar. Als je hem nu belt en zo begint, stuurt hij je voorgoed de laan uit. Hij klonk gisteravond niet blij en Saxon zal hem inmiddels wel gebeld hebben.' Dan leunde achterover in zijn stoel. 'Laat de situatie eerst wat betijen. Laat het vandaag rusten. Morty's herdenkingsdienst is straks, dat weet je toch?'

'Natuurlijk.'

'Dat wordt klote.'

'Ja.'

'Misschien gaat Mariella mee, als ze iemand kan vinden die haar plaats inneemt.'

*Ik wil haar plaats wel innemen.* 'Dat zou fijn zijn.'

'Laat het even rusten, zou ik zeggen. Geef Saxon de tijd om jullie gesprek te vergeten en laat Bale afkoelen.'

'Maar ze moeten wat met die informatie doen.'

'Dat komt ook wel. Als jij dit hebt ontdekt, komen zij er ook wel achter. Het zijn echt vakmensen, Vick. Zeg het ze volgende week en laat het verder aan hen over,' zei Dan bijna smekend. 'Gebruik je verstand, meisje. Je hebt het fantastisch gedaan, maar Jamal Browning is een moordenaar. Een onvervalste moordenaar. Daar kun jij niet tegenop.'

Vicki wist dat het waar was. Ze had niet genoeg feiten om achter Jamal Browning aan te gaan. Ze kon niet bewijzen dat hij achter de moord op Shayla zat en ook niet wie het anders had gedaan. En ze wist niet of hij, dan wel zijn loopjongens, iets te maken hadden met de moord op mevrouw Bristow. Ze wist alleen dat ze genoeg informatie had om het gebruik van afluisterapparatuur en surveillances te rechtvaardigen die tot de waarheid zouden leiden.

'Goed, dan ga ik Bale bellen en zie ik wel hoe het loopt.' Vicki stond zenuwachtig op om naar de telefoon te lopen. Ze kon het zich niet veroorloven haar baan kwijt te raken, maar ze was niet van plan om Dan over haar geldzorgen te vertellen. Niemand hield ervan als een rijk meisje over armoede klaagde. God zegene het kind. Vicki nam de hoorn van de haak. 'Ik zal me verontschuldigen voor wat ik tegen Saxon heb gezegd en als Bale dan in een goede bui lijkt, vertel ik hem mijn theorie. Als hij me ontslaat, hou ik mijn mond.'

'Lijkt me een goed plan. Wil je dat ik blijf of wegga?'

*Wil je ook mijn hand vasthouden,* dacht Vicki, maar ze zei: 'Blijf.' Ze pakte de telefoon en toetste het mobiele nummer van Bale in. Hij ging een paar keer over, toen kreeg ze zijn voicemail en sprak ze een berichtje in. Ze slaagde erin om niet voor haar baan te smeken.

Maar ze hing op met een slecht gevoel dat ze niet goed kon verklaren.

# Deel 3

*De aarde is weldadig, de lucht is sereen en zoet van de ceder, pijnboom en sassafras, en de krachtig geurende mirte.*

William Penn,
in een vroege beschrijving van 'Penn's Woods', de verrijzende kolonie van Pennsylvania en de hoofdstad Philadelphia.

V: Goed. Handelden jullie op dat moment allemaal in drugs?
A: Nou, 'G' had verschillende straathoeken waar hij dealde, maar ik verkocht drugs bij het huis van mijn oma op 55th en Vine.
V: En als u zegt dat Gio verschillende straathoeken had, kunt u zich nog herinneren welke hoeken Gio op dat moment had?
A: Toen was 56th en Catherine een van de belangrijkste straathoeken en hij dealde de jongens in Ithan Street kleine hoeveelheden drugs.
V: Wat betekent 'dealen' in de business?
A: Dat mensen van je kopen. Net zoals je naar de winkel gaat om iets te kopen.
V: Aha.
A: Ze noemen het gewoon dealen.
V: Dus als je iemand iets dealt, betekent dat dat je hem drugs verkoopt?
A: Ja.

Jamal Morris
*Verenigde Staten vs. Williams*, United States District Court, Eastern District of Pennsylvania
Rolnummer 02-172, 19 februari 2004
Proces-verbaal regel: 255

# 24

Vicki was nog nooit naar een dodenwake geweest van een agent die tijdens zijn werk was omgekomen en had niet beseft dat het een staatsaangelegenheid zou zijn. Er zaten zeker duizend mensen samengepakt in Prior's Funeral Home in Fort Washington, een buitenwijk van Philadelphia. De rij bij de grootste rouwkamer liep in de hal door en ging buiten verder waar enorme luidsprekers waren klaargezet. De geweldige, sombere en zakelijke menigte bestond uit hoge omes van de ATF uit Washington, massa's agenten van de ATF, de FBI en de DEA, politici, openbaar aanklagers, verschillende federale rechters, hele groepen geüniformeerde politieagenten, ondersteunend personeel en meer dan een paar verslaggevers.

Vicki was vroeg, maar moest niettemin in de ontvangsthal in de rij voor de rouwkamer staan. Ze had gehoord dat voor de begrafenis van morgen alleen familie was uitgenodigd en nu begreep ze waarom. Ze kon door de menigte de voorkant van de rouwkamer niet zien, en kleurige rozen, anjers en gladiolen bedekten elke mogelijke plek. Aan de muur hing een grote gedenkplaat van de ATF met een rouwlint. De geuren van de boeketten maakten de lucht zwaar en elke keer dat de deur openging, vermengden die zich met aftershave, zware parfums en sigarettenrook.

Vicki mocht blij zijn dat ze überhaupt het uitvaartcentrum binnen was gekomen, en de afstand van de gang tot aan de rouwkamer gaf haar tijd om de situatie te verwerken. Voor haar was dit geen officiële aangelegenheid en ze wist dat Morty in een kist aan de andere kant van de kamer lag. Die gedachte veroorzaakte in haar hele lichaam een verdoofd gevoel. Ze voelde zich stijf in haar donkerblauwe wollen pakje met een witte zijden blouse die ze onder haar donsjas droeg. Ze boog haar hoofd om kracht te verzamelen en ving flarden op van gesprekken om zich heen.

'We hebben geen gazonexpert nodig, lieverd,' zei de vrouw vóór haar op de toon van een echtgenote tegen een grijze man die duidelijk haar man was. 'Ik wil niet allemaal van die groene bolletjes op het gras.'

'Die zijn goed tegen bloedgierst en paardenbloemen.'

'Maar ik vind die paardenbloemen wel leuk.'

De echtgenoot grinnikte. 'Ik ook. Kennen wij elkaar eigenlijk wel?'

Vicki verdrong dit gesprek in ruil voor een stel achter haar dat ook zachtjes aan het praten was.

De man zei: 'Het mooiste vond ik toen hij naar me toe kwam en zei: "Ik neem goede beslissingen, papa!" Zeven jaar oud, wil je dat geloven!'

De vrouw antwoordde: 'Dave, hoe vaak ga je dat verhaal nog vertellen?'

'Zo vaak mogelijk,' was de reactie van de echtgenoot, en ze moesten allebei lachen.

Vicki keek op en vroeg zich af waar Dan en Mariella waren. Ergens in die dikke rij getrouwde mensen, twee aan twee, als beesten die aan boord van de ark van Noach gaan. Ze tuurde naar de menigte, maar zag hem niet. Noch Bale, Strauss en de anderen. Die stonden zeker vooraan, waar enige beweging was en waar vervolgens het onmiskenbare geluid klonk van iemand die tegen een microfoon tikt.

'Test, test,' bulderde een mannenstem, en het werd stil in de zaal. 'Dank u, mensen. Neem me niet kwalijk, mag ik uw aandacht?'

*Saxon.* Vicki herkende de welluidende bas. Even overwoog ze om heel hard weg te rennen, maar koos toen voor een beter uitzicht, door op haar tenen tussen het getrouwde stel voor haar te gaan staan. Waar waren Dan en Dr. Trut?

'Hartelijk dank voor uw komst.' Saxon torende boven de menigte uit en leek net een grote, blonde beer in zijn donkere pak en das. 'Ik dank u namens mezelf en namens de ATF-familie die bij deze tragische gelegenheid bijeen is gekomen om de laatste eer te bewijzen aan een van haar beste agenten, speciaal agent Robert Morton.'

Vicki slikte moeizaam. Vrouwen sniften met gebogen hoofd en mannen in pak staarden naar hun schoenen. Iedereen werd stil. Alleen de blikkerige ondertoon van de microfoon was hoorbaar en de galm van Saxons stem buiten, die versterkt en enigszins vertraagd was.

'Ik wil u voorstellen aan de directeur van de ATF die uit respect voor Morty uit Washington is overgekomen. Directeur Louis W. Bonningtone.'

Saxon deed een stap opzij voor de directeur, een gedistingeerde man die Vicki door zijn kleine postuur niet kon zien met alle mensen voor zich. Ze probeerde te luisteren naar zijn rede die nietszeggend, formeel en ambtelijk was en die haar de indruk gaf dat hij Morty nog nooit van zijn leven had ontmoet. Saxon nam het woord over en Vicki kon de spreker weer zien.

'Dank u,' begon Saxon, en hij verschoof zijn gewicht. 'Ik zal het kort houden, ook al wil ik nog eens benadrukken hoe belangrijk Morty voor de ATF was, hoe waardevol zijn talenten en zijn vasthoudendheid meer dan zeventien jaar lang waren. Morty liep vroeger de marathon van Boston en ik zag hem altijd als marathonloper, zowel geestelijk als lichamelijk. En hij was een aantrekkelijke kerel, ook al vond mijn vrouw hem te mager.'

Er werd gelachen en zelfs Vicki moest glimlachen.

'Morty ging altijd volledig op in een zaak. Sommige mensen hebben stijl, hij had inhoud. Hij was de beste onder ons en we zullen als ATF-familie niet rusten totdat we degenen die verantwoordelijk zijn voor zijn moord voor het gerecht hebben gebracht.'

Hierop werd geklapt en Vicki wou dat ze het kon geloven. Ze geloofde het bijna.

'Ik wil de burgemeester van Philadelphia het woord geven, daarna Ben Strauss, de advocaat-generaal van het Eastern District van Pennsylvania, en tot slot, kardinaal Anthony Bevilacqua, van het aartsbisdom van Philadelphia, die samen met ons zal bidden. Meneer de burgemeester?' Saxon maakte een groots gebaar naar zijn linkerkant. De burgemeester liep naar de microfoon en een golf van nieuwsgierigheid ging door de menigte waarmee zijn bekendheid werd erkend.

Vicki luisterde maar met een half oor naar de rede van de burgemeester, een keurige lezing van een man die Morty ook nog nooit had ontmoet. Ze keek om zich heen naar Dan. Hij was ongetwijfeld vroeg gekomen, omdat hij altijd overal vroeg was, dus hij moest hier ergens zijn. Toen de menigte vooraan zich bewoog, zag Vicki chef Bale met zijn elegante vrouw. Bale trok zijn schouders naar achteren omdat Strauss het woord nam.

'Welkom, allemaal. Mijn naam is Ben Strauss en ik ben advocaat-generaal voor ons district, al voel ik me vandaag een beetje ATF. Maar laat me niet in de buurt van een wapen komen. Het zou niet de eerste keer zijn dat een advocaat zichzelf in de voet schiet.'

De mensen lachten zachtjes, zelfs agenten die een hekel aan Strauss hadden. Alles was deze dag vergeven, en de dood was in staat mensen over te halen hun meningsverschillen even te vergeten. Iedereen tenminste, behalve Vicki.

'Eerlijk gezegd kende ik Morty niet zo goed, in elk geval niet zo goed als mijn assistent-openbaar aanklagers. Daarom wil ik u graag voorstellen aan een van de mensen die Morty bijzonder goed kende, Dan Malloy, die iets over hem zal vertellen.'

*Hallo.* Vicki spitste haar oren. Hier had Dan bij het ontbijt niets van gezegd. Misschien was het pas daarna afgesproken? Even later kwam Dan uit de menigte vooraan tevoorschijn en ging hij voor de microfoon staan. Zijn haar was naar achteren gekamd, nat als van een klein jongetje, maar zijn pak was maatwerk en Italiaans. Hij zag eruit als een kandidaat voor iets, en hoewel Vicki beledigd was dat hij het haar niet had verteld, zou ze van partij zijn veranderd om op hem te kunnen stemmen.

'Welkom, mensen.' Dan slaagde erin een glimlach op zijn gezicht te toveren, maar hij was wat zwakjes. 'Morty werkte met zo veel assistent-openbaar aanklagers samen dat ik soms dacht dat hij zelf een aanklager was. Hij wist meer van het strafrecht dan de meeste advocaten en was doortrapter dan de meeste misdadigers.'

De mensen lachten, knikten, en Vicki beet op haar lip. Het was waar. *Zeg het ze, Dan.*

'Ik was gek op Morty. Hij was alles wat een overheidsagent zou moeten zijn en alles wat een man zou moeten zijn. Morty zei altijd dat hij bereid was te sterven voor zijn werk, en hij stierf zoals hij altijd leefde, ten dienste van ons allemaal.' Dan zweeg even, slikte moeizaam, en Vicki vroeg zich af of hij zichzelf zou weten te beheersen. 'Ik kende Morty heel goed en zag van dichtbij hoe hard hij werkte, werk waar ik de eer mee opstreek, om heel eerlijk te zijn. Dankzij Morty kon ik mijn werk goed doen, en zo zijn de agenten van de ATF, FBI en DEA, ze zorgen ervoor dat aanklagers hun werk goed kunnen doen en wij strijken de eer op terwijl zij letterlijk undercover werken.'

Door de hele ruimte knikten ATF- en FBI-agenten en staken ze hun hoofden even bij elkaar.

'Morty, ik spreek namens elke assistent-openbaar aanklager in Philadelphia als ik zeg: we houden van je en we missen je nu al. Ik zal "Brick House" nooit meer draaien zonder aan jou te denken. Dank je wel.'

De mensen sniftten en ATF-agenten lieten hun hoofd hangen. Zelfs als je Dan niet kende, was aan zijn woorden te merken dat hij een echte insider was. Alleen iemand die Morty kende, wist dat hij gek was geweest op "Brick House". Dan had hen allemaal getroost, zelfs Vicki. Kardinaal Bevilacqua pakte de microfoon, zei een kort gebed en iedereen boog zijn hoofd. Toen Vicki haar hoofd optilde, zag ze Dan. Hij stond tussen Strauss en Mariella in. Mariella had haar arm om hem heen geslagen en hield haar hoofd dicht tegen hem aan; zijn brede schouders trilden een beetje en hij had zijn hoofd gebogen. Vicki had medelijden met hem. Ze wou dat ze hem kon troosten, maar Dr. Trut was er. Bitterheid knaagde aan Vicki's gedachten en ze duwde ze weg. Man en vrouw hoorden op dit soort momenten bij elkaar.

*Ik moet hem vergeten.*

De rij kwam weer in beweging zodat mensen langs de kist konden lopen en Vicki voelde hoe haar keel werd dichtgeknepen toen ze vooraan kwam.

Het daaropvolgende uur was een schemerige toestand van hartverscheurende beelden. Gebogen grijze hoofden in een rij. Een vlaggendrager op een verhoging naast de kist, het rood, wit en blauw dat in een strakke driehoek werd opgevouwen. Een open kist en Morty. Zijn gezicht roerloos in de dood: zijn koude hand die plakkerig aanvoelde onder Vicki's aanraking door de make-up die ze op zijn huid hadden gesmeerd. Er werden foto's van Morty tijdens het Elliot Ness-feest in zijn kist gelegd, met briefjes en een cd van de Commodores. En galgenhumor: een maffe, uitvergrote foto van Morty op een ezel in een T-shirt met daarop IK KOESTER EEN REDDINGSFANTASIE.

Vicki knipperde met haar ogen de tranen weg, drukte de hand van enkele familieleden die bij de kist stonden, Morty's neven of zo, toen van Strauss, een priester en ten slotte van Bale. Ze was te emotioneel om met Bale over Aspinall Street te praten, bovendien keek hij haar amper aan. Ze vluchtte de kamer uit en was in de hal op weg naar buiten toen iemand een hand op haar arm legde.

'Vicki?' Het was een mannenstem en ze draaide zich om. Er stond een lange, donkerharige man van haar leeftijd, aantrekkelijk in een donker, krijtstreeppak voor haar. 'Ik ben Jim Delaney, ik weet niet of je me nog kent. Ik kwam bij het parket werken, toen jij net wegging. Ik werk op de afdeling Verzekeringsfraude.'

'O.' Vicki kon zich hem vaag herinneren. 'We hebben elkaar op dat feest ontmoet.'

'Ken Steins barbecue in Merion.'

'Ja.'

'Gecondoleerd met agent Morton.' Delaney keek haar meelevend aan. Zijn ogen waren aquarelblauw. 'Ik las in de krant dat jullie samenwerkten.'

'Dank je.' Achter Vicki ging de voordeur open en een koude wind kwam binnen. Mensen schuifelden verder in de rij en de vrouwen trokken hun jas wat strakker om zich heen.

'Ga je weg? Ik loop met je mee.'

'Best.' Vicki draaide zich om, ritste haar jas dicht en liep naar buiten de granieten trap af. Haar haar waaide in haar gezicht en ze struikelde toen ze bijna beneden was. Delaney legde een hand onder haar elleboog.

'Gaat het?'

'Ja, dank je.' De koude lucht prikte in haar ogen die nat waren van de tranen.

'Zal ik even met je meelopen naar je auto?'

'Ik sta in het achterste deel geparkeerd.' Vicki wees en ze liepen die kant op.

'Red je het zo wel?'

'Ja, hoor.' Vicki knikte.

'Dat moet afschuwelijk zijn geweest, dat je erbij was toen hij werd vermoord. Heel traumatisch.'

'Dat was het ook,' zei Vicki, ook al had ze daar tot nu toe niet over nagedacht.

'Weet je, er wordt bij het parket nog steeds over je gesproken. Je was een geweldige hulpofficier, kon goed improviseren. Ik heb je een keer in de rechtszaal in actie gezien, ik weet niet of je dat weet. Ik werkte destijds bij Dechert. Je bracht de zaak-Locke voor de rechter.'

'Locke.' Vicki bladerde door haar denkbeeldige dossierkast. 'Insluiping. Wacht eens, die heb ik verloren.'

'Ja.' Delaney lachte en Vicki ook. 'Maar door jou wilde ik rechtszaken doen. Strafrechtszaken.'

'Echt waar?'

'Dat heb ik toen die dag besloten,' antwoordde Delaney hartelijk. Op dat moment besefte Vicki wat er aan de hand was. Zijn hand lag nog steeds op haar elleboog en aangezien hij geen trouwring droeg, duwde ze die ook niet weg.

'Werkelijk? Mijn kleine persoontje? Vertel nog eens wat meer over hoe geweldig ik heb verloren.'

Delaney lachte opnieuw. Zijn donkere krullen wapperden in de wind en hij had een leuke lach. 'Zeg, ik weet dat dit geen geweldig moment is, maar volgens mij ben ik je wel een etentje verschuldigd.'

*Wauw.* 'Dat is zo. Een heel chic etentje.'

'Dus als je geen plannen hebt en zin hebt in gezelschap, wat dacht je ervan als ik je mee uit neem? Je moet nu niet alleen zijn en ik kan je een geweldige schouder aanbieden om op uit te huilen...'

'Víck!' werd er plotseling achter hen geroepen, en Vicki draaide zich om.

Dan. Die op haar af rende. Hij had zorgelijke rimpels op zijn voorhoofd en ze vroeg zich af of er iets mis was. Hij was buiten adem toen hij bij haar was, zijn borstkas ging op en neer en hij hijgde witte wolkjes in de kille lucht.

Dan knikte naar Delaney. 'Sorry, maar kan ik dit meisje even wegkapen? Het is belangrijk.'

'Tuurlijk.' Delaney liet Vicki's arm los en deed een stap naar achteren.

'Het kan wel even duren, vriend,' zei Dan bot, en Delaney knikte.

'Vicki, is het goed als ik je een ander keertje bel?' vroeg Delaney, en voordat ze het kon verwerken had hij zich al teruggetrokken.

'Ja. Doe dat.'

'Sta je in het telefoonboek?'

'Ja,' zei Vicki. Delaney zei gedag en liep toen weg, terwijl zij zich bezorgd tot Dan wendde. 'Wat is er?'

Dan trok een wrange grijns. 'Sorry dat ik je stoorde. Wie was dat?'
'De man van mijn leven.'
Dan lachte. 'Sinds wanneer?'
'Oké, dan. De man voor een avondje. En dat zou ik helemaal niet erg hebben gevonden.'
'Dat meen je niet. Wat een nerd.'
'Hij is geen nerd, hij is hulpofficier van justitie.'
'Niet bij Misdrijven. Dat kun je zo zien.'
'Verzekeringsfraude.'
Dan deed of hij snurkte, deed zijn ogen dicht en liet zijn hoofd opzij zakken.
'Heel grappig.'
'Sst, ik slaap.'
Vicki keek over Dans schouder. Delaney was allang weg. De rij bewoog zich verder in de kou. 'Waar is dokter Mariella?'
Dan werd wakker. 'Op het toilet.'
*Mmm.* 'Wat is er? Is er iets aan de hand?'
'Ja, ik moet met je praten.'
'Mijn auto staat daarginds,' zei Vicki, en samen liepen ze tegen de wind in. Dan pakte haar arm vast, maar ze miste de manier waarop Delaney haar had vastgehouden. Bovendien was Delaney single.
'Zeg, ik heb alles tussen jou en Bale geregeld,' zei Dan zachtjes, en Vicki keek hem verrast aan.
'Wat bedoel je?'
'Ik heb hem verteld waar we het vanmorgen over hebben gehad, over je theorie en hij zei dat je zo te horen echt een verband hebt weten te leggen. Hij zei dat hij er met Saxon over gaat praten, wat veren gaat gladstrijken en de ATF gaat vragen om een surveillanceteam op Jamal Browning te zetten.'
'Dat meen je niet!' Vicki was er helemaal van uit haar evenwicht. Ze was heel blij dat ze verdergingen met Browning, maar ze wou dat ze deel uitgemaakt had van de discussie. 'Wanneer gaan ze beginnen met surveilleren? Ik weet dat ze een grote vergadering hebben gepland, en die is pas woensdag.'
'Dat heeft Bale niet gezegd.'
'Kon ik er maar bij zijn. Ze moeten het direct doen. Ze hebben geen bevelschrift nodig, het is gewoon in het openbaar.'

'En weet je?' Dan beende verder. 'De ATF gaat al een aanwijzing na over jouw mobiele telefoon.'

'Wat is de aanwijzing? De vent met die rauwe stem?'

'Ik geloof niet dat Bale dat weet. Dat is een ATF-zaak. Ze hebben technische experts in Philadelphia en Washington D.C. die erop zitten, volgens Bale.'

'D.C.? Dan komt er nooit iets van terecht.'

'Doe niet zo negatief.'

'Ze hoeven alleen maar naar Cater Street te gaan en wat vragen te stellen. Mijn telefoon heeft nota bene blauwe madeliefjes erop.' Vicki schudde haar hoofd. 'Welke zichzelf respecterende drugdealer wil dat ding met zich meeslepen?'

'Bale denkt dat ze de rechter om een telefoontap gaan vragen.'

'Waarmee? Hebben ze mijn beëdigde verklaring nodig om gerede verdenking aan te tonen? Mijn aantekeningen?'

'Kennelijk niet,' antwoordde Dan, waarna hij even zwaaide naar een formatie geüniformeerde politieagenten die bij een zwarte Cadillac stonden. Morty's lijkwagen. Vicki wendde haar hoofd af.

'Wat hebben ze anders om Browning op te pakken? De rekeningen in Shayla's huis? Dat is niet genoeg.'

'Ik heb het hem niet gevraagd, en hij heeft niets gezegd. Ik kreeg de indruk dat het vertrouwelijk was.'

'Wanneer gaan ze het verzoek voor die tap indienen? Vóór die vergadering kunnen ze helemaal niets. Tenzij die naar voren is geschoven. Hebben ze de vergadering naar voren gehaald?'

'Ik heb hem niet aan een kruisverhoor onderworpen, Vicki. Ik was al blij om te horen dat je nog steeds een baan hebt.' Dan ging wat sneller lopen. 'Hij heeft je berichtje gekregen.'

'Denk je dat ik naar die vergadering zou kunnen?'

'Eerlijk gezegd, nee. Maar hij was niet eens zo boos dat je drugdealers hebt lastiggevallen. Goed, hè?'

'Fijn. Dank je.'

'Je bent toch wel blij?'

'Dit is Morty's dodenwake, hoe kan ik nou blij zijn?'

Dan bleef abrupt naast een poederige berg geploegde sneeuw staan en fronste zijn wenkbrauwen. 'Je weet best wat ik bedoel.'

'Ja, en ik waardeer wat je hebt gedaan.' Vicki voelde zich verward, haar gedachten vormden een verdrietige kluwen. 'Maar ik wou dat ik met Bale had gesproken. Ik wil in deze zaak de aanklager zijn.'

'Daar heb je niet genoeg ervaring voor, Vick, en bovendien zou je de zaak toch niet voor de rechter kunnen brengen, want je bent een getuige. Jij was erbij.'

'Ik kan nog wel betrokken zijn bij de tenlastelegging. Ik wil aan de zaak werken. Ik wil degene zijn die...'

'Stop.' Dan stak zijn hand op. 'Je loopt veel te hard van stapel. Het doet er toch niet toe wie de tenlastelegging doet? Waar het om gaat is dat ze een veroordeling weten te krijgen.'

Vicki schudde haar hoofd. Het enige waar ze het over eens was, was dat ze dit niet konden bespreken naast Morty's lijkwagen.

'Je weet dat ik gelijk heb.'

'Op dit moment misschien wel.'

'Mooi.' Dan glimlachte en hield zijn hoofd schuin. Zijn haar wapperde opzij in de kou en droogde stijf op van de mousse. 'Wordt het dan niet eens tijd voor het toverwoord?'

'Hè?'

'Dank je wel.'

'Je bent schaamteloos, Malloy.' Vicki rolde met haar ogen. 'Alsjeblíéft is het toverwoord.'

'Mis. Je hebt de statuten niet goed gelezen. Het staat onder Definities, helemaal voorin.' Dan sloeg zijn armen over elkaar. 'Ga je het nog zeggen of niet?'

'Oké, bedankt.'

'Graag gedaan.'

Vicki probeerde wat op te fleuren en begon Dan weer aardig te vinden. Of van hem te houden. 'Ik ben gewoon een beetje verdrietig, dat is alles.'

'Weet ik. Ik ook.' Ze liepen weer verder.

'Ze werken niet snel genoeg. Ik bedoel, heb je ze daar binnen gezien? Al die hoge omes? Je zou Morty bijna vergeten.'

'Welnee. Het gaat hun ook aan het hart.'

'Maar ze moeten iets dóén! Washington? Het is een moordzaak, geen senaatshoorzitting. Denk je dat ze ons op de hoogte zullen houden?'

'Bale zei dat hij je zou bellen als de bazen weg zijn.'

'Mooi, ik heb salaris nodig.' Vicki schudde haar hoofd. 'Is mijn schorsing al opgeheven, zei Bale daar iets over?'

'Nee.'

'Grrr!'

Ze kwamen bij de cabrio aan en Dan legde een hand op haar schouder. 'Doe het rustig aan, schatje.'

'Ik heb geen keus.' Vicki dook in haar tas op zoek naar haar autosleutels. 'Hoe moet het met mijn zaken?'

'Daar zorg ik voor. Kop op.' Dan nam haar kin in zijn koude hand. 'Wat vond je trouwens van mijn rede?'

'Heel goed.'

'Dank je. Het viel niet mee.' Dan keek haar onderzoekend aan; zijn ogen leken staalblauw in het felle zonlicht en zijn pupillen waren speldenprikken. 'Red je het wel, Vick?'

'Ja. Jij?'

'Kon beter.' Dan keek op zijn horloge en fronste zijn wenkbrauwen. 'Ik moet gaan.'

Vicki opende het portier van haar cabrio. 'Doe haar de groeten,' zei ze, maar toen ze zich omdraaide, was Dan al vertrokken.

Hij liet Vicki alleen achter met haar vragen.

En haar ongeduld.

# 25

Op maandagmiddag om twaalf uur had Vicki al het mogelijke gedaan om haar leven weer enigszins op orde te krijgen. Ze had het huis opgeruimd, vooral de kamers die de agenten overhoop hadden gehaald, en had daarna een nieuwe mobiele telefoon gekocht en boodschappen gedaan. Toen ze thuiskwam, ruimde ze haar kast opnieuw in, trainde ze op haar fitnessapparaat en smeerde ze tot slot haar haar in met een conditioningmasker waar het nog vetter van werd dan anders. Elke keer dat de telefoon ging, rende ze ernaartoe in de hoop dat het Dan of Jim Delaney was, maar ze belden geen van beiden.

Ze ging aan de keukentafel zitten, liet een broodje kalkoen half opgegeten liggen, nam de zoveelste kop koffie en bladerde lusteloos door de krant. Alleen maar moord en doodslag. Ze sloeg hem dicht. Het sneeuwde niet meer, er lag nu dertig centimeter, en dus hadden zij en de Holloway-kinderen vandaag sneeuwvrij. Slechts één van hen was daar niet blij mee. Het viel niet mee om rond te hangen en de belangrijke zaken over te laten aan overheidsdiensten. Zeker niet als het om het onderzoek naar Morty's moord ging. Vicki werd overweldigd door verdriet en een dosis eenzaamheid. Ze had de hele dag nog geen mens gesproken en ze kon zich niet herinneren wanneer ze voor het laatst iemand had weten te veroordelen.

Haar nieuwe mobieltje lag naast haar en ze hield zich niet langer in. Ze pakte het en klapte het open. Ze belde Dan op kantoor, maar hij was in de rechtszaal en dus liet ze haar nieuwe mobiele nummer achter.

Toen dacht ze even na. Ze hoefde helemaal niet zo passief te zijn als het over de heel erg alleenstaande meneer Delaney ging. Ze belde het parket, maar hij was er niet, dus liet ze een berichtje achter bij de receptioniste die te nieuw was om Vicki te kennen. Wie kon ze verder nog bellen?

Ze keek door het lichte keukenraam naar buiten. Kale takken zwiepten in de bitterkoude wind. Ze had twee oude studievriendinnen die allebei getrouwd waren, maar de ene had net een baby gekregen. De andere, Susan Schwartz, werkte als huisjurist bij Cigna. Vicki belde Susan, maar die was op vakantie. Ten einde raad belde ze haar ouders, maar die zaten in een vergadering en dus liet ze haar nieuwe nummer bij de receptioniste achter. Ze had niemand meer die ze niet kon bereiken en dus at ze haar broodje kalkoen op en staarde ze naar de afgedankte krant en las ze het onderste stuk. En toen zag ze het.

En ze rende naar boven om zich aan te kleden.

Vicki liep de ruimte binnen en liet zich ongemerkt op een lege stoel achterin zakken. De dodenwake was heel anders dan die van Morty, zoals ook de plaats delict totaal anders was geweest dan die van Morty. Het uitvaartcentrum lag in de stad, niet in een buitenwijk. De rouwkamer was niet groot en mooi ingericht, maar klein en groezelig met een donkerblauw kleed dat bij de deur, waar Vicki bleef dralen, zo ongeveer tot op de draad was versleten. Een citroengeur van luchtverfrisser in plaats van bloemen vulde de lucht en er stonden maar twee bossen rode rozen naast de eenvoudige kist die godzijdank gesloten was. En in plaats van een volle ruimte, was er maar een handjevol mensen aanwezig, waardoor er rijen lege bruine klapstoelen overbleven. Vicki telde zes treurende mensen, inclusief Reheema.

De aanwezigen zaten met hun rug naar haar toe en er was niemand van het uitvaartcentrum te bekennen. Reheema zat in haar eentje op de voorste rij met haar hoofd gebogen en haar donkere haar naar achteren in een strakke paardenstaart. Ze droeg een zwarte jurk en zwarte lage schoenen. Op de rij achter Reheema zaten vijf vrouwen, allemaal oudere zwarte dames in dikke jassen en met kleine fluwelen hoedjes op. Ze zagen eruit als kerkdames, zoals mevrouw Bristow er waarschijnlijk ook had uitgezien. Nou ja, vroeger misschien.

Vicki voelde emoties opwellen. Ze wist niet goed of ze hier wel moest zijn. Ze wist niet of ze het recht er wel toe had. Ze wilde de laatste eer bewijzen aan een vrouw wier dood zij misschien op haar geweten had. Het was wel het minste wat ze kon doen; het was het begin van genoegdoening en ze hoopte dat het zou eindigen met de veroordeling van de moordenaar. Ze zou blijven voor mevrouw Bristow.

Maar haar blik bleef op Reheema rusten. Het was maar een meter of negen naar de andere kant van de ruimte en Vicki zag dat Reheema's schouders een klein beetje schokten. Huilde ze om de moeder over wie ze zo wreed had gesproken?

*Natuurlijk.*

Dus Vicki was niet de enige die gemengde gevoelens over haar ouders had. Ze dacht aan Morty's herdenkingsdienst, toen Dan overstuur was geweest en Mariella hem had getroost. Als Reheema al zat de huilen, dan was er niemand om haar te troosten. De kerkdames zaten opzij onderling te babbelen. Reheema was helemaal alleen met haar verdriet.

*Net als ik.*

Vicki schoof ongemakkelijk op haar stoel heen en weer. Ze kreeg een onwaarschijnlijke aandrang om naast Reheema te gaan zitten, hoewel ze wist dat het onmogelijk was. Reheema zou haar eruit gooien. Of ter plekke neerschieten. In plaats daarvan bleef Vicki met gebogen hoofd zitten en bad ze. Maar toen ze opkeek, zag ze Reheema door het gangpad aan de zijkant van het zaaltje lopen, terwijl de tranen over haar wangen stroomden.

'Ik ga al,' zei Vicki direct, en ze schoot overeind. Reheema pakte haar bovenarm vast en duwde haar in de richting van de uitgang.

'Reken maar, goddomme. Wat moet je hier?'

'Ik wilde je moeder mijn laatste eer bewijzen.'

'Verdwijn uit mijn leven.' Reheema trok haar naar de voordeur en rukte die met haar vrije hand open. De ijskoude wind sloeg hen allebei in het gezicht en Reheema kneep haar ogen samen tegen de kou. 'Ga weg. Je hebt hier niets te zoeken.'

'Ik weet niet of je er iets aan hebt, maar ik heb wat vooruitgang geboekt wat betreft haar moordenaar.'

'Ik heb jouw hulp niet nodig.' Reheema duwde haar door de openstaande deur, waar Vicki zich opeens beledigd omdraaide.

'Zeg, je zou wel eens wat interesse mogen tonen.'

'Ik ben niet geïnteresseerd.'

'In je moeder niet? Degene om wie je staat te huilen?' De woorden kwamen er valser uit dan Vicki ze had bedoeld, maar dit was misschien wel haar laatste kans. Ze verzachtte haar toon. 'Het spijt me, maar ik zou het met jouw hulp kunnen oplossen.'

'Mijn hulp?' Reheema's mond viel open van ongeloof en ze vergat haar tranen. 'Waarom zou ik jou helpen?'

'Het gaat niet om jou en mij. Het gaat om jouw moeder en mijn partner. Ik denk dat hun moorden iets met elkaar te maken hebben. Ik ben erachter gekomen dat Jamal Browning aan de winkel in Cater Street leverde. Hij was de vriend van Shayla Jackson.'

'Doe me een lol.'

'En ook al ken je ze niet, ik denk dat jij er iets mee te maken hebt.'

'Ik? Ik zat in het huis van bewaring door jou.'

'Ik heb geen wapens voor haar gekocht. Jij wel.'

'Wil je beweren dat ik mijn moeder heb vermoord?' Reheema knipperde boos met haar ogen en Vicki schudde haar hoofd.

'Nee, maar je bent voor zover ik weet de enige link tussen deze gebeurtenissen en die mensen. Jij. Je kunt me helpen. Als we samenwerken, kunnen we erachter komen, Reheema.' De woorden stroomden uit haar mond voordat Vicki besefte wat ze eigenlijk voorstelde. Deze keer dacht ze hardop waar haar vijand bij was, en dat was nog stommer dan het doen waar je baas bij is. 'Ik kan het niet meer in mijn eentje. In jouw buurt val ik vreselijk uit de toon. Maar jij niet.'

'Waar haal je het lef vandaan!' Reheema probeerde de deur dicht te doen, maar Vicki stak haar donkerblauwe pump tussen de deur.

'Ik vraag je alleen om erover na te denken.'

'Waarover na te denken?' Reheema duwde de deur tegen Vicki's schoen, waar Ruby de Gestoorde Corgi aan had zitten kluiven. Misschien werd het tijd om nieuwe schoenen te kopen. En nieuwe tenen.

'Om me te helpen haar moordenaar te zoeken. Ze was vroeger een knappe vrouw en ze hield van je. Ze heeft je grootgebracht. Iemand bracht je toch naar school?'

'Ik liep.'

'Ik heb haar op de foto zien staan bij het atletiekbusje.'

Reheema duwde nog harder tegen de deur. In het uitvaartcentrum werd ze te hulp geschoten door een oudere man in een donker pak, gevolgd door een kliekje kerkdames.

'De vrouw die jou in dat busje rondreed is de vrouw om wie je huilt.' Ze had niet veel tijd meer en dus haalde Vicki alles uit de kast. 'Toon haar het respect dat ze verdient. Begraaf haar en bel me dan.' Ze trok haar voet voorzichtig terug en liep toen haastig met klikkende hakjes de koude avondlucht in.

Toen Vicki thuiskwam, luisterde ze haar berichten af. Dan had haar teruggebeld op haar vaste lijn en zei dat ze maar niet moest terugbellen. Met andere woorden: Mariella is thuis, dus je moet niet bellen. Hij had haar niet op haar nieuwe mobieltje gebeld, wat betekende dat hij wel wilde dat ze wist dat hij zo goed was geweest om terug te bellen, maar dat hij niet met haar wilde praten.

*Ik moet hem echt vergeten.*

Vicki drukte op de toets voor het volgende bericht, maar dat was er niet. Ze keek of er echt geen telefoontje van Delaney was geweest; geen berichtjes, alleen een grote, rode, digitale nul. Ze hoopte dat de kans niet verkeken was. Ontmoedigd sloeg ze het avondeten over, ze liep de trap op, kleedde zich uit en ging naar bed, maar de slaap wilde niet komen. Ze wist niet wat haar had bezield in het uitvaartcentrum om zomaar tegen iemand tekeer te gaan die net haar moeder had verloren, en ze betwijfelde of Reheema haar zou bellen.

Daarom was ze heel verbaasd toen de telefoon ging.

# 26

De volgende ochtend reed Vicki door straten waar nog steeds geveegd en gestrooid werd in verkeer dat rustiger dan anders was vanwege de sneeuwstorm. De storm was zo zwaar geweest dat de inwoners van Philadelphia hun werk met goed fatsoen een dagje konden overslaan. Ze kwam langs dichte winkels, restaurants en kantoren en reed naar West-Philadelphia waar verse sneeuw als een deken op de prullenbakken, brandkranen en doorgezakte verandadaken lag en schitterde in het stralende zonlicht. Ze knipperde met haar ogen tegen het felle schijnsel.

Vicki trapte op het gas, kon zich nauwelijks verroeren in haar jas, witte katoenen coltrui, visserstrui en gevoerde spijkerbroek. Ze had zich deze keer gekleed op het weer en wat er nog kon komen. Er was nog zoveel wat ze niet wisten over wat er was gebeurd en wat nog ging gebeuren, dat ze onwillekeurig zenuwachtig was. Ze had nog nooit in haar carrière, laat staan in haar leven, zulke risico's genomen, maar ze was niet van plan om gekke dingen te gaan doen. Alleen onderzoek dat de politie niet kon doen of niet snel genoeg deed. Ze sloeg Lincoln Street in en had de auto nog nauwelijks in de richting van de stoep voor het huis gereden, of Reheema wuifde al naar haar en trok het portier open.

'Je hoefde toch niet buiten te wachten,' zei Vicki verrast. 'Het is koud.'

Reheema gaf geen antwoord, maar stapte in de auto waarmee ze een golf koude lucht binnenliet. Ze sloeg het portier achter zich dicht en vouwde zich in de stoel. Haar benen waren zo lang dat haar knieën tegen haar borst zaten. 'Je moet een nieuwe auto kopen.'

'Je kunt de stoel verstellen. De hendel zit aan de zijkant bij het portier.'

'Dat is het punt niet.' Reheema stak haar hand uit, schoof de stoel naar achteren en strekte haar benen. Ze droeg haar donkerblauwe jekker en had haar zwarte, gebreide muts zo ver over haar hoofd getrokken dat hij tot aan haar lange wimpers kwam en de aandacht vestigde op haar prachtige, donkerbruine ogen alsof het toeval was. Als Reheema een glimlach op haar gezicht had in plaats van een frons zou ze er heel aantrekkelijk uitzien. 'Deze auto werkt niet.'

'Waar heb je het over?' Vicki wilde de motor starten, maar wachtte nog even. 'Deze auto doet het geweldig.'

'Niet voor waar jij het over het. Dat werkt niet. O, nee.'

'Je bedoelt voor ons plan?' Eindelijk had Vicki het door. Reheema was een vrouw van zo weinig woorden dat het puzzelen was.

'Voor jóúw plan. Ik ga alleen voor de lol mee.'

'Ik dacht het niet.'

'Ik dacht het dus wel.'

'Je zei aan de telefoon dat je zou meewerken.'

'Met meewerken bedoel jij verlinken,' was Reheema's weerwoord, en Vicki beet op haar tong. Ze had van tevoren geweten dat hun relatie niet soepel zou verlopen, maar ze zou nog hard moeten werken wilde ze dit voor elkaar krijgen.

'Dat bedoel ik niet.'

'Dat zei je wel.'

'Goed dan, verkeerde woordkeuze, sleep me maar voor de rechter.'

'Dat doe ik al.'

*Oeps.* Dat was Vicki bijna vergeten. De rechtszaak waarover Melendez Bale had verteld. 'Daar ga je mee door?'

'Tuurlijk.'

'Ook al zei je dat je me zou helpen? Dat je met me zou samenwerken?'

'Ik wérk toch met je samen? Je zou me eens moeten zien als dat niet zo is.'

'Dat heb ik gezien,' zei Vicki, en haar stem klonk harder dan verstandig was voor iemand die vriendschap probeert te sluiten.

'Wanneer dan?'

'De Beretta, weet je nog? Dat dodelijke wapen? Dat je op me had gericht?' Vicki slaagde erin een glimlach op haar gezicht te toveren, wat ze heel knap van zichzelf vond, maar Reheema's ogen spatten vuur.

'Wát? Jíj begon. Tijdens dat gesprek. Daarom klaagt Melendez je aan. Je trok me over het bureau heen! Ik was geboeid en kon me niet eens verdedigen!'

*Oké. Afgezien daarvan.* 'Ik was tenminste ongewapend.'

'Ongewapend? Geen enkele openbaar aanklager is ongewapend.' Reheema lachte spottend. 'Een openbaar aanklager heeft wapens die je niet kunt zien.'

*Assistent-openbaar aanklager. Een logische vergissing.*

'Jij hebt wapens waar je mensen mee kunt opsluiten. Wapens die mij hebben opgesloten!'

'Ho, even. Jij bent degene die twee heel echte wapens hebt gekocht, wapens die je kunt zien.'

'En je kon niet bewijzen dat ik ze had doorverkocht, dus had ik helemaal niet vast mogen zitten.' Reheema wees naar haar met haar zwarte wollen handschoen. 'Jij liet me voor een strafverminderingsgesprek opdraven, terwijl je dat wíst.'

*Oké.* Vicki knarste met haar tanden en beet door de denkbeeldige zure appel heen. 'Het spijt me.' Ze zweeg, wachtte, maar kreeg geen reactie. 'Heb jij ook spijt?'

'Waarvan?'

'Dat je een wapen op mijn dierbare hart hebt gericht.'

'Nee.'

'Reheema, we doen een poging om de lucht te zuiveren.'

'Mijn lucht is zuiver.'

'Ik zeg dat het me spijt. Dan kun jij toch ook sorry zeggen?'

'Hoezo?'

'Zo werkt dat.'

'Rot op.'

*Of niet.* 'Best.' Vicki gaf het op, richtte haar gezicht naar voren en kneep in het stuur. Het was moeilijk om er stoer uit te zien met rode wanten van J. Crew, maar ze deed haar best.

Reheema schraapte haar keel en keek ook recht voor zich uit. 'We hebben een nieuwe auto nodig. Deze valt veel te veel op. Je zei het zelf al.'

'Dat was een grapje.'

'Je had gelijk. Voor de verandering.' Reheema moest onwillekeurig glimlachen, wat Vicki als verontschuldiging zag. Ze keek opzij.

'Waarom valt hij zo op? Omdat hij wit is?'

'Waar kom je vandaan?'

'Philadelphia.'

'Je gaat mij niet vertellen dat jij in Philadelphia bent opgegroeid, meid.'

'Nou ja, om precies te zijn, ben ik in Devon opgegroeid, maar dat zie ik...'

Reheema kneep haar ogen samen. 'Is dat waar ze die paardenshow hebben?'

'Ja, de Devon Horse Show.'

'Rij jij paard?'

'Toen ik klein was, heb ik paardrijles gehad.' Vicki had er genoeg van zichzelf te moeten verdedigen. 'Wat heeft dat met mijn auto te maken?'

'Hij is burgerlijk.'

'Wat is er burgerlijk aan een cabrio?'

Reheema snoof. 'Een cabriolet is per definitie burgerlijk. Als je met deze auto in het getto komt, snijden ze het dak open. Dan ben je je cd-speler, je airbag en alles kwijt. Hij zou nog geen uur heel blijven.'

*O.*

'En die kleine rode H op de achterruit? Dat is ook niet echt handig, Harvard.'

'Hij is karmozijn, niet rood.' *Maar goed.* 'Er gaan ook zwarten naar Harvard, hoor.'

'Maar niet naar Avalon.'

'Hè?'

'Je bumpersticker. Zwarten gaan niet naar Avalon, New Jersey.'

*Dat zou wel eens de reden kunnen zijn dat mijn ouders daar zijn gaan wonen.*

'Een blank en een zwart meisje samen in de auto valt al genoeg op.'

'Het komt voor.'

'Niet in Devil's Corner. Die auto moet weg. Misschien herkennen ze hem wel. Als die uitkijk je weer ziet, herkent hij de auto.' Reheema schudde haar hoofd en Vicki kreeg de indruk dat ze hier iets te veel van genoot.

'Ik wil mijn auto niet verkopen. Ik hou van mijn auto.'

'Dan doe je het niet. Je hebt geld zat, koop er nog een.' Reheema keek uit het raam. 'Kom op, dan gaan we.'

Een halfuur later vond Vicki een dealer die open was. Ze parkeerde de auto naast een puntige hoop versgeploegde sneeuw en zette de motor af. Op het bladderende bord boven de ingang van de dealer stond OCCASIONS, EERSTEKLAS TWEEDEHANDS! KOOP OF HUUR! Er wapperden rode en witte plastic vlaggetjes aan een doorgezakt touwtje, en gouden slingers schitterden in de middagzon, rafelig door het weer. Oude Jeeps, Taurusen, Toyota's en een stokoude Pinto stonden op de parkeerplaats in verouderde kleuren als avocado, vaalgeel of felblauw.

Vicki keek voldaan naar de dealer. 'Dit is perfect.'

Reheema trok haar bovenlip op. 'Ik zei een níéuwe auto. Dit is de armzaligste tweedehands-autodealer die ik ooit heb gezien.'

'Het is de bedoeling dat we niet opvallen.'

'We kunnen ook niet opvallen in een nieuwe auto. En dan zien we er nog goed uit ook.'

'Kom op.' Vicki trok de sleutel uit het contact en pakte haar tas, maar Reheema bleef zitten waar ze zat.

'Ik dacht dat we zouden sámenwerken.'

'Ik betaal, jij werkt samen.'

'Dat meen je niet.'

Vicki stapte uit, trok geagiteerd haar wanten aan en liep het terrein op, regelrecht naar een goorwitte Camaro met een deuk voorop. Ze las wat er op het bord stond: ZONDER GARANTIE, CHEVY CAMARO UIT 1984, KILOMETERSTAND: 97.162, KOOPPRIJS: $1250, HUURPRIJS: $50/P.W., MPFI, TRANSMISSIE 16.000 KILOMETER GELEDEN GEREVISEERD. 'Lijkt me oké en de prijs is goed. Die huren we.'

Reheema kwam achter haar staan met haar handen diep in de zakken van haar jekker. 'Wat heb jij met witte auto's?'

'Ik ben burgerlijk met een kleine H.'

'Karmozijn, niet rood.'

'Precies. Details zijn belangrijk.'

'Wacht even, kijk eens.' Reheema liep een auto verder, naar een sportwagentje dat metallic kobaltblauw was geverfd. 'Dit bedoel ik nou!' Ze las hardop wat er op het bord stond. 'Nissan 300 ZX uit 1986, 177.000 kilometer op de klok.'

'Kost dat?'

'Drieduizend om te kopen, honderd dollar per week om te huren.'

'Nee.'

'Maar hij is in goede staat.'

'Te duur.'

'Ik zou er verdomd goed uitzien in deze.' Reheema kon haar ogen niet van de sportwagen afhouden. 'Jij bent single, hè?'

'Ja.' *Maar hij niet.*

'Heb je een vriend?'

'Geen schijn van kans.'

'O jawel.' Reheema spreidde haar armen. 'Hierin wel.'

'Nee,' zei Vicki spijtig. Ze liep naar de volgende auto met een gedeukte bumper en een loshangende zwartrubberen strip aan het portier. Ze las hardop wat er op het bord stond. 'Pontiac Sunbird uit 1995, viercilinder, 193.000 kilometer, koopprijs $1.500, huurprijs $75 p.w. Niet slecht.'

Reheema liep naar haar toe. 'Ik word er niet warm van. Hij is saai.'

'Precies.' Vicki keek naar binnen. 'Eén probleem. Hij heeft een schakelbak. Ik rijd alleen automaat.'

'Kun je dat niet leren, Harvard?'

'Weet jij hoe je moet schakelen?'

'Tuurlijk, ik heb op een echte universiteit gezeten. Temple.'

Vicki werd afgeleid door een kleine, blanke man in een grijze jas die uit een gebouwtje midden op het terrein kwam, dat waarschijnlijk zijn kantoor was. Er stond een vaal geworden reclamebord voor het groezelige wit van het gebouwtje. Zachtjes zei Vicki: 'Ik zal wel met hem praten.'

'Nee, dat doe ik wel.'

'Maar ik kan onderhandelen.'

'Ik ook.'

'Ik ben de advocaat.'

'Je wist met mij anders geen deal voor strafvermindering te sluiten.'

*Au.*

'En je kunt niet eens met de hand schakelen.'

'Oké, best. Je gaat je gang maar, *girlfriend*.'

Reheema's blik ging onder haar cap naar opzij. 'Zwarten zeggen dat al heel lang niet meer. Sinds jullie ons stemrecht hebben gegeven, praten we net als blanken.'

'Doe niet zo flauw,' zei Vicki, toen de kleine verkoper puffend als een stoomlocomotief in de koude lucht aan kwam zetten.

'Welkom, dames!' galmde hij. Zijn kale hoofd zag er koud uit en het puntje van zijn neus was al rood. Zijn blauwe ogen schitterden achter dikke brillenglazen en hij klapte zijn in handschoenen gehulde handen in elkaar alsof hij wat enthousiasme wilde creëren. Of warmte. 'Hoe gaat het met deze schone dames?'

'Goed,' zeiden ze in koor, met evenveel enthousiasme. Geen.

'Een prachtige dag om een auto te kopen! De meisjes hebben mijn onverdeelde aandacht! Jullie hoeven niet te wachten. Ha, ha!'

Reheema deed een stap naar voren. 'Ik mot een goedkope kar die er niet als bagger uitziet, en waag het niet om me af te zetten, dan heb je de verkeerde voor je.'

*Hè?* Vicki moest twee keer kijken naar deze straatversie van Reheema, zeker na die preek van daarnet.

'Natuurlijk, natuurlijk.' De verkoper deed een stapje naar achteren en keek naar Vicki. 'Mevrouw, en u bent?'

'Haar levenspartner.'

Reheema barstte in lachen uit en Vicki glimlachte in zichzelf.

Een halfuur later reed Reheema in de Sunbird van het terrein af met Vicki naast zich, omdat er geen tijd was voor een handschakelles nadat ze de cabrio naar huis hadden gebracht en naar de bank waren geweest, waar Vicki geld had opgenomen om de auto te huren. Ze hadden gezamenlijk tien dollar van de prijs af gepraat en de dealer had ermee ingestemd om de auto een beurt te geven, dat wil zeggen, hem schoon te spuiten en een spuitbus met bloemengeur op het interieur los te laten. De Sunbird was lichtblauw vanbinnen met hoogpolige kleedjes, wat iemand kennelijk het toppunt van pimpen vond. De kuipstoelen van blauw vinyl waren ingevet en er zat geen schattige H op de achterruit, niet in karmozijn en ook niet in rood.

Rond de middag waren de twee vrouwen onderweg en miste één van hen haar cabrio heel erg.

# 27

Vicki en Reheema hielden Cater Street in de gaten en hadden de Sunbird achter een hoge berg sneeuw gezet die een sneeuwploeg vanuit de tegenovergelegen straat daarnaartoe had geveegd. De hoge piramide verborg hen voor de uitkijk die halverwege de straat een sigaret stond te roken. En beide vrouwen hadden een buitengewoon professionele vermomming; Reheema's gebreide muts bedekte haar haar en de zonnebril van het benzinestation verborg haar ogen. Vicki droeg Dans honkbalpet en een zonnebril van Chanel om haar blanke huid op een modieuze manier te verbergen. Toch was ze ervan overtuigd dat ze eruitzagen als twee blinde vrouwen in een auto, een blanke en een zwarte.

De sneeuwploeg was nog niet door Cater Street geweest omdat de straat te smal was voor een gewone, brede ploeg en er lag zo veel sneeuw dat je er niet met de auto door kon. Slechts bij een paar huizen was de stoep geveegd, maar dit weerhield een gestage stroom voetgangers er niet van om naar het lege terrein te lopen. Hun tempo lag net zo hoog als de vorige dag en de verslaafden trotseerden de elementen en toonden ongebruikelijke stoutmoedigheid. Vicki vroeg zich af of Reheema het moeilijk vond om zo kort na de moord op haar moeder hiernaar te kijken.

'Gaat het?' vroeg ze, en ze wierp een blik opzij op het volmaakte, roerloze profiel.

'Best.' Reheema knikte en haar zonnebril weerspiegelde de sneeuw. De vrouw van weinig woorden was de vrouw zonder woorden geworden. Vicki was zich er niet van bewust geweest dat het mogelijk was om als vrouw zo weinig te zeggen. Het leek biologisch onmogelijk.

'Vind je het vervelend door wat er met je moeder is gebeurd? Heb je het er moeilijk mee?'

'Zie ik eruit alsof ik het moeilijk heb?' Reheema bleef stil zitten en bleef door de voorruit staren. Vicki gaf het op en richtte haar blik ook naar buiten. Een dik ingepakt stel, een man en een vrouw, liep arm in arm door de sneeuw naar het verlaten perceel alsof ze een crackafspraakje hadden.

'Ken je hen?'

'Nee.'

Vicki had gehoopt iets anders te horen. Dit was fase 1 van het Grote Plan. Ze zaten er nu een uur en Reheema had nog geen van de uitkijken of klanten herkend. 'Maar het zijn je buren.'

'Ik ken de buren niet.'

Vicki snapte het niet. 'Je hebt hier toch gewoond?'

'Ik ben het laatste jaar van de middelbare school verhuisd en sindsdien woon ik hier niet meer.'

'Waar woonde je daarvoor?'

'Ergens anders.'

*Heel duidelijk.* 'En je moeder bleef hier wonen. Wanneer is ze crack gaan gebruiken, als ik vragen mag?'

'Toen ik studeerde.'

'Ben je daarom niet teruggekomen?'

'Ja.'

*Het gesprek begint nu echt te lopen.* 'Dat moet moeilijk voor je zijn geweest.'

Reheema zei niets.

'Wat was je hoofdvak?'

'Bedrijfskunde.'

'Vond je dat leuk?'

'Nee.'

*Probeer een andere tactiek.* 'Weet je, mijn vader heeft in deze straat gewoond. Hij woonde in het hoekhuis in Washington Street. Hij zat ook op Willowbrook op school.'

'Waar heb jij op school gezeten?'

'Episcopal.'

'Een particuliere school.'

'Klopt,' zei Vicki schuldbewust. Ze keken beiden toe hoe een jongeman met lange dreadlocks en een bruine jas over straat liep, de sneeuw voor zich uit schopte en in de richting van het verlaten terrein liep. 'En die daar, ken je hem?'

'Hij komt me wel bekend voor.'

'Joepie!'

'Zei je nou "joepie"?' Reheema staarde Vicki over haar zonnebril aan. 'Nooit. Meer.'

Opgewonden gaf Vicki Reheema een verrekijker die ze van huis had meegenomen. Ze had haar rugzak volgestopt met spullen die ze mogelijk nodig hadden voor het Grote Plan, inclusief een zak Doritos. Episcopal Academy had zijn leerlingen geleerd zich goed voor te bereiden op surveillances.

Reheema draaide zich om en bracht de verrekijker naar haar ogen. 'Yo, dat is Cal!' zei ze gevaarlijk levendig.

'Cal wie?'

'Cal Moore. Zat bij mij in de klas bij wiskunde. Volgens mij is hij van school gegaan en nu is hij een crackhoofd.' Reheema liet de verrekijker zakken. 'Altijd al een loser geweest.'

'Triest.'

'Nee, hoor.'

Vicki negeerde dit en schreef de naam Cal Moore in haar agenda op. Tot nu toe was het de enige naam. Fase 1 verliep niet geweldig, maar er was per slot van rekening maar één naam nodig voor een aanwijzing. Ze dook weer in haar rugzak, pakte de zilverkleurige camera, drukte op het knopje zodat de telelens naar buiten kwam en nam een digitale close-up van Cal Moore.

'Waarom doe je dat?'

'Voor het geval we het nodig hebben.'

'Waarom zouden we het nodig hebben?'

*Goeie vraag.* 'Dat weet ik nog niet. Maar dit is wat de ATF zou doen tijdens een surveillance en dus doe ik dat ook.' Vicki had de grondbeginselen van Morty geleerd, maar ze deed haar best om vandaag niet aan hem te denken. 'Als blijkt dat we Moore moeten identificeren, dan hebben we een foto.' Ze keken beiden toe hoe Moore door de sneeuw naar het verlaten terrein liep en langs de kale bomen uit het zicht verdween.

Vicki kon haar nieuwsgierigheid niet langer bedwingen. 'Wat staat daar? Een hut, of zo?'

'Je bedoelt, wat staat er op die lege plek? Alleen de man, achter een paar vuilnisemmers en een oude houten muur van een van de huizen.'

'Een muur midden op het perceel?'

'Achterin. Volgens mij is het huis gesloopt en is de oude muur die grenst aan de achtertuin, of zo, blijven staan. Het vormt een scherm zodat je vanaf de straat niet kunt zien wat er gebeurt.'

Vicki probeerde het zich voor te stellen. 'Dus die lui staan gewoon in de openlucht?'

'Ja.'

'Minimale bedrijfskosten.'

'Omdat ze nog niet eens een dak boven hun hoofd hebben,' zei Reheema, en ze schoten beiden in de lach.

*Wat een contact! We worden nog hartsvriendinnen!* Toen kwam Vicki bij haar positieven. 'Ze zullen buiten geen zaken blijven doen, hè?'

'Nee, niet lang. Ze proberen alleen voet aan de grond te krijgen. Zich te vestigen. Ze zullen binnenkort wel een van de huizen betrekken.'

'Wanneer, denk je?'

'Zodra ze er een hebben gevonden.' Reheema snoof. 'Hé, ik kan ze het mijne verkopen.'

Vicki ging ervan uit dat ze een grapje maakte. 'En dat is dan het begin van het einde.'

Reheema zei verder niets.

Vicki legde de camera neer en bekeek de aantekeningen die ze in de agenda op haar schoot had gemaakt. Ze had alle voetgangers geteld, en de zaken gingen deze dag beter dan de dag ervoor; zestig klanten in het afgelopen uur, ondanks het slechte weer. Met zestig zakjes per uur, voor zakjes van tien dollar (wat een voorzichtige schatting was), verdiende de dealer zeshonderd dollar per uur. Vicki keek op van haar aantekeningen. 'Wanneer zouden de loopjongens komen, de zwartleren jas en de Eagles-jas? Ze zijn laat.'

'Misschien hebben ze groot ingeslagen vanwege de sneeuw.'

'Vreemd dat ze midden in de winter een buitenzaak beginnen.'

'Er is op het moment veel concurrentie in de stad. Iedereen wil een nieuwe zaak openen.' Reheema klonk zo zeker van haar zaak, dat Vicki wel vreemd moest opkijken.

'Hoe weet je dat?'

'Ik kom net uit de bak. Het huis van bewaring zit vol met crackdealers. Iedereen heeft het over afzetgebieden, over wie klanten steelt van wie, over wie uitbreidt en wie niet.'

Vicki dacht hierover na. 'Misschien kunnen we in het huis van bewaring rondvragen. Vragen wie er iets weet over Jay en Teeg, of Brownings operatie in het algemeen.'

'Heb ik al gedaan.'

'Ja? Wanneer?'

'Zodra mijn moeder werd vermoord.'

Vicki voelde haar geweten knagen. 'Ben je iets te weten gekomen?'

'Nee. Iedereen is bang om iets te zeggen. Hé, daar is Cal is weer.' Reheema pakte de verrekijker en Vicki greep de camera om naar de jongeman te kijken die het terrein af kwam met zijn dreadlocks tot een dik touw gewikkeld dat als de staart van een alligator in een punt liep.

'Hoe zit het met dat haar? Dat is een zwartecultuurvraag.'

Reheema snoof. 'Moet je mij niet vragen, ik vind het lelijk. Cal draagt het al sinds de middelbare school zo. Het is in geen vijf jaar gewassen.'

Op vrijwel hetzelfde moment sloeg vanaf de andere kant een glanzendbruine Navigator Cater Street in, die naar het verlaten terrein reed en verse sneeuw deed opspatten als een speedboot. 'De uitkijk,' zei Vicki, en ze nam een foto. Reheema floot vanachter de verrekijker.

'Leuk wagentje!'

'Een terreinwagen.'

'Ze hebben papa's auto vandaag mee!'

Vicki nam nog een close-up toen de Navigator voor het verlaten terrein stopte en het portier openging. Vervolgens stapte de kleine man in de zwartleren jas de auto uit. Vicki nam een close-up van hem toen hij zich omdraaide. Ze was nog nooit zo blij geweest een crimineel te zien. 'Bingo!'

'Joepie!' zei Reheema spottend.

Vicki negeerde haar en nam nog een foto. 'Ken je hem?'

'Nee.'

'Shit.'

'Da's beter,' zei Reheema. Vicki keek door de telelens om hem beter te kunnen zien. Meneer Zwartleer had grote ronde ogen, een korte neus, een klein snorretje en was best fotogeniek. Hij liep haastig het terrein op, tilde zijn voeten hoog op om ervoor te zorgen dat zijn voeten niet nat werden en schopte de sneeuw voor zich uit. De Navigator stond te ronken en een witte rookwolk uitlaatgas steeg op. Vicki tuurde door de camera vanwege de schelle sneeuwreflectie op de voorruit, maar ze kon niet zien of er nog iemand in de auto zat. Alleen een drugdealer liet zijn auto in deze buurt staan zonder hem op slot te doen en de motor af te zetten.

'Hij komt zo dadelijk misschien hier langs als hij weggaat. Duik weg.' Vicki liet de camera zakken en dook omlaag in haar stoel. Reheema lachte.

'Ga rechtop zitten. Je stelt je aan.'

Vicki kwam behoedzaam overeind in de gladde stoel en keek weer door de cameralens. Moore was nu aan het einde van de straat en sloeg rechts af. 'Waar zou hij wonen? Weet jij dat nog, van de middelbare school?'

'We bewogen ons niet in dezelfde kringen.'

'Hij was zeker geen lid van de National Honor Society?'

Reheema wierp haar een blik toe. Ze zwegen en Vicki pakte de camera weer toen meneer Zwartleer terugkwam en haastig het terrein af liep in de richting van de Navigator, waar hij de sneeuw van zijn schoenen schopte voordat hij instapte. De Navigator reed achteruit de straat uit en Vicki tilde de camera op om te zien of ze zijn nummerbord kon fotograferen. Toen de Navigator aan het eind van de straat keerde, probeerde ze een glimp op te vangen, maar hij was te ver weg.

'Verdraaid!' zei Vicki, en Reheema's enige reactie was om de motor van de Sunbird te starten, die morrelend tot leven kwam.

Een halfuur later zaten de vrouwen in Aspinall Street in de buurt van het huis van Jamal Browning en waren ze met hun tweede meidensurveillance bezig. In tegenstelling tot Cater Street was het doodstil in Aspinall; het was een statisch beeld van een met sneeuw bedekte straat in de stad. Niemand was naar de deur van het rijtjeshuis gekomen toen meneer Zwartleer naar binnen was gegaan en het was er geen komen en gaan van mensen die Reheema kon identificeren. Vicki had alle foto's genomen die ze nodig had en geen van alle waren ze veelzeggend. Kortom, ze begon te twijfelen aan de waarde van fase 2.

'Cheetos?' bood Vicki ontmoedigd aan, terwijl ze de geurige opening van de zak voor Reheema hield. 'Als lunch. En avondeten.'

Reheema zei niets.
'Geen zin in Cheetos?'
Reheema reageerde niet.
'De Doritos wou je ook al niet. Eet je geen koolhydraten?'
'Nee, ik eet alleen niets wat licht geeft in het donker.'
'Daar leg je jezelf wel een beperking mee op, zeg.' Vicki veegde oranje stof van haar jas af. Ze had een enorme hoeveelheid Wawa-koffie en zeshonderdduizend calorieën op. De Sunbird stonk naar sigarenrook en haar Grote Plan was waardeloos. Vicki tuurde naar de auto's die voor het rijtjeshuis geparkeerd stonden, maar ze waren bedekt met een laag sneeuw. 'Welke auto zou van Browning zijn? Ze gebruiken de ergste rammelbak voor het werk, hè? Wat is de meest aftandse brik?'
'Die van ons.'
Vicki keek naar Brownings rijtjeshuis en haar frustratie nam toe. 'Dit gaat niet goed. Weet je, ik heb het gevoel alsof jouw buurt op de rand van iets staat. Alsof het beide kanten op kan, goed of fout, afhankelijk van wat er in Cater Street gebeurt. Snap je wat ik bedoel?'
Reheema zei niets.
'De crackdealers krijgen voet aan de grond op dat verlaten stukje grond en ze creëren crackverslaafden. Dan kopen ze een huis en gaan daar crack verkopen en creëren nog meer crackverslaafden en zo gaat er een heel keurige buurt, compleet met gezagsgetrouwe mensen en kerstkransen, naar de klote. Als het in de hele stad zo gaat, is de stad binnen de kortste keren verloren. En dit gebeurt overal, stad na stad.'
Reheema reageerde nog steeds niet.
'Daarom wil ik ze weg hebben en ze achter slot en grendel zetten. Niet alleen vanwege Morty en je moeder, maar omdat we jouw buurt kunnen redden.'
'Het is mijn buurt niet,' zei Reheema ten slotte. 'Je zegt steeds dat Devil's Corner mijn buurt is, maar dat is het niet. Ik zei je toch dat ik hier alleen woon totdat ik het heb verkocht.'
'Het is mijn vaders oude buurt.'
'O, nou snap ik het. Dáárom interesseert het je.' Reheema snoof spottend. 'Je doet het voor pappie. Om pappies goedkeuring te krijgen.'
'Nee. Hij haatte het hier.'
Reheema keek Vicki aan, maar haar zonnebril verborg haar ogen. 'Waarom kan het jou dan iets schelen?'

'Waarom jou niet?' vroeg Vicki. Om de een of andere reden was ze blij dat zij ook een zonnebril droeg. Opeens trok iets bij Brownings huis haar aandacht. De voordeur ging open. Ze greep de camera en nam een foto van een man die naar buiten kwam. Maar het was niet meneer Zwartleer, het was de Eagles-jas. 'De andere loopjongen. Ze werken dus om beurten. Om en om, net als vorige keer.'

'Er werken er dus twee per dienst,' zei Reheema vanachter de verrekijker. 'En twee diensten per dag, misschien drie. Ik zie niemand bij de deur.'

'Ik ook niet.' Vicki nam toch maar een foto, liet toen de camera zakken en keek toe hoe Eagles-jas naar de Navigator liep, instapte en wegreed. Deze keer kon ze het nummerbord goed fotograferen, waarna ze de camera weer liet zakken. Ze kende een paar agenten die het nummerbord voor haar konden nagaan en misschien had Dan nog wel een goed idee. Toen besefte ze opeens dat ze al de hele dag niet aan hem had gedacht; ze had zelfs haar telefoon niet aan gehad. Ze was in het Getrouwde Mannen Afkickstadium.

Reheema wilde de motor starten, maar Vicki stak haar hand op.

'Niet volgen. We weten waar hij naartoe gaat. Waarschijnlijk weer naar Cater, als het patroon hetzelfde is.'

'Waarschijnlijk wel.'

'Dan is hij niet meer dan de loopjongen, hij haalt en brengt de crack.' Vicki dacht hardop, wat best kon bij iemand die haar amper mocht en andersom. 'Hij is niet degene die we willen pakken.'

'Wat bedoel je?'

'Dit huis is van Jamal Browning, waar hij de dope brengt en in zakjes verdeelt. De kans is groot dat hij hier niet woont, toch? Zeg jij het maar, jij bent de expert als het om slechteriken gaat.' Vicki dacht aan alles wat ze over de crackwereld wist. 'Ik bedoel, ik weet dat de meeste drugdealers een aparte auto hebben voor de zaak. Hebben ze soms ook meer dan één adres?'

'O ja, Browning woont hier heus niet. Hier doet hij zijn zaken.'

'Dat dacht ik ook.' Vicki dacht aan de ongeopende rekeningen in het huis van Jackson. 'En waar bewaart hij zijn voorraad. Hier?'

'Waarschijnlijk wel.'

'In elk geval niet bij hem thuis.'

'Dat is niet gebruikelijk. Het idee is om daar alles legaal te houden.'

'En dan bewaart hij nog een deel in een opslaghuis, zoals dat van zijn vriendin. Shayla Jackson.' Vicki kon de gedachte aan de vermoorde Jackson niet uit haar gedachten bannen. Of aan Morty. 'Ik wil Browning te pakken krijgen, niet zijn loopjongen. Ik wil de hele organisatie op een rijtje zetten en in zijn geheel neerhalen.'

'Meen je dat?' Reheema zette met een koele blik haar zonnebril af. 'Dit zou wel eens groot kunnen zijn, een operatie van dit formaat, zo veel geld, twee mannen per dienst, drie diensten. Plus twee uitkijken op drie diensten, en de dealers, drie stuks, vierentwintig uur per dag, zeven dagen per week?' Ze somde de informatie op als de bedrijfskundestudente die ze was geweest. 'Waarschijnlijk heeft hij drie koks en een paar inpakkers. En een legertje jonge jongens zoals de twee die jij toen bent tegengekomen, Jay en Teeg. Hulpjes. Runners. Boodschappenjongens. Dat is een boel personeel, en dit is misschien niet eens Brownings enige operatie.'

*Oké, dat weet ik ook wel.* 'Dan hoort dat allemaal bij het Grote Plan.'

'Browning is misschien wel een leverancier.'

'Je bedoelt iemand die in handelsgewichten dealt?' vroeg Vicki, al was het geen vraag. Het antwoord was de hoeveelheid drugs in Jacksons huis. 'Zou kunnen. Als dat zo is, moet hij gepakt worden.'

'Waarom? Hij is niet degene die je partner heeft vermoord. Je weet wie je partner hebben vermoord, dat zijn die kinderen.'

'Jawel, maar dat zijn maar kinderen. Pionnen.' Vicki dacht even na. 'Het maakt allemaal deel uit van een geheel. Ik zal die kinderen oppakken en aanklagen, maar dat gaat niet ver genoeg. Deze maand is het Morty, maar volgende maand is het een andere overheidsagent, politieman of assistent-openbaar aanklager. Dit moet ophouden.'

Reheema glimlachte scheef. 'Wat heb jij opeens?'

'Het is hoog tijd dat er eens wat verandert, dat er iets goed gebeurt. Ik heb genoeg van de situatie zoals die nu is. En ik heb genoeg van Cheetos en verliefd zijn op de verkeerde man.' Vicki had het gevoel dat er een verband was, al had ze geen idee wat dat was. Ze wees naar Brownings huis. 'Browning is daar en hij moet een keer naar buiten komen, of hij komt vanzelf een keer langs. Of hij is er helemaal niet en komt voorlopig ook niet.'

'Er ís iemand binnen.'

'Dan zien we vanzelf wel wie er naar buiten komt, en als hij op Browning lijkt, de vent op de foto op Shayla Jacksons ladekast, dan volgen we hem.' Vicki vond het een steeds beter plan, hoe meer ze erover nadacht. 'We nemen geen onnodige risico's. We gaan gewoon een stukje rijden en nemen een paar foto's. Stelt niks voor.'

'We hebben er de auto voor.' Reheema moest lachen en voor het eerst sinds ze elkaar kenden, ontspanden haar gelaatstrekken zich tot een beeldschone glimlach.

'Nou, doe je mee?'

'Waarom niet?' Reheema leunde achterover in de stoel achter het stuur en keek naar het huis.

'Joepie.' Met hernieuwde tevredenheid deed Vicki hetzelfde.

Na een minuutje vroeg Reheema: 'En wie is nou die verkeerde man?'

# 28

'Rijden!' Onwillekeurig begon Vicki te schreeuwen. Het was bijna middernacht en er gebeurde eindelijk wat bij Brownings huis. De voordeur ging open, nauwelijks zichtbaar in het straatlicht, en twee mannen, niet meer dan schaduwen, kwamen naar buiten.

'Nog niet. Ik start de motor als ze in de auto zitten. Dan horen ze het niet.'

'Natuurlijk. Goed. Slim van je. Dat bedoelde ik ook.'

'Rustig aan, meid.' Reheema lachte zachtjes.

'Dat kan ik niet.' Vicki graaide naar de camera en rilde van kou en opwinding toen de twee mannen het trapje voor het rijtjeshuis af liepen. Het was onmogelijk te zien of een van hen Browning was. 'Shit!'

'Geen foto's nemen.'

'Ik flits niet.' Vicki zette de flitser uit en gebruikte de telelens om de mannen beter te kunnen zien. Het was absurd vanwege de duisternis, maar ze nam toch drie foto's. Ze waren allebei van gemiddelde lengte en droegen dikke, donkere jassen en donkere mutsen die ver over hun voorhoofd waren getrokken. 'Wat is dat toch met die gebreide mutsen?'

'Weer een zwartecultuurvraag? Het is koud buiten.'

'Godsamme! Ik kan hun gezicht niet zien.' Vicki kon nog steeds niet zien of een van hen Browning was en ze gaf het op. De twee mannen liepen dicht bij elkaar en aan de wolkjes die uit hun mond kwamen, kon ze zien dat ze aan het praten waren. Het was buiten zeker min zeven, en in de Sunbird min twaalf. De bloedsomloop in haar ledematen was vierduizend Doritos geleden gestopt. Reheema draaide het contactsleuteltje om toen de twee mannen naar een met sneeuw bedekte auto liepen. De twee mannen haalden de sneeuw van de auto en veegden met één haal het dak schoon.

'Ze krijgen hem er nooit uit. Moet je de wielen eens zien.' Reheema wees naar de auto en Vicki nam een foto toen de ene man met zijn arm een pak sneeuw van de achterruit veegde en de andere tegen het portier aan bonkte om het ijs in het slot te breken en de sleutel in het slot te steken. Ze lachte vanachter de camera.

'Het leven van een drugdealer gaat niet over rozen.'

'Misschien moeten we hem een handje helpen.' Reheema glimlachte.

'Het is een witte Neon, dezelfde als laatst.' De vrouwen keken geamuseerd toe hoe de mannen een kwartier lang bezig waren en toen weer naar binnen gingen en terugkwamen met een ergonomische sneeuwschuiver, een deken en twee blikjes bier. 'Drugdealers maken zich ook zorgen om hun rug.'

'Niemand heeft graag last van zijn rug.'

'Dus de bruine Navigator is Brownings goede auto.'

'Ja. De loopjongen mag de terreinwagen gebruiken om naar Cater te gaan.'

'Hij moet nu het risico wel nemen vanwege de sneeuw. Als het opklaart, kan dat niet meer. Dan loopt hij het gevaar dat de auto herkend wordt.'

Vicki hief de camera op en nam een foto van een van de dealers die een deken onder de wielen van de auto schoof en ze uitgroef, terwijl de andere aan het stuur ging zitten en gas gaf. 'Ik kan je wel zeggen wie Browning is, áls Browning er al bij zit.'

'De man achter het stuur.'

'Precies.' Vicki lachte. 'Maar ik kan nog steeds niet zien of het echt Browning is.'

'Laten we ze toch maar volgen. We hebben niets beters te doen.' Reheema ging rechtop zitten en na nog eens tien minuten ploeteren, hadden de dealers de Neon vrij gemaakt. Ze boog zich voorover in haar stoel en legde haar hand op het sleuteltje. 'Oké, we kunnen.'

'Eindelijk!' zei Vicki, en toen de Neon wegreed, startte Reheema de auto en volgden ze op een veilige afstand en een keurige snelheid. Er was genoeg verkeer op de weg om de Sunbird dekking te bieden, zeker aangezien hij donker en onopvallend was, en Vicki kon alle foto's van het nummerbord van de Neon maken die ze wilde, al was eentje genoeg geweest. Ze voelde de adrenaline wegebben. 'Niet echt de wilde achtervolging die ik me had voorgesteld.'

'Die lui willen nergens voor gepakt worden. Dit is het veiligste ritje dat je ooit hebt gemaakt. Ga lekker zitten en ontspan je.'

Dat deed Vicki, maar toen ze opzij keek, zag ze dat Reheema's mond gespannen was.

'Zoals het klokje thuis tikt...' zei Vicki, toen de Sunbird aan het eind van de straat tot stilstand kwam. Ze hadden een uur lang gereden en waren terechtgekomen in een van de middenklasse woonwijken van de stad, in Overbrook Hill. De bakstenen rijtjeshuizen waren halfvrijstaand en stonden twee aan twee als gelukkige stelletjes tegen elkaar aan. Elke dubbel huis had een voortuin, gesplitst door een gaashek, en hier en daar stonden kinderfietsjes en plastic poppenhuizen die met een ketting tegen het hek stonden.

'We weten niet of híj hier woont, of dat dit het huis van zijn handelaar is,' zei Reheema.

'Het ziet er niet uit als een drugspand.'

'Dat zegt niks.'

'De dag zit er bijna op. Browning moet toch ook een keer moe worden? Ik gok dat dit niet het huis van zijn handelaar is, maar dat hij hier zelf woont.'

'Hoe weet je dat hij niet de hele dag heeft liggen maffen? Wanneer haalt hij zijn geld op, denk je? Op klaarlichte dag?' Reheema's mond werd een grimmig streepje en haar ogen glinsterden in het donker. 'Als ze allebei uitstappen, is het de handelaar.'

Vicki knikte. Reheema had gelijk. Het waren aannames, maar wel heel redelijke. Ze leunden allebei naar voren toen de portieren van de Neon opengingen en de twee mannen uitstapten. Toen ze haastig naar het huis liepen, nam Vicki foto's van de chauffeur, al was het te donker en te ver weg. De straatlantaarns schenen hier feller, maar het bleef onmogelijk om zijn gelaatstrekken goed te zien, dus wist ze nog steeds niet of het Browning was. De passagier liep om de auto naar de chauffeurskant, stapte in en reed weg. Vicki liet de camera zakken. 'Dus als het Browning is, is dit zijn huis.'

'Hoe weet je dat degene die is afgezet Browning is? Je hebt hem niet herkend. We hebben twee kandidaten.'

Vicki slaakte een zucht. Ze begon moe te worden en ATF-veldwerk was moeilijker dan ze dacht. 'Onze theorie was dat de chauffeur Browning was, of de baas, en dit bevestigt dat. Volgens mij is de baas hier net afgezet.'

'Ik ben het met je eens, maar we moeten wel alles nagaan.' Reheema startte de motor.

'Gaan we weg? Ik wilde nog een foto maken.'

'Doe dat een andere keer maar. We weten waar hij woont.'

Vicki nam nog een laatste foto toen de Sunbird wegreed en maakte een close-up van de achterkant van Brownings muts waarop een glanzend zilveren plaatje oplichtte. Ze herkende het in de telelens. 'Hij heeft een Raiders-muts op.'

'Iedereen houdt van football,' zei Reheema, en ze trapte op het gaspedaal.

Een halfuur later reden ze door een mindere buurt dichter bij de stad, met stenen rijtjeshuizen in verschillende stadia van bouwvalligheid. De Sunbird volgde de Neon die zichtbaar op zoek was naar een parkeerplaats. Enorme bergen sneeuw lagen op de hoek van de straat en beperkten het aantal parkeermogelijkheden.

Vicki zei: 'Het enige wat nog saaier is dan een drugdealer die zijn auto sneeuwvrij maakt, is een drugdealer die een parkeerplaats zoekt.'

'Zo gaat dat.'

'Ik heb straks hetzelfde probleem als ik naar huis ga,' zei Vicki.

'Nee, hoor. Je kunt helemaal niet rijden in deze brik, weet je nog?'

'O. Sorry.'

'Maakt niet uit. Ik zet je wel af. Ik ben een nachtmens.' Reheema sloeg rechts af en bleef bijna een straatlengte achter de Neon hangen. Vicki besefte dat één van hen die avond naar een heel koud huis terug moest.

'Reheema, je hebt geen verwarming in jouw huis, hè?'

'Ik heb een paar dekens.'

'Wil je bij mij thuis slapen? Ik heb een slaapbank.'

'Een pyjamafeestje?'

Vicki glimlachte. 'We hoeven onze nagels niet te doen, hoor.'

Reheema zweeg even. 'Nee.'
'Zeker weten?'
'Wacht. Daar gaat-ie.' Reheema bracht de Sunbird tot stilstand omdat de Neon eindelijk een plek had gevonden, toen een andere auto wegreed.
'Het is bijna twee uur. Slaapt er dan niemand in deze buurt?'
Reheema gaf geen antwoord en Vicki kreeg het idee dat ze zich weer had teruggetrokken. Het was de uitnodiging die het 'm op de een of andere manier had gedaan. Ze zagen hoe de tweede man uit de auto stapte, haastig naar een van de huizen liep en naar binnen ging.
'Dus hier woont nummer twee,' zei Vicki.
'Juist.'
'Kunnen we dit terugvinden? Ik weet niet eens goed waar ik ben.'
'Ik wel.' Reheema startte de auto. 'Ik ga je naar huis brengen, slaapkop.'
'Dank je.' Vicki voelde zich schuldig. 'Weet je zeker dat je niet wilt...'
'Ja. Bedankt.' Reheema hield haar blik recht vooruit en ze reden in stilte naar de snelweg, en dat was het laatste wat Vicki zich kon herinneren voordat ze voor haar huis tot stilstand kwamen, Reheema haar een duwtje tegen haar schouder gaf, haar wakker maakte en zei: 'Je bent thuis.'
'O, sorry.' Vicki ging moeizaam rechtop zitten en rekte zich een beetje verward uit. 'Hoe wist je waar ik woon?'
'Opgevraagd bij Inlichtingen op je mobiel. Ik heb er zelf nog geen. Maar zodra ik hem aanzette, begon hij te piepen en hij gaat al de hele tijd af en toe.'
'Ben ik er doorheen geslapen?' Vicki hield de telefoon vast en boog zich voorover om haar rugzak te pakken. Reheema lachte.
'Jij zou overal doorheen hebben geslapen.'
'Sorry.' Vicki was van haar à propos. Volgens de klok in de Sunbird was het 03:30 uur. Haar straat was stil, verlaten en koud. Ze pakte haar portemonnee en haar telefoon piepte om aan te geven dat ze een voicemailbericht had. Een klein digitaal envelopje verscheen op het beeldschermpje. 'Ik heb ook een sms'je.'
'Vast van de verkeerde man.'
'Ik weet het,' zei Vicki met een vermoeide glimlach. Ze greep de deurkruk vast.

‘Luister nou naar me en laat hem met rust.’ Reheema knikte. ‘Een getrouwde man hoort op dit tijdstip van de nacht geen andere vrouwen te bellen, alleen zijn eigen vrouw.’

‘Ik ben bezig hem te vergeten.’ Vicki meende het. ‘Er gaat nooit iets tussen ons gebeuren. Het is tijd om hem voorgoed los te laten.’

‘Juist.’

*Maar toch.* ‘Hij is een vriend en misschien maakt hij zich zorgen om me. Ik heb de telefoon meestal niet de hele dag uit staan.’

‘Doe niet zo stom. Die vent is een hufter.’

*Ai.* ‘Bedankt voor alles,’ zei Vicki, en ze stapte de auto uit.

‘Morgenochtend om acht uur kom ik je halen.’

‘Dat is goed,’ riep Vicki zachtjes terug, om de buren niet wakker te maken. Ze liep met haar rugzak, portemonnee en camera naar de voordeur. Haar berichtjes bekeek ze wel als ze binnen was, niet waar Reheema bij was, die in de Sunbird bleef wachten met de motor aan. Verrassend. Vicki deed de deur open en zwaaide vanuit de deuropening, waarna de Sunbird wegreed.

Eenmaal binnen liet Vicki haar spullen op de grond vallen, sloeg tegen de lichtschakelaar en las het sms’je dat van Dan was.

MOET JE VANAVOND ZIEN, BEL ME MOBIEL

‘Nee,’ zei Vicki hardop. ‘Ik laat me niet twee keer neppen.’ Ze was niet van plan hem terug te bellen en het risico te lopen dat hij weer met Mariella in bed lag; bovendien betwijfelde ze of hij bedoelde dat ze hem zo laat nog moest terugbellen. Ze deed de voordeur op het dubbele slot, deed het licht in de woonkamer uit en liep met het mobieltje naar boven, maar de vaste telefoon in haar slaapkamer begon vrijwel direct te rinkelen toen ze op de overloop kwam. Een schel geluid in het doodstille huis. Ze liep door de gang en nam bij de derde keer op. Het was Dan.

‘Ben je thuis? Waar was je?’ Dan klonk eerder aangeslagen dan boos. ‘Ik maakte me gek van zorgen! Of was je soms bij die vent?’

‘Welke vent?’

‘Die vent van de dodenwake.’

*Delaney.* ‘Natuurlijk niet.’

‘Kan ik langskomen?’

'Nú? Het is over drieën!'

'Vick, toe. Ik wil langskomen.' Dans woorden klonken gejaagd. 'Ik zie je over vijf minuten.'

# 29

Het was de omgekeerde situatie. Dan zat, ongebruikelijk kalm gezien de situatie, aan haar keukentafel, en Vicki schonk een half glas koude chardonnay voor hen in die nog over was van de vorige avond. Zijn blauwe ogen zagen er uitgeput uit met dikke wallen, en zijn mond vormde een gelaten lijn. Hij droeg een kaki broek en een blauwgeruit flanellen overhemd dat hij zó haastig had aangetrokken dat de knoopjes scheef zaten.

'Alsjeblieft.' Vicki zette Dans glas voor hem op tafel en ging op haar vaste plaats tegenover hem zitten. 'Begin bij het begin.'

'Mariella heeft een verhouding met een andere arts, een eersteklas plastisch chirurg, een oudere vent in Cherry Hill.' Dans stem bleef beheerst en hij nam een slok wijn. 'Ze gaat van me scheiden om met hem te trouwen. Ze bedondert me al drie jaar. We zijn nog maar vier jaar getrouwd.'

Vicki nam een slokje wijn, om maar iets te doen. Ze was geschrokken en leefde mee, was gekwetst en verward tegelijkertijd. 'Hoe ben je erachter gekomen?'

'Ik zal het je in chronologische volgorde vertellen om het gemakkelijker te maken. Vanmorgen heeft ze me op mijn werk gedagvaard. Kun je dat geloven? Op mijn werk?' Dan schudde zijn hoofd. 'Zit ik in een vergadering met Bale, word ik weggeroepen en staat Louie voor mijn neus bij de receptie. Je weet wel, Louie de deurwaarder.'

'De deurwaarder die wij gebruiken?'

'Mariella, of haar advocaat, heeft kennelijk hetzelfde bedrijf ingehuurd. Toevallig, hè?' Dan schudde opnieuw verbijsterd zijn hoofd. 'Dus staat Louie daar om míj te dagvaarden. Ik maak de envelop open en zie dat het mijn eigen echtscheidingspapieren zijn! Dus denk ik natuurlijk dat het een grapje is. Een geintje van Bale, begrijp je?'

'O, god.' Vicki's mond viel open.

'Wacht, het wordt nog mooier. Dus ik loop de vergadering weer in en zeg tegen Bale: "Sufferd, ik ben echt niet van gisteren en daar trap ik heus niet in." Hij zegt me dat het geen grap is en kijkt me aan met een blik van: jij arme drommel.' Dan bleef zijn hoofd schudden. 'En ik bedoel, hij maakt dus geen geintje. Het was geen grap.'

'O, nee.' Vicki huiverde, vernederd namens Dan. Geen wonder dat hij haar de hele middag had geprobeerd te bereiken. Er was vandaag een bom in zijn wereld afgegaan. Ze had medelijden met hem.

'Ik heb dus de papieren en bel Mariella mobiel en ze neemt niet op. Ga ik vervolgens naar het ziekenhuis omdat ze me heeft gezegd dat ze dienst heeft, blijkt dat mijn bruid al twee dagen geen dienst heeft.' Dan zwijgt even veelzeggend. 'Dan ga ik naar huis om te zien of ze daar soms is, is het hele huis leeggehaald! Compleet kaal gestript!'

'Wát?'

'Het hele huis is leeg.' Dan sperde zijn ogen wijdopen en hij glimlachte ongelovig. 'Alles is verdwenen, alle meubels, alles behalve mijn kleren. De oude buurvrouw vertelde dat Mariella een uur nadat ik naar mijn werk was gegaan de verhuiswagen voor de deur had staan. Ze heeft Zoe zelfs meegenomen.'

'De kat?' Vicki kon het niet geloven. 'Je bent gek op dat beest!'

'Weet ik, en zij houdt niet eens van de kat! Ze heeft haar medicijnen niet eens meegenomen.'

'Wiens medicijnen?' Vicki begreep het niet.

'Van Zoe. Ze heeft Atenolol nodig voor haar hartruis, maar Mariella heeft de medicijnen niet meegenomen. Ze weet niet eens dat het beestje medicijnen nodig heeft. Elke ochtend een halve tablet.' Dan schudde zijn hoofd. 'Wat zal ik ongelooflijk stóm klinken. Jezus, ik bedoel, het is een kat, doe niet zo moeilijk!'

'Je klinkt niet stom.'

'Als een nicht. Ontzettend níchterig.' Dan haalde zijn vingers door zijn haar dat toch al door de war zat.

'Welnee. En toen? Hoe ben je erachter gekomen?'

'Oké, ik ben dus thuis en daar zit een briefje op de spiegel in de woonkamer geplakt waarop staat dat ik een of ander onbekend nummer moet bellen met kengetal 609. Dus dat doe ik. Ze neemt op en zegt me dat het over is, dat ons huwelijk over is.' Dan gebaarde naar de papieren op tafel. 'Dat ik maar beter de papieren voor de boedelverdeling kan ondertekenen. Dat ze verliefd is op die andere dokter, een Braziliáán. Hij is vijfenveertig of zoiets. Hij gaat bij zijn vrouw en twee kinderen weg en zij gaat bij mij weg.'

Vicki huiverde.

'O ja, en dan zegt ze ook nog: "Laat jouw advocaat mijn advocaat maar bellen. Dag."'

Vicki was verbijsterd. Ze kon het zich niet voorstellen.

'En toen begreep ik opeens dat dát dus de reden was dat ze mij ervan beschuldigde dat ik een verhouding had!' Dans ogen flitsten van woede. 'Weet je wel, van die ruzie van laatst, die knallende ruzie waar ik je over vertelde?'

'Ja.'

'Dáárom beschuldigde ze me, om het feit te verbergen dat zij mij al die tijd heeft bedonderd. Om me een rad voor ogen te draaien. De aanval is de beste verdediging.' Dan glimlachte meewarig. 'Hoe kil ís dat mens?'

'Wauw.' *Dat heb ik altijd al geweten.*

'Dus ik heb het afgelopen jaar, sinds wij elkaar kennen en helemaal niéts verkeerd hebben gedaan, alleen maar rekening gehouden met haar gevoelens en al die tijd bedroog zíj míj! En beschuldigde ze mij van een verhouding! Ha!' Dan glimlachte. 'Een duivel is het. Een kwaadaardig genie!'

Vicki kon er niet om glimlachen. 'Aan de andere kant, misschien dacht ze het echt, omdat zij het ook deed. Mensen projecteren hun ideeën op anderen, zoals leugenaars altijd denken dat anderen liegen.'

'Nee, het was een list en hij heeft gewerkt.' Dan krulde zijn bovenlip waar wat rode stoppels kwamen. 'Ik heb geen moment gedacht dat ze een verhouding had. Ik dacht dat ze hard werkte om chirurg te worden. Ik wist hoe zwaar die baan was, en ik dacht dat ze deed wat ze moest doen, net als jij. Een vrouw in een mannenwereld. Ik heb me gewoon laten bedotten.'

*Aah.* 'Wat afschuwelijk!'

'Zal ik je eens vertellen wat afschuwelijk is? Dat er al die tijd tegen je gelogen wordt. Ik wil er niet aan denken dat al die telefoontjes, spoedgevallen helemaal niet echt waren. Dát is wat ik zo akelig vind. Ik was stom. Blind.'

'Niet waar, je vertrouwde haar.' Vicki dacht ook aan een van die spoedgevallen. Ze hadden een keer in een restaurant gezeten en Mariella had een telefoontje gekregen en was direct vertrokken. 'Je kunt iemand moeilijk in twijfel trekken die weggaat om iemand het leven te redden.'

'Precies.' Dan zuchtte en leunde verrassend berustend achterover in zijn stoel. 'Dus mijn huwelijk is voorbij, maar het is gek, ik ben niet eens zo overstuur. Ik ben niet eens bedroefd, niet over het feit dat mijn huwelijk afgelopen is. Ik heb niet eens gehuild.'

Vicki keek hem weifelend aan en Dan wist wat ze dacht.

'Echt, Vick, geloof me, ik weet dat ik best mag huilen. Ik weet dat ik hoor te huilen. Maar ik heb er gewoon geen zin in.'

'Is dat de ontkenningsfase?'

'Nee, de realiteitsfase.'

'Maar je hield toch van haar, of niet?' *Zeg nee.*

'Ik geloof het eigenlijk niet. Het was geen goed huwelijk.' Dan haalde zijn schouders op. 'Grappig. Toen ze het me had verteld, ben ik naar de sportschool gegaan, maar er was niemand om een wedstrijd mee te spelen, dus heb ik zelf wat gespeeld tot ze dichtgingen. Daarna ben ik naar huis gegaan, mijn compleet lege huis, en heb ik lekker lang onder de douche gestaan. Volgens mij heb ik het mens eruit gezwéét.' Dan glimlachte. 'En ik heb mezelf met toiletpapier afgedroogd, want ze heeft alle handdoeken meegenomen.'

Vicki schoot in de lach. 'Werkt dat?'

'Ja hoor, als je het niet erg vindt dat je beenhaar onder de witte propjes komt te zitten.'

'Wat waanzinnig sensueel.'

Dan glimlachte. 'Bale had het over beginhuwelijken, oefenhuwelijken. Volgens hem was dat dit.'

'Bale is drie keer getrouwd geweest.'

'Hij is nog steeds aan het oefenen,' was Dans weerwoord, en ze moesten allebei lachen. Toen werden ze serieus. 'Dus dat was het dan. Ze mag die rotmeubelen hebben. Ik teken wel, dan krijgt ze de helft van het geld en is het over en uit.'

Vicki fronste haar wenkbrauwen en nam een slok van haar wijn. 'Maar verdiende jij niet het meest? Ik bedoel, wat verdient ze als chirurg-in-opleiding?'

'Wat maakt het uit?' Dan zweeg even alsof hij op antwoord wachtte, maar Vicki had geen antwoord. 'Ze mag het hebben. Ik heb geen zin in ruzie, ik wil verder. We verkopen het huis en delen de opbrengst.'

'Wil je niet eerst met je advocaat praten?'

'Nee, ik bén advocaat. Maar ik wil Zoe terug. Een man kan niet zonder zijn kat.' Dan stond met zijn volle glas in zijn hand op en nam het mee naar het aanrecht. Vicki kwam overeind.

'Vind je de wijn niet lekker?'

'Jawel, maar ik heb genoeg gehad. Ik ben een brave jongen en ga mijn glas afwassen.'

'Dat doe ik wel.' Vicki kwam achter hem staan. 'Jij hoeft op een avond als deze niet af te wassen.'

'Waarom niet? Dat doe ik toch altijd?' Dan draaide de warme kraan open en regelde de temperatuur. 'Ik sta altijd bij deze wasbak, precies zoals nu, terwijl jij over mijn rechterschouder hangt en staat te kleppen terwijl ik afwas.'

Vicki glimlachte. 'Ik was ook wel eens af.'

'Soms wel, maar meestal doe ik het. Koken. Koffiezetten. Ik ben écht een nicht.'

Vicki schoot in de lach. 'Je bent gewoon een goede vriend.'

'Ik ben je béste vriend, toch?'

'Toevallig wel.' Vicki glimlachte en voelde zich helemaal warm worden. Deels door de wijn. En deels niet.

Dan draaide zich om en keek haar met een eerlijke blik recht aan. 'En jij de mijne.'

Vicki knikte en er viel een stilte.

Dan deed de kraan dicht, zette het wijnglas omgekeerd op het aanrecht en keek haar weer aan. 'En dát, mijn lieve, is waarom ik geen ruzie ga maken over serviesgoed. Want Mariella had wat betreft één ding wel gelijk.'

'Wat dan?'

'Ik was al die tijd al op iemand anders verliefd.'

*Slik.* 'Echt waar?'

'Echt waar. Ik deel alles met deze vrouw. Kipfilet en slotpleidooien en melige e-mails op de BlackBerry. En het verbazingwekkende is dat ik het gevoel heb alsof ze altijd bij me is, ook als ze er niet is. Waar ze ook is en waar ik ook ben, ik voel een band, een intense band met haar.'

Vicki's hart ging tekeer. Al haar organen gingen tekeer.

'Ik heb nooit een verhouding met haar gehad, maar om je de waarheid te zeggen, wilde ik het wel.' Dans stem werd zachter. 'Ik heb haar nooit op die manier aangeraakt, maar ik heb het me voorgesteld. Ik heb haar nog nooit zonder kleren gezien, maar ik weet precies hoe haar lichaam er naakt uitziet. En ik heb al zo vaak met haar gevreeën in mijn gedachten, dat ik de tel kwijt ben.'

Vicki kreeg het merkwaardige gevoel dat ze wel kon janken. *Ik hoop toch echt dat ik dat meisje ben.*

'Die avond toen ik dacht ik je kwijt zou raken, vertelde ik én besefte ik ook echt dat je mijn beste vriendin bent. Weet je dat nog?'

Vicki knikte. Ze had tranen in haar ogen. Ze had al zo lang willen horen wat hij nu zei, dat het op de een of andere manier pijn deed om het te horen, alsof de zoetheid te veel was.

'Nou, je bent mijn beste vriendin. En dus hou ik van je.' Toen boog Dan zich langzaam voorover en kuste hij haar teder. En zij kuste hem even teder terug, totdat ze voelde dat zijn heupen dichterbij kwamen en ze zijn tong aarzelend in haar mond voelde. Het volgende moment had hij zijn armen stevig om haar heen geslagen en snoof Vicki de lucht op van zeep op zijn ruwe wang.

Toch was er iets wat haar tegenhield. 'Is dit wel een goed idee?' vroeg ze bezorgd, en Dan glimlachte lief en hield haar in zijn armen.

'Hou je van me?'

'Ja,' antwoordde Vicki, want dat was ook zo en dat was al heel lang zo.

'Dan is het een héél goed idee.' Dan grijnsde.

'Maar doe je dit niet uit verdriet?'

'Ik doe dit uit liefde.'

Vicki glimlachte. 'En het gebeurt echt?'

'Als je nou eens je mond houdt, wel.'

Vicki lachte en Dan lachte ook en de lach eindigde met een blije zoen en een intensere zoen die ook blij was, maar dan anders, serieuzer. En de serieuze zoen werd niet onderbroken toen het strelen begon of toen zijn flanellen overhemd uitging en haar dikke visserstrui en haar witte coltrui en haar oude Harvard T-shirt en ten slotte haar roze thermische hemd. Dat was het moment waarop Dan verbijsterd begon te lachen.

'Vick, waar ben jij in vredesnaam op gekleed?'

*Oeps.* 'Sleetje rijden met de kinderen van de overkant.'

Dan kuste haar opnieuw, waarna zijn mond langs haar nek een weg omlaag zocht naar haar borst. Hij legde zijn handen tegen haar rug en maakte haar beha los, liet de zijden bandjes van haar schouders glijden en nam haar volle ronding in zijn mond. Warmte schoot door haar heen, ze voelde zich slap en onwillekeurige kromde Vicki haar rug, gaf ze zichzelf aan hem over en genoot ze van het gevoel van zijn mond op haar huid en zijn handen overal op haar lichaam. Even later hoorde ze zichzelf fluisteren: 'Kom mee naar boven.'

Vicki werd wakker toen er op de voordeur geklopt werd en ze keek met één oog naar de wekker. De rode cijfertjes lichtten op. 08:15 uur. Ze knipperde met haar ogen vanwege het lawaai, totdat haar hersenen gingen werken.

*Dat is Reheema. Ik ben vreselijk betrapt.*

Ze schoof de dekens zachtjes opzij om Dan niet wakker te maken, stapte uit bed en liep haastig naar de badkamer. Ze had geen tijd om te douchen en ze griste een roze badjas mee en trok die onderweg aan. Dan lag diep te slapen aan de andere kant van het bed met zijn gezicht in het kussen, zijn rossige haar een heerlijke, warrige dos.

*Dan Malloy ligt in mijn bed. Joepie!*

Vicki rende naar beneden en gooide de voordeur open voor de koude wind en de ongebruikelijk opgewekte Reheema Bristow. Reheema's ogen waren helderbruin, haar glimlach was breed en ze droeg haar gebreide muts en jekker, een spijkerbroek en Timberlands. Ze had een roze met oranje bekertje met koffie bij zich met een plastic deksel.

'Yo, meisie.' Reheema gaf haar de koffie. 'Zo te zien kun je dit wel gebruiken.'

'Goh, dank je,' zei Vicki zacht, zodat ze Dan niet wakker zou maken. Ze nam de koffie aan en trok schuldbewust haar badjas wat strakker om zich heen. 'Sorry, ik ben een beetje laat.'

'Geef niks.' Reheema stapte de woonkamer in en keek om zich heen. 'Mooi.'

'Dank je,' zei Vicki zacht.

'Waarom fluister je?'

'Ik fluister niet,' fluisterde Vicki.

'Wel waar,' zei Reheema, die toen haar ogen afkeurend samenkneep. 'O nee, zeg me dat het niet waar is.'

'Ik leg het straks wel. Kom even mee.' Vicki wenkte haar de kamer uit, langs de eetkamer en naar de keuken, waarna ze haar kop koffie neerzette en haar surveillance-outfit bijeenraapte die in een hoop op de vloer lag.

'In de keuken?' Reheema's toon was vol bewondering, alsof ze verbaasd was. 'Je hebt het in de kéúken gedaan? Allemachtig!'

'Draai je eens om, ik schaam me dood,' zei Vicki, en toen Reheema zich had omgedraaid, liet ze haar badjas vallen en trok ze razendsnel haar slipje en spijkerbroek aan.

'Jij schaamt je dood? Je schaamde je gisteravond anders niet, toen je het goddomme op de vlóér deed.' De straatmeid in Reheema moest er hartelijk om lachen. 'Je schaamde je niet dóód. Je was blóót.'

'Heel grappig.' Vicki deed haar beha, haar thermisch ondergoed, T-shirt, coltrui, visserstrui en twee paar thermische sokken aan, waarvan er één verdacht groot was.

'Heb je die man in de keuken genomen?'

'Wacht hier, alsjeblieft.' Vicki rende op kousenvoeten langs Reheema door de eetkamer naar boven. Ze wilde niet dat Dan erachter kwam wat ze vandaag ging doen. Ze werd liever door Reheema betrapt dan door hem. Ze kwam bij de slaapkamer en gleed stilletjes op haar zachte sokken over de hardhouten vloer naar de andere kant van het bed, waar Dan net wakker werd en slaperig met zijn vuist in zijn ogen wreef.

'Vick?'

'Schatje.' Vicki boog zich over hem heen en gaf hem een snelle zoen op zijn wang die heerlijke stoppels had. 'Slaap lekker verder. Je hebt het huis voor jou alleen. De deur valt in het slot als je hem achter je dichttrekt. Pas goed op jezelf. Ik moet gaan.'

'Wat? Waar naartoe?' Dan tilde zijn hoofd op en deed zijn ogen in lichtblauwe verwarring open. Hij stonk net zo uit zijn mond als zij, en dat was het enige positieve aan wat er tot dusverre die morgen was gebeurd.

'Ik bel je nog wel. Ga lekker slapen. Ik hou van je.' Vicki gaf hem nog een zoen, rechtte toen haar rug en liep haastig de kamer uit, rende de trap af, waar Reheema zich verkneukelend bij de voordeur stond te wachten met de koffie en rode sneeuwlaarzen.

'In de kéúken?' fluisterde ze grijnzend. Vicki negeerde haar terwijl ze haar laarzen pakte en aandeed, vervolgens haar portemonnee en rugzak meegriste en de voordeur opendeed.

Boven riep Dan: 'Ik hou ook van jou!'

Vicki werkte Reheema en zichzelf de deur uit en sloeg de deur dicht voordat Reheema hardop kon zeggen: 'O nee, ga me niet vertellen dat het zó zit!'

# 30

Grijze en witte sneeuwwolken stonden aan de lucht toen Vicki en Reheema om de wijk Overbrook Hill heen reden waar naar hun idee Jamal Browning moest wonen. Ze verkenden het terrein voordat ze de auto parkeerden. Bij daglicht was zijn huis een keurig onderhouden, maar bescheiden twee-onder-een-kapwoning, en in de voortuin, waar een duur gietijzeren hek omheen stond, lagen een met sneeuw bedekte glijbaan, een step en een zwarte BMX met zijwieltjes.

'Er zit geen slot op die BMX,' zei Vicki, en ze nam een foto met de telelens.

'Er is echt níémand die het speelgoed van dát kind zal afpakken.' Reheema parkeerde de Sunbird iets verderop naast een berg vieze sneeuw, langs de stoep, voor een zijtuin zodat ze niet recht voor een huis stonden. Er stonden meer woonhuizen dan in Cater en Aspinall; de meisjes konden hier geen eeuwigheid onopgemerkt blijven zitten. Reheema zette de motor af. 'Dit is de beste plek.'

'Misschien moeten we straks nog een rondje rijden, niet te lang stil blijven staan.' Vicki keek om zich heen. Schoolkinderen met Spiderman-lunchtrommeltjes en rugzakken verzamelden zich met hun waakzame moeders op de hoek aan de andere kant van de straat. Kennelijk wachtten ze op een schoolbus. Onwillekeurig moest Vicki glimlachen bij het zien van dit tafereel. 'Zijn die kinderen niet schattig?'

Reheema nam een slok van haar koffie van McDonald's, waar ze langs waren geweest voor een sanitaire stop en ontbijt.

'Ze zijn zo klein, hè? Niet te geloven dat wij ooit zo klein waren, maar toch is het zo.'

Reheema keek opzij. 'Ga je verdomme de hele dag zo doen?'

'Hoe?'

'Nou ja, zo vrolijk en blank.'

Vicki schoot in de lach. 'Hè?'

'Doe normaal.'

'Hoezo? Ik kan er niets aan doen.' Vicki dacht aan de vorige avond, een beeld om urenlang dromerig van te blijven. Ze had een uur geslapen en drie orgasmen gehad, een geweldige verhouding. 'Ik hou van die man.'

'Daar is het nog te vroeg voor.'

'Ga weg. Het speelt al een jaar. Een jáár lang voorspel.' Vicki had Reheema verteld over Mariella en Dan, wat om de een of andere reden niet al haar zorgen had gesust. Maar Vicki was te gelukkig of te moe om naar enige bezwaren te luisteren. 'Hij is een fantastische vent. Gewoon geweldig.'

'Het valt niet mee om erg opgewonden te raken over een openbaar aanklager.'

*Assistent.* 'Helemaal niet.'

'Zo.' Reheema zweeg even met een insinuerende grijns. 'Hóé opgewonden?'

'Opgewonden genoeg, en meer zeg ik er niet over.' Ze moesten allebei lachen en richtten hun aandacht weer op het huis.

'Ik denk niet dat hij voorlopig naar buiten komt,' zei Reheema. 'Drugdealers beginnen hun dag niet zo vroeg, maar ik wilde hem niet mislopen.'

'Tuurlijk. Logisch.' Maar Vicki dacht aan liefde, in het bijzonder wat betreft Reheema. 'Het verbaasde me dat jij niemand hebt.'

'Niemand in het bijzonder.'

'Waarom niet? Ik bedoel, je bent aantrekkelijk, je bent slim en je hebt een waanzinnig lijf.'

'Rustig, rustig.'

Vicki glimlachte. 'Je bent net een fotomodel, zelfs met die belachelijke muts.'

'En dat zegt een meisje met brandweermanlaarzen aan.'

Ze moesten weer lachen. Ze waren vandaag iets meer ontspannen, al was het maar een fractie. 'Dus?' vroeg Vicki even later.

'Wat?'

'Zeg op.'

'Er was wel een man, maar nu niet meer.' Reheema keek opzij, haar emoties verborgen achter haar zonnebril, hoewel ze glimlachte. 'En meer zeg ik er niet over.'

Vicki draaide haar hoofd om toen een schoolbus aan kwam rijden, op de hoek tot stilstand kwam en zwarte rook uitstootte. De deuren gingen met een klap open en de kinderen stroomden tegen wil en dank naar binnen na nog een laatste zoen en een omhelzing. De bus reed bij de zwaaiende moeders weg en Vicki zag dat de voordeur van het huis openging. 'Kijk, Ree.'

Reheema bracht de verrekijker naar haar zonnebril. 'Mijn moeder noemde me altijd Ree.'

*Oeps.* Vicki nam een foto toen er een knappe, zwarte vrouw het huis uit kwam met een schattig klein jongetje dat ongeveer vier jaar was. Het waren onmiskenbaar moeder en zoon; ze hadden dezelfde lange, slanke bouw, dezelfde grote, bijna zwarte ogen en hetzelfde korte haar. Ze droegen zelfs bijpassende rode Sixers-jasjes die Vicki's gedachten aan liefde verjoegen en vervingen door een afschuwelijke herinnering aan de avond dat Morty was vermoord. Ze nam nog een foto, blij dat de camera haar gezicht afschermde.

'Dan kunnen we nu zien wat hun auto is.' Reheema bracht haar verrekijker omhoog. 'Ik gok op de Lexus. En jij?'

*Morty.* Vicki had geen zin in een spelletje autoraden. Ze keek toe terwijl de jonge moeder, met een paarse mat onder haar arm, bleef staan om een sigaret op te steken en de andere moeders op de hoek begroette die nu huns weegs gingen. Toen zei ze gedag en liep ze met het kind naar een goudkleurige Explorer, deed met een piep van de afstandsbediening het slot open en stapte in.

'Ik begin het te verleren.' Reheema klakte met haar tong. 'Allemachtig, wat heeft ze onder haar arm? Die paarse rol. Dat is toch geen yogamat, hè?'

'Toch wel.' Vicki nam een foto van het nummerbord toen de goudkleurige Explorer wegreed. 'Ik denk niet dat we haar moeten volgen. Volgens mij gaat ze gewoon het kind naar de kleuterschool brengen en ik wil onze man niet mislopen.'

'Ze heeft een yogamat bij zich? Een yogamat? Gaat ze die sigaret tijdens yoga roken?'

Vicki liet haar camera zakken en Reheema keek haar over de rand van haar zonnebril aan.

'Gaat-ie, Tinkerbel?'

*Nee.* 'Komen we al dichterbij degene die mijn partner heeft vermoord?'

'We doen wat we kunnen.'

'Zeg me dat we hem te pakken kunnen krijgen.'

'Dat kan ik niet. Ik kan je alleen zeggen dat we ons best doen.'

Vicki knipperde met haar ogen. 'Meer kan ik niet vragen.'

Twee uur later kwam er een witte Neon de hoek om die op hen af kwam en beide vrouwen zagen het op hetzelfde moment.

'De chauffeur is er!' zei Reheema, die plotseling overeind kwam. Vicki greep de camera, richtte hem op de voorruit van de Neon en nam snel wat foto's. De wolkenlucht weerspiegelde in de ruit, maar misschien konden ze er op de computer nog iets van maken. De vrouwen keken ingespannen toe en een paar minuten later ging de voordeur open en kwam er een lange man naar buiten met een zwarte Adidas-tas.

'Dat is hem!' schreeuwde Vicki bijna, toen ze Browning door de telelens herkende. 'Reheema, herken je hem?'

'Nee, ik heb die man nog nooit gezien.'

'Verdraaid!' Vicki nam vijf close-ups van Brownings gezicht terwijl hij haastig met zijn slingerende Adidas-tas naar de Neon liep, het passagiersportier opentrok en erin stapte.

'Bukken!' zei Reheema snel, en ze doken allebei weg zodat hun hoofd niet zichtbaar was toen de Neon langsreed.

'Ik dacht dat je dat dom vond,' zei Vicki opgewonden, en Reheema kwam weer overeind en startte de motor.

'Als jij het doet is het dom, niet als ik het doe.' Reheema reed snel de weg op.

'Rij nou!' zei Vicki onnodig, omdat ze al door de straat reden en rechts af sloegen. 'We moeten bij hem blijven. We mogen hem niet kwijtraken.'

'We raken hem niet kwijt,' zei Reheema ingespannen. 'Ik ben nog nooit een man kwijtgeraakt die ik wilde houden.'

Toen ze de witte Neon een tijd lang door het drukke verkeer hadden gevolgd langs bussen en auto's en sneeuwploegen en zoutwagens, tot aan Zuid-Philadelphia, kwamen ze op een parkeerplaats tot stilstand bij de eerste stop van de drugdealer: een Toys "Я" Us.

'Niet te geloven!' zei Vicki, en ze ging wat rechter op zitten. Vijf minuten geleden waren Browning en zijn maat uit de Neon gestapt, hadden ze een winkelwagentje gepakt en waren ze de winkel in gelopen. 'Wat voor drugdealer gaat nou wínkelen? Bij Toys "Я" Us?'

'Een voordelige zaak.' Reheema moest lachen. 'Misschien wil hij een bordspel kopen.'

'Maar hij moet een drugdealer voorstellen!' Vicki schreeuwde bijna, maar wist zich nog net in te houden. Ze hield niet van vloeken, zo was ze niet opgevoed. Wel om drie orgasmen te hebben. Haar frustratie werd haar te veel. 'Hoe sáái kun je zijn?'

Reheema lachte. 'Ik weet het niet, hoor. Zijn vrouw doet aan yoga en hij winkelt bij Toys "Я" Us. Als je het mij vraagt moet die jongen in relatietherapie. Hij zit zwaar onder de plak.'

'Als het niet zo zonde van de tijd was, zou het grappig zijn.' Vicki keek naar de ingang. De Toys "Я" Us stond op de hoek van het grote winkelcentrum waar klanten uit de hele stad kwamen. Op het parkeerterrein dat twee straten lang was, krioelde het van de auto's en busjes op zoek naar een parkeerplek. Overal liepen vrouwen en kinderen met kinderwagens en winkelwagentjes. Vicki slaakte een zucht. 'Hoe komen we op deze manier ooit iets over Browning te weten? Of over zijn handelaar of over zijn relatie tot jou?'

Reheema lachte niet meer. 'Wat denk je dat zijn relatie tot mij is?'

'Als je Browning niet herkent, dan weet ik het niet. Tenzij hij jou kent en jij hem niet.'

'Er is maar één manier om daar achter te komen.' Reheema zette haar muts en zonnebril af. 'Ik ga shoppen.'

'Wat bedoel je?' Vicki reageerde paniekerig. Dit hoorde niet bij het Grote Plan en ook niet bij het Nieuwe Grote Plan. 'Wat ga je doen?'

'Langs hem heen lopen, kijken of hij me herkent, of hij iets tegen me zegt.' Reheema deed de deur open en een koude golf lucht waaide naar binnen. 'Je bent niet de enige die ongeduldig wordt.'

'Ik weet het niet.' Vicki kon het zo snel niet verwerken. 'Misschien is hij gevaarlijk.'

'In een speelgoedwinkel?' Reheema stapte uit en sloeg het portier dicht.

'Wacht, wees voorzichtig,' riep Vicki haar na, terwijl ze het zijraampje omlaag draaide, maar Reheema beende al weg en ging regelrecht op de ingang van de Toys "Я" Us af. Ze vormde een lang, donker silhouet met de jekker en spijkerbroek en in de logge Timberlands leek ze net een man, alleen haar heupwiegende gang verraadde haar. Ze baande zich een weg tussen de moeders en kinderen door, griste een winkelwagentje mee en reed ermee de winkel in. Vicki pakte de camera om haar beter te kunnen zien door de telelens.

*Ring! Ring!* Vicki schoot van schrik de lucht in. Haar mobiel. Ze dook haar rugzak in die op het blauwe kleedje van de Sunbird lag en pakte de telefoon. DAN stond er op het display. Goed en fout. Ze moest hem opnemen anders werd hij achterdochtig. Bovendien was ze gek op hem. Ze zat te hannesen met de camera om de telefoon open te klappen.

'Dan, ik ben gek op je, maar ik kan nu niet met je praten.'

'Wat heb je aan?'

'Geen tijd. Ik moet gaan.'

'Zeg, gisteravond was...'

'De beste avond van mijn leven, maar ik moet ophangen.' Vicki bleef door de camera kijken.

'Wacht even, ik wil je iets vragen. Heb je de kleren die op de keukenvloer lagen weer aangetrokken?'

*Eh.* 'Nee, die ik heb ik naar de stomerij gebracht.' Winkelende mensen met kinderen aan de hand liepen in en uit de Toys "Я" Us. Geen Reheema.

'Laat jij je spijkerbroeken stomen?'

'Soms, en ik moet ophangen.'

'Waar zít je?'

'Ik ben aan het winkelen.'

'Waar?'

'Bij Neiman Marcus.'

'In de voorstad?' Dan bromde wat. 'Maar je auto staat nog in de garage.'

'Een vriendin heeft me opgehaald.'

'Ik geloof je niet, lieverd. Waar ben je mee bezig?'

Betrapt. 'Oké dan, het is een verrassing. Een verrassing voor jou. Zeg nou dat alles goed me je is zodat ik kan ophangen.'

'Meer dan goed. Ik ga scheiden.'

'Nu al?' Vicki keek door de camera naar de ingang van de winkel. Een oude man met een rollator ging naar binnen, maar nog steeds geen spoor van Reheema.

'Ik heb de papieren getekend en per koerier naar haar advocaat gestuurd en zij heeft ermee ingestemd om me Zoe te geven. Z'n wérkster komt hem brengen. En trouwens, die vergadering met de FBI en de ATF over het onderzoek naar Morty is vandaag.'

*De vergadering.* Door alles wat er speelde, was Vicki het vergeten.

'Ik hou je op de hoogte. Misschien ga ik er toch naartoe.'

'Echt waar?' Afwezig keek Vicki naar de ingang van de Toys "Я" Us. Twee jongetjes waren ruzie aan het maken over een nieuwe step. 'Dan moet je me alles vertellen.'

'Natuurlijk. Als je straks thuis bent.'

*Dat klonk goed.* 'Leg ze het vuur na aan de schenen.' Dat klonk als iets wat ze zou kunnen zeggen in Neiman Marcus. 'Ik moet gaan. Ik bel je straks. Dag.'

Ze klapte de telefoon dicht, legde hem neer en richtte haar aandacht via de telelens weer op de ingang van de winkel. Haar hart ging weer tekeer, maar ze wist niet of het kwam door ware liefde of ware angst. Als Browning Reheema kende, zou hij haar dan iets aandoen? Vicki legde haar hand op de deurkruk, wilde haar achternagaan, maar weerhield zich ervan. Vicki was overal in het nieuws geweest en zelfs met een zonnebril en honkbalpet zou iemand haar kunnen herkennen. En Browning zou Reheema in het openbaar toch niets aandoen? Maar toch, als Reheema over vijf minuten niet terugkwam, ging Vicki naar binnen.

Ze bleef naar de ingang kijken en nam een paar foto's. Een winkelbediende in een blauw schort verzamelde winkelwagentjes op het parkeerterrein. Een wit busje remde bij de ingang af en wachtte op een parkeerplaats. Een man en zijn vrouw liepen dicht tegen elkaar aan tegen de kou naar binnen, samen met twee kinderen, gevolgd door een vrouw met drie kinderen die in een slinger hand in hand liepen. En toen herkende Vicki Reheema door de telelens, vooral aan haar herkenbare manier van lopen.

'Ja!' riep Vicki. Vervolgens kon ze haar ogen niet geloven: Reheema kwam samen met Browning de winkel uit!

*Wat?* Vicki hield de camera bij haar oog en nam verbijsterd een serie foto's. Onder het lopen zette Reheema al glimlachend haar muts op, en Browning glimlachte ook. Hij had een plastic zak met rood-witte Huggies bij zich. Ze praatten als oude vrienden en aan de andere kant van Browning liep zijn chauffeur met hen mee, die ook een tas met Huggies droeg.

Reheema was niet alleen veilig, ze had ook nog eens gescoord! Vicki begreep er niets van, maar maakte nog een foto. Kende Browning Reheema, of was ze in de winkel met hem aan de praat geraakt? Hoe waren ze zo snel vrienden geworden? Wat was hier in vredesnaam aan de hand? Dit hoorde toch helemaal niet bij het Plan?

Opeens hoorde Vicki een oorverdovend *pop pop pop* vanuit de ingang van de winkel. Ze knipperde niet-begrijpend met haar ogen. Ze kende dat geluid. Dat was onmiskenbaar.

Schoten.

# 31

'Reheema! Rénnen!' gilde Vicki. Ze liet de camera vallen, gooide het autoportier open en rende naar Reheema.

*Pop pop pop!* Reheema schoot weg en sprintte in haar zware Timberlands naar de Sunbird. Moeders schreeuwden in doodsangst en namen hun huilende kleuters in hun armen. Een klein jongetje draaide zich om in de richting van de schoten en sloeg zijn handjes voor zijn oren. Twee kleine meisjes vluchtten in paniek, hun paardenstaarten wapperend in de wind.

*Pop pop pop.* Nog meer schoten. Het leek wel een oorlogsgebied. Browning zakte door zijn knieën en viel voorover op het asfalt. Een jongetje in zijn buurt werd geraakt toen hij wilde wegrennen. Brownings chauffeur was geraakt en liet de Huggies vallen. Een kleuter zakte naast zijn moeder op de grond en het roze gewatteerde pakje van het kind was gruwelijk besmeurd met bloed.

*Pop pop pop!* De winkelbediende rende voor zijn leven, maar werd geraakt. Een moeder werd beschoten, struikelde en liet haar peuter vallen. Het witte busje dat bij de ingang van de winkel had gestaan scheurde met piepende banden de parkeerplaats af. Vicki kon al rennend het nummerbord niet lezen.

'Reheema!' schreeuwde ze.

'Ga naar de auto!' Reheema greep Vicki bij de arm en samen renden ze terug naar de Sunbird en sprongen erin. Politiesirenes loeiden dichtbij. In dit drukke deel van de stad was hulp al onderweg.

'Gaat het?' Bijna ademloos klapte Vicki het portier dicht, ze greep haar mobieltje en belde het alarmnummer. Mannen en vrouwen renden vanuit de winkel naar de slachtoffers en één winkelbediende kwam hollend naar buiten terwijl hij iets in een mobiele telefoon riep.

'Ik leef!' Reheema trapte het gaspedaal in.

En ze waren weg.

De Sunbird kwam ten slotte tot stilstand bij de eerste Ierse pub langs de snelweg. Tegen die tijd haalden de twee vrouwen weer rustig adem en zaten ze met betraande ogen en helemaal van slag naast elkaar aan de hoek van de bouwvallige houten bar. De vernis op het houten oppervlak bladderde als transparante nagellak en de stapel papieren onderzettertjes rook naar schoonmaakmiddel. Er zaten twee dronken mannen aan de andere kant van de bar in de buurt van de barkeeper, verder was het er leeg. Het geluid van de televisie aan de wand stond uit, maar Britney Spears zong zo hard 'Toxic' dat je het bijna kon horen.

Vicki staarde verbijsterd naar het borrelglas voor zich, waar een amberkleurige vloeistof in zat. 'Ik drink nooit sterkedrank.'

Reheema zat in elkaar gezakt voor haar glas. 'Ik drink helemaal niet.'

'Wie heeft de drank dan besteld?'

'Jij, of misschien ik wel,' antwoordde Reheema, waarna ze haar glas pakte. 'Daar gaan we.'

Vicki pakte haar glas. 'Een, twee, drie.' Ze sloegen samen hun glas achterover, slikten tegelijkertijd en zetten op exact hetzelfde moment hun glas met een indrukwekkende klap neer. Nog steeds verbijsterd zei Vicki: 'Dat hielp niet, hè?'

'Nee. Niets helpt.' Reheema schudde haar hoofd. 'Ik heb nog nooit in mijn leven zoiets gezien. En ik heb afschuwelijke dingen gezien.'

Vicki knikte. Haar keel brandde. 'Het was een bloedbad. Ik bedoel, ze schoten op alles. Het maakte ze niet uit wie ze raakten. Kleine kinderen. Baby's.' Ze deed haar best om niet te huilen. Ze was te verbijsterd om te huilen. Ze wilde het begrijpen. 'Maar degene die ze wilden hebben, hebben ze gepakt. Browning.'

'Daar lijkt het wel op.'

'We hadden moeten blijven om te helpen.'

'Ze hadden de situatie onder controle. De politie was onderweg.'

'Vertel eens wat er is gebeurd.'

'Je hebt zelf gezíén wat er is gebeurd.' Reheema veegde haar ogen af, maar Vicki wilde alle details horen.

'Vertel me hoe het in de winkel ging, misschien kunnen we dan uitvogelen wat er is gebeurd. Anders ga ik over twee minuten naar de politie.'

'Nog een rondje!' riep Reheema naar de barkeeper, die een minuutje later hun glas bijschonk en zich vervolgens wijselijk terugtrok. Ze zuchtte en schudde haar hoofd. 'O man. Dit is erg, heel erg.'

'Probeer je te concentreren en vertel het me.'

'Nou, ik ben Browning twee keer gepasseerd in de winkel. Ik had mijn muts en zonnebril afgedaan en ervoor gezorgd dat hij mijn gezicht kon zien. Hij keek beide keren mijn kant op alsof ik een vreemde was. Ik geloof niet dat hij me kent.'

'Weet je het zeker?'

Reheema sloeg haar tweede borrel achterover. 'Ja. Hij stond in het gangpad met de luiers en hij en de chauffeur stonden grapjes te maken. Zo te horen was hij vergeten wat voor luiers hij moest kopen en toen liep ik door het gangpad. Ik deed alsof ik babyolie wilde kopen en hij vroeg me welke maat luiers hij moest hebben voor een kind van een halfjaar.' Reheema begon met haar lege borrelglas te spelen. 'Dat sloeg helemaal nergens op, want dat staat op de verpakking.'

'Voor welke baby zou hij boodschappen doen? Het kind dat we zagen was ongeveer vier.' Vicki probeerde logisch na te denken ondanks de schoten die in haar hoofd nagalmden. 'Als er daar thuis een baby was, zou zijn vrouw, of wie het ook was, het niet alleen hebben gelaten om naar yoga te gaan.'

'Die vent is een player, een gangsta,' zei Reheema vermoeid. 'Die heeft overal kinderen.'

'O. Oké.'

'Hij vroeg naar mijn kinderen.' Reheema bleef met haar glas spelen. 'Ik zei dat ik die niet had. Dat de babyolie voor mezelf was bedoeld.'

'Goeie.'

'Toen vroeg hij hoe ik heette, en ik zei Marcia en ik vroeg hoe hij heette en hij zei Jamal, en hij vroeg of ik in de buurt woonde en toen zei ik dat ik uit D.C. kwam en een dagje bij mijn zus op bezoek was.'

'Je kunt beter liegen dan ik.'

'Ik ben mijn moeders dochter.'

*Au.* Vicki voelde een golf van medeleven en spijt. 'Zeg, misschien moeten we hier even mee wachten. We zijn allebei overstuur en jij had wel...'

'Het gaat wel.'

'Je had wel dood kunnen zijn.'

'Maar dat ben ik niet.' Reheema liet haar glas staan. 'Afijn, hij en ik, we spraken nog wat en de chauffeur pakte de luiers en toen zei Jamal dat hij een stukje met me mee zou lopen tot de uitgang. Ik begon een beetje zenuwachtig te worden en ik zei dat ik met de bus was, en toen we buiten waren, vroeg hij mijn nummer en ik wilde hem net een vals nummer geven toen er werd geschoten.'

'Dat is alles?'

'Dat is alles.'

Vicki keek naar haar tweede glas dat onaangeroerd voor haar stond. 'Dus wat weten we nu? Eén: Browning kent jou niet. Twee: iemand wilde Browning dood hebben en dat is gelukt. En drie: de nieuwe slechterik rijdt in een wit busje.'

'Wacht, kijk.' Reheema wees naar de televisie boven de bar waar een blauwe balk zichtbaar was met daarop EXTRA NIEUWSUITZENDING.

'Mag het geluid wat harder?' riep Vicki naar de barkeeper die zijn hand uitstak en het geluid zo hard zette dat het Britney overstemde. Het scherm ging over op beelden van de parkeerplaats met daarboven in rode hoofdletters de tekst Toys "Я" Us BLOEDBAD. Een aantrekkelijke verslaggever in een rood pak en een stijf kapsel kwam in beeld en sprak in een grote microfoon.

'Vanmiddag rond halfeen zijn bij een schietpartij bij de Toys "Я" Us aan Regon Avenue zeven mensen omgekomen en vijftien mensen gewond geraakt, van wie vijf in kritieke toestand verkeren. De gewonden zijn naar verschillende ziekenhuizen in de buurt overgebracht...'

Vicki voelde zich misselijk worden en kon er nauwelijks naar kijken. *Zeven doden. Browning. Zijn chauffeur. De winkelbediende. De moeder. De baby, de peuter, andere kinderen, wie nog meer?*

De verslaggever ging verder: 'De politie is op zoek naar een wit busje van het merk Dodge, bouwjaar 2003, met een Amerikaanse vlag op het linkerachterraam, zonder kenteken. Uiteraard zijn er veel van zulke busjes in de omgeving van Delaware Valley, maar kijkers die een witte Dodge, bouwjaar 2003, zien met een vlag op het achterraam wordt verzocht de tiplijn van de politie of Action News te bellen op...'

Vicki liet haar schouders zakken. *Morty. Jackson. De baby.*

Het beeld ging over op een ander verhaal, een brand in een pakhuis in het noordoosten, en beide vrouwen draaiden zich om. Reheema zuchtte. 'En, waar waren we?'

Vicki ging rechtop zitten. 'Nu bestaat de mogelijkheid dat Jay-Boy en Teeg, de jongens die mijn partner en Jackson hebben vermoord, helemaal niet voor Jamal Browning werkten. Dat dacht ik eerst en ik dacht dat ze het op Shayla Jackson hadden gemunt, vanwege jou of jouw rechtszaak en omdat Jackson en Browning uit elkaar gingen.' Vicki dwong zichzelf om logisch na te denken ondanks de shock en de whisky. 'Maar na dit én omdat Browning jou niet kende, denk ik dat Browning het echte doelwit was en dat hij werd aangevallen door een rivaliserende bende.'

Reheema knikte. 'Je bedoelt dat de tieners die jouw partner hebben vermoord voor de vent in het witte busje of diens baas werkten?'

'Ja.'

'Maar waarom zouden ze zijn vriendin vermoorden? Omdat ze zwanger van hem was, om hem te raken?' Reheema fronste verward haar wenkbrauwen. 'Die vent, Browning, heeft al genoeg kinderen.'

*De zuivere cocaïne.* Vicki maakte een afweging, bracht Reheema op de hoogte en zei toen: 'Dus die rivaliserende bende, als ze dat zijn, deed een aanval op Browning om zijn cokevoorraad te stelen. Ze hebben Jackson alleen vermoord omdat ze daar was, omdat ze in de weg zat.'

'Het was dus niet persoonlijk. Oké, dat kan ik volgen. Er stond veel op het spel.' Reheema dacht even na. 'Het verklaart nog steeds niet waarom jouw informant mij er heeft ingeluisd.'

'Nee, dat is waar. Dat blijft een open vraag.' Vicki prentte dit in haar geheugen. 'Het is waarschijnlijk een gevecht om terrein.'

'En daar zijn wij middenin beland.'

'Misschien gaat het om Cater Street.'

'Er zijn duizend Cater Streets in deze stad.'

Vicki knikte. 'We weten nu in elk geval dat het tegen Browning is gericht.'

'Ja, gerícht is het juiste woord.' Reheema lachte, maar het was een hol geluid.

'Het punt is dat we nu niemand hoger op de ladder hebben die we kunnen volgen.'

'Tenzij de lui van het witte busje op dezelfde plek hun voorraad halen.'

'Hoe groot is die kans?'

Reheema keek met glimmende ogen vanonder haar muts. 'Groot. Het zijn de kleine jongens die het uitvechten, straat voor straat, steen voor steen. Het kan een handelaar niet schelen wie zijn product verkoopt.'

'Dan moeten we het witte busje zien te vinden.'

'Wij en Action News. O, en de politie. Een wit busje met een Amerikaanse vlag. Zonder nummerbord. Makkie.'

'Wacht even, ik heb een idee,' zei Vicki, terwijl haar hersens op volle toeren werkten. 'Kom, we gaan.'

Vicki zat thuis aan haar computer een Big Mac naar binnen te proppen, terwijl Reheema achter haar een beker met salade at en naar het scherm keek.

'Oké, ze worden geladen,' zei Vicki, terwijl ze het geheugenkaartje erin stopte en op DIASHOW klikte. Beiden leunden ze achterover en keken toe. De foto's, die van haar digitale camera werden gedownload, begonnen de avond ervoor in het donker en gingen als een soort film aan hen voorbij met een gruwelijk, ongelukkig einde. Een foto van Browning en zijn chauffeur die bijna in het pikkedonker hun auto uit de sneeuw groeven, daarna foto's van Brownings vrouw en zoon die het huis verlieten en foto's bij de Toys "Я" Us, waar Reheema naar binnen ging en weer naar buiten kwam met Browning, terwijl ze haar muts op deed en naar hem glimlachte.

Vicki klikte en wees. 'Daar, in de rechterhoek. De bumper van het witte busje.'

'Ik zie hem.'

'Ik dacht dat hij stond te wachten tot er een parkeerplaats vrijkwam. Hoe dom kun je zijn?'

'Ga door.'

Vicki dubbelklikte en de diashow ging verder, de ene foto ging over in de andere op de sentimentele manier die de software bepaalde en die op dit moment afschuwelijk ongepast was. Het beeld ging over op een lachende Browning en Reheema in close-up, daarna een foto van het witte busje en tot slot een foto van de winkelbediende die viel, waarna

Vicki de camera van afschuw had laten vallen.

'Allejezus,' zei Reheema, en Vicki legde misselijk haar broodje neer.

'Iemand moet die lui tegenhouden. Dit is pure wetteloosheid. Ze maken er het wilde Westen van. Geen regels en wetten. Alleen geld en moord.' Het gaf Vicki weer energie. Ze klikte zoekend door de diashow. Ze had zoveel foto's genomen, er móést wel een van de chauffeur van het witte busje bij zitten. Het busje had met de motorkap in de richting van de uitgang gestaan, klaar om te ontkomen, en Vicki had uitgekeken op de kant van de chauffeur. Ze had niet heel ver bij hem vandaan gezeten. Ze moest hem wel gefotografeerd hebben. Ze verschoof de muis naar de rechterhoek van de foto en klikte. De voorkant van het witte busje kwam in beeld.

'Ja,' zeiden ze beiden.

'Hebbes, stuk tuig.' Vicki keek naar een volmaakte foto van het raampje van de chauffeur, maar het was klein en donker.

'Kun je het groter maken?'

'Kijk en bewonder.' Vicki verschoof de muis naar de tekenset en klikte hier en daar. Tien klikken later vertoonde haar grote Gateway-monitor een digitale foto van de chauffeur, vaag, maar zichtbaar.

'Klasse, meid!'

'Dank u, dank u.' Vicki beoordeelde haar handwerk. De foto was vaag en te korrelig om volmaakt te zijn, maar de gelaatstrekken van de chauffeur waren duidelijk zichtbaar en hij was jong en blank.

'Ha!' snoof Reheema. 'Sneeuwwit.'

'Hoe is een blanke vent in staat de handel op straatniveau, op Cater Street, over te nemen?'

'Hij laat zijn neus niet zien. Zo doet hij dat. Hij is de man die praat met de man. Hij heeft jochies om zijn vuile werk op te knappen.' Reheema zette haar salade neer.

De chauffeur leek ongeveer vijfentwintig jaar, een jong gezicht met lichte ogen. Lichtblauw of misschien lichtbruin. Zijn haar was opgeschoren en de kleur was niet te zien in dit licht. Naast hem was een schaduw zichtbaar. Vicki kon de gelaatstrekken van zijn handlanger niet zien.

'En nu?'

'Om te beginnen brengen we deze foto naar de politie. De plaatselijke politie, de ATF, de FBI, het hele alfabet.'

‘Moeten we al onze kaarten op tafel leggen?’

‘Niet als dat niet nodig is. Ik heb mijn baan nog steeds nodig. En ik heb nog een andere aanwijzing die ik wil nagaan.’ Vicki zweeg even. ‘Als ik deze per e-mail verstuur, weten ze waar hij vandaan komt.’

‘Wat dan?’

‘We doen het op de ouderwetse manier.’ Vicki keek op haar horloge. Drie uur. Toen wist ze het weer. ‘Er is vanmiddag een vergadering van hoge omes over Morty’s onderzoek.’

‘Joepie.’

‘Met andere woorden, ze zijn dus net begónnen,’ zei Vicki, en ze glimlachten allebei. Ze drukte op AFDRUKKEN. ‘Misschien is het handig als ze een foto van de moordenaar in hoogsteigen persoon hebben.’

‘Dat is toch het minste wat we kunnen doen.’ Reheema lachte. ‘Maar wat is de ouderwetse manier? Hem afgeven en dan heel hard wegrennen?’

‘Bingo.’ Maar Vicki’s gedachten waren bij de vergadering en bij wat er zou gebeuren als Dan thuiskwam.

# 32

Het was koud en donker tegen de tijd dat Vicki en Reheema eindelijk de uitvergrotingen van de chauffeur van het witte busje bij de receptionistes van het OM, de FBI, de ATF, de afdeling Moordzaken van de politie en de vier grote televisiestations hadden afgegeven. Ze hadden zichzelf vermomd en Reheema bracht de foto's weg op plaatsen waar Vicki zou kunnen worden herkend en andersom. Vicki had overwogen om de volgende stap in het Voormalig Grote Plan te nemen, maar ze was uitgeput en wilde van Dan horen hoe de grote vergadering was gegaan. En de schietpartij had ook van Reheema haar tol geëist. Ze leek kapot en deed weer afstandelijk. Na een kort uitstapje voor wat boodschappen voor beiden, kwamen ze bij Vicki's huis tot stilstand.

'Weet je zeker dat je niet wilt binnenkomen?' vroeg Vicki. 'Ik voel me erg huishoudelijk. Ik kan wel snel even iets te eten klaarmaken.'

'Hoe ga je me uitleggen aan je vriendje?'

'O, ja. Dat was ik even vergeten.' Vicki trof thuis normaal gesproken alleen maar rekeningen.

'Ik ben trouwens toch doodmoe. Ik ga naar huis en een lekkere salade voor mezelf klaarmaken.'

'Die heb je tussen de middag toch al gehad?'

'Als het in een beker wordt geserveerd, kun je het geen salade noemen.'

Het was Vicki opgevallen dat Reheema behoorlijk op de prijzen had gelet in de supermarkt. 'Mag ik je vragen hoe je het met geld doet?'

'Ik gebruik dezelfde biljetten als jij.'

'Je zult wel niet veel hebben, na zo'n tijd in het huis van bewaring.' Vicki koos haar woorden voorzichtig, omdat zíj verantwoordelijk was voor het feit dat Reheema daar terecht was gekomen. 'En je hebt natuurlijk ook je rekeningen, gas, water en licht. Je hebt geld nodig, of niet?'

'Ik zing het nog wel een tijdje uit. Als we klaar zijn, ga ik een baan zoeken.'

'Niet bij Bennye's.'

'God, nee.'

'Wil je wat geld van me lenen?'

'Nee, ik red me wel.' Reheema verstijfde en Vicki had er direct spijt van.

'Ook goed, laat maar weten. Tot morgen, maar iets later, als Dan naar zijn werk gaat, goed?'

'Best.'

'Ik laat je wel horen of ik iets te weten kom.'

'Prima.' Reheema keek voor zich uit en knikte.

'Dag.' Vicki stapte uit de Sunbird, pakte haar boodschappen van de achterbank en sloeg het portier dicht met het merkwaardige gevoel dat ze iets kwijt was.

Een vriendin.

Of haar onschuld.

Vicki deed de voordeur open en keek in het grijnzende gezicht van Dan Malloy die op de koude avond op haar stoep stond met een zwart met rode lapjeskat op zijn arm gedrapeerd. 'Nou, zeg!'

'Zoe, we zijn thuis!'

Vicki schoot in de lach. 'Kom gauw binnen, het is koud. Hoe ben je hier gekomen?'

'Met de taxi. Ze vond het geweldig. Ze heeft een dure smaak.' Dan ging naar binnen, boog zich toen over de kat heen en gaf Vicki een zoen. Zijn mond was een intrigerende mengeling van warm en koud. Ze zoende hem terug, toen nog een keer en nog een keer voor ze zich van elkaar losmaakten.

'Wauw.' Vicki deed de voordeur dicht.

'Dat vind ik ook.'

'Ik zou hier wel aan kunnen wennen.'

'Je zult wel moeten, totdat ik nieuwe meubeltjes heb.' Dan keek haar met een glimlach aan. 'Weet je, je ziet er waanzinnig uit, maar je zou er nog beter uitzien als je in bed lag.'

'Dank je.' Vicki had gedoucht, waardoor ze zich weer bijna mens voelde in een schone spijkerbroek, een roze kasjmieren trui en zonder zonnebril op. 'Kom mee naar de keuken, ik heb een verrassing voor je.'

'Je hebt een verrassing voor me?'

'Natuurlijk.' *Alleen omdat ik zo gelikt ben.*

'Ga maar eens rondkijken, Zoe.' Dan zette zijn koffertje en de kat neer en liep achter Vicki aan naar de eetkamer. 'Heeft de verrassing iets te maken met jou zonder kleren aan?'

'Nee.'

'In een verpleegstersuniform?'

'Nee.'

'Een habijt?'

'Je zit er helemaal naast, Malloy.' Vicki liep door naar de keuken en midden op de keukenvloer stond een roze, plastic kattenbak vol dure korrels en een schepje dat nonchalant tegen de zijkant van de bak stond. 'Romantisch, hè?'

'Fantastisch! Dank je wel!' Dan grijnsde, trok haar naar zich toe en hield haar vast. Ze kon de koude lucht nog aan de kriebelwol van zijn jas voelen. 'Ik wist niet dat ze bij Neiman Marcus kattenbakken verkochten.'

*Oeps.* 'Eh nee, die verkopen ze ook niet. Ik heb de kattenbak daar niet gekocht. Die heb ik bij Acme gehaald toen ik de boodschappen deed voor het avondeten.'

'O, lekker.' Dan liet haar los, trok zijn jas uit en legde hem over de rug van de keukenstoel. 'Wat ga ik koken?'

'Niks daarvan, ik ga koken. Filet mignon met ui en gebakken aardappels. Over een minuutje is het klaar. Ik ben Martha Stewart voordat ze de bak in ging.'

'Goh, ik ruik nog niets.'

*O, jee.* Vicki liep naar de oven en zette hem aan. 'Oké, dus we gaan niet over een minuutje eten.'

Dan glimlachte. 'Geeft niet. Wat heb je bij Neiman Marcus gekocht?'

*Oeps.* 'Niets. Hoe was de grote vergadering? Ben je erbij geweest?'

'Ja.' Dans blik veranderde en was plotseling zorgelijk. 'Heb je het nieuws gezien, Vick? Die schietpartij bij de Toys "Я" Us? Zeven mensen omgekomen, van wie drie kinderen, en een vierde kind haalt het misschien niet. Gruwelijk.'

'Vreselijk.'

'Ze zouden die vent moeten opknopen. En één van de slachtoffers was Jamal Browning, doodgeschoten.'

*O, echt?* 'Dat zag ik op tv. Jacksons vriend. Ongelooflijk.'

'Maak je geen zorgen, ze krijgen die vent wel. Ze weten al wie het is.'

'Hoe dan?'

'Dat zul je niet geloven. Aan het eind van de dag stuurde iemand ons een foto van de schutter.' Dan stak opgewonden zijn hand in zijn jaszak en haalde er de foto uit die zij had gemaakt. 'Moet je kijken.'

Vicki keek naar de foto alsof ze hem nog nooit had gezien, al viel dat niet mee. 'Iemand heeft die naar ons gestuurd?' *Droeg diegene soms een zonnebril van Exxon of Chanel?*

'Op kantoor afgegeven. De FBI, de ATF, iedereen heeft een afdruk gekregen als een geschenk uit de hemel. De FBI denkt dat het iemand uit de buurt is die hem heeft genomen en te bang is voor vergelding om zich te melden.'

*Wat een genieën bij de FBI.* 'Vast.'

'Ik zou ook te bang zijn. Wat voor vent schiet er nu kinderen neer in een Toys "Я" Us? Ze hadden Browning overal te pakken kunnen nemen, als hij degene is die ze wilden pakken. Mensen die dit doen zijn echt tuig.'

Vicki knikte.

'Maar het komt wel verdomd goed uit dat iemand die foto heeft genomen. De politie had geen idee van de identiteit van de schutter. De surveillancecamera's van de Toys "Я" Us stonden op de verkeerde kant van het busje gericht en de ooggetuigen waren zo hysterisch dat hun beschrijvingen van geen kanten klopten. De politie kon niet eens een compositietekening maken waar ze enig vertrouwen in hadden. En toen kwam dit.'

*Shit, wat ben ik goed.* 'Wie is het en wat gaan ze eraan doen?'

'Hij heet Bill Toner. Hij heeft een strafblad als tweederangs crackdealer en wegens zware mishandeling in Kensington. De politie heeft een opsporingsbevel voor hem uitgevaardigd met zijn laatst bekende adres.'

Dan keek naar de foto. 'Wat een lelijke vent. Een kille, koelbloedige moordenaar.'

'Dus Toner heeft Browning vermoord?' Vicki deed alsof ze hierover nadacht. 'Weten ze ook waarom?'

'Nog niet.' Dan schudde zijn hoofd. 'Althans, dat lieten ze niet merken tijdens de open vergadering waar Strauss bij zat.'

'Strauss was erbij? En Bale?'

'Ja.'

'Het driemanschap.' Vicki zou zich buitengesloten hebben gevoeld als ze zelf niet zulk belangrijk werk had gedaan. *Namelijk hun werk.*

'Ik heb je vandaag gemist.' Dan glimlachte, legde de foto op tafel en trok haar dicht tegen zich aan. Hij voelde niet meer zo koud aan, zijn borst was warm en sterk. Vicki duwde zich tegen hem aan en voelde zijn zijden das tegen haar wang. Ze vond het akelig dat ze tegen hem loog, maar als hij wist waar ze mee bezig was, zou hij haar tegen willen houden. Ze aanvaardde zijn omhelzing en de tastbare troost die hij bood na die afschuwelijke middag.

'Het zag er gruwelijk uit op tv. Die arme mensen die zijn doodgeschoten.'

'Ik weet het, ik heb het ook gezien. Dit zijn echt zware jongens. Gevaarlijke lui.' Dans stem verzachtte en Vicki voelde de trillingen in zijn borst terwijl hij sprak. 'Het probleem is, je had die vergadering moeten zien. De schietpartij bij de Toys "Я" Us heeft echt een spaak in het wiel gestoken. De burgemeester hing aan de lijn, de stad is in rep en roer. Vervolgens begint de Kamer van Koophandel te piepen. Iedereen rent als een kip zonder kop rond en je ziet het gebeuren. De kentering. Ik zag hoe Morty naar de achtergrond werd geschoven.'

'Hoezo?' vroeg Vicki geschokt. 'De moord op Browning heeft met Morty's moord te maken. Ze horen bij elkaar, dat moet.'

'Dat doet er nu niet meer toe.' Dan fronste ook teleurgesteld zijn wenkbrauwen. 'Nu gaat het erom dat onschuldige burgers tijdens het winkelen zijn vermoord, dat begrijp jij toch ook? Strauss moet de prioriteit verleggen naar de veiligheid van winkelen in de stad, naar baby's en kinderen die tijdens het avondnieuws worden vermoord. Dat kun je de man niet kwalijk nemen.'

'Maar de informant was Brownings vriendin en zij is vermoord toen zijn coke werd gestolen. Misschien is iemand van Toners bende, of misschien wel Toner zelf, bezig om Brownings operatie over te nemen.'

Dan knikte. 'Ik zeg niet dat ze daar geen onderzoek naar zullen instellen, maar de kwestie van rechtsbevoegdheid is nog altijd een heikel punt en de Toys "Я" Us is een noodsituatie. De situatie is acuut en we moeten keuzes maken. De moord op een ATF-agent en een drugsvriendinnetje in een opslaghuis zullen niet dezelfde aandacht krijgen als kinderen die overhoop worden geknald bij de Toys "Я" Us. Er worden nu al agenten in uniform van straat gehaald.'

*Nee!* 'Maar Morty's leven telt mee en dat van haar ook. En haar baby dan?' Vicki had het gevoel dat de zaak haar uit de vingers glipte. 'Als je het ene probleem oplost, los je het andere probleem ook op, zien ze dat dan niet? Ze kunnen Morty niet opzijschuiven!'

'O, er was één ding. Wacht even, dan pak ik het.' Dan liep de keuken uit en kwam terug met zijn koffertje, zette het op de stoel en haalde er wat papieren uit. 'Kijk.' Hij legde de papieren op de keukentafel naast de borden.

Vicki kwam naar hem toe. Het was een computeruitdraai met kolommen voornamen en nummers. De namen stonden links in een kolom, in het midden de nummers bestaande uit tien cijfers en daarachter een tweede kolom met nummers. Het duurde even voordat ze de tiencijferige getallen herkende als telefoonnummers omdat ze allemaal met 215 begonnen, het kengetal voor Philadelphia. Vicki vroeg: 'Een lijst met telefoonnummers?'

'Ja. Dat heet een frequentielijst. Heel boeiend. De ATF heeft de software ontwikkeld voor HIDTA.'

'HIDTA?'

'Een speciale drugseenheid binnen de dienst, en de ATF heeft het onderzoek naar de moord op Morty naar hen doorgesluisd. Ze zijn gespecialiseerd in zeer gewelddadige drugsoperaties.'

*Slik.* 'En wat doet de HIDTA precies?'

'Onderzoeken, aftappen, surveilleren om voor de gevaarlijkste zaken informatie te vergaren voor huiszoekings- en arrestatiebevelen.' Dan richtte zijn aandacht weer op de tabellen. 'HIDTA heeft zijn eigen software ontwikkeld voor onderzoek naar mobiele telefoons. Dealers moeten voortdurend met elkaar kunnen communiceren en daar gebruiken ze moderne walkietalkies of mobiele telefoons voor. Het is allemaal erg technisch, de drugsbusiness.'

Vicki had precies hetzelfde gedacht toen zij en Reheema de afgelopen twee dagen de dealers hadden gevolgd. Het was bijna primitief.

'De HIDTA begint met een gewoon mobieltje, eentje dat bijvoorbeeld tijdens een huiszoeking in beslag is genomen. Dat noemen ze de "gegeven telefoon". Ze analyseren de data, het directory en zoeken de telefoonnummers die horen bij elke persoon die belt. Snap je het nog?'

'Ja.'

'Dan dagvaarden ze databestanden van de gegeven telefoon over een langere periode en laden ze de gegevens over de telefoontjes in de computer. Het programma dat ze hebben geschreven, genereert een frequentielijst. Dat wil zeggen dat hij een lijst maakt van hoe vaak de eigenaar van de gegeven telefoon bepaalde nummers heeft gebeld.' Dan liet zijn vingernagel langs de eerste regel op de lijst glijden. 'De eerste pagina is een steekproef en de eerste naam is Lik, dat schijnt een bijnaam voor Malik te zijn.'

'Oké.'

'Dit is Liks nummer, en volgens de lijst heeft de eigenaar van de gegeven telefoon in een maand tijd Liks nummer het vaakst gebeld. De kolom rechts is het aantal keren dat de eigenaar van de telefoon in een maand heeft gebeld, en dat is 354 keer. Je ziet hier de drie mensen die de eigenaar het meest heeft gebeld. Lik, Tay en Two. Zie je? Hij heeft ze respectievelijk 354, 322 en 310 keer gebeld.'

Vicki zag het.

'Ik heb me laten vertellen dat drugdealers voortdurend van telefoon wisselen. Ze gebruiken zogenaamde dumptelefoons. Stel dat de eigenaar, de slechterik, deze telefoon dumpt. Hij gooit hem weg om aan de politie te ontkomen.'

'Oké.'

'Vroeger was het probleem dat het onderzoek naar de activiteiten en telefoontjes ophield als de slechterik zijn telefoon had weggedaan, en dan kon de HIDTA weer overnieuw beginnen. Nu niet meer.' Dan pakte het volgende blad met nummers erbij. 'Nu kunnen ze achterhalen welke mobiele telefoon hij vervolgens in gebruik neemt, met behulp van deze software.'

'Hoe dan?'

'Omdat hij logischerwijs dezelfde mensen belt als daarvoor en met dezelfde frequentie. Zie je deze tweede tabel? Deze nieuwe beller heeft op die dag Liks nummer tien keer gebeld. HIDTA doet hetzelfde onderzoek naar de andere mensen die zijn gebeld, Tay en Two, en dat doen ze over een langere periode om de betrouwbaarheid van hun conclusies te verbeteren. Het is aannemelijk dat dezelfde persoon die telefoontjes pleegt, los van welke telefoon hij daarvoor gebruikt. Correct?'

'Correct.'

'Dus kunnen we terugredeneren en vaststellen dat de slechterik nu déze telefoon gebruikt en van díé telefoon de activiteiten volgen, zodat er bij het onderzoek geen tijd verloren gaat. Met andere woorden, het feit dat iemand van telefoon wisselt, betekent niet dat wij verslagen zijn.'

'Fantastisch.'

'Deze software heeft ook andere toepassingsmogelijkheden bij onderzoeken. Wat ze ons bijvoorbeeld tijdens de vergadering hebben verteld is dat jóúw telefoon, die met de blauwe madeliefjes' – Dan glimlachte – 'op dit moment gebruikt wordt door een bekende middelgrote drugdealer, ene Ray James.'

'Wat?' Vicki was verbijsterd. 'Hoe weten ze dat?'

'Hier is zijn tabel, alleen is hij maar een paar dagen oud, dus niet heel betrouwbaar.' Dan legde twee tabellen naast elkaar. 'Maar zie je? Ze hadden de gegeven telefoon van Ray James van een eerdere arrestatie en ze hebben een frequentielijst van hem samengesteld. Omdat ze jouw telefoonnummer kenden, hebben ze ook een frequentielijst voor jouw telefoon gemaakt toen die was gestolen.'

'Dus ze hebben mijn telefoon afgetapt?'

'Nee, ze hoeven de telefoon niet af te tappen om deze informatie te krijgen. Ze kunnen gewoon een lijst met gebelde nummers samenstellen zonder elk gesprek afzonderlijk af te luisteren.'

'Oké.'

'Vervolgens voeren ze je frequentielijst op de computer in en voeren een zoekopdracht uit naar een lijst die ermee overeenkomt, en zo komen ze bij Ray James. Met andere woorden, meneer James die eerst deze gegeven telefoon gebruikte' – Dan wees naar de linkertabel – 'gebruikt nu jóúw telefoon, omdat zijn frequentielijst overeenkomt met die van jouw telefoon, rechts.'

'Mijn god.' Vicki zette grote ogen op. 'Dus ze weten dat Ray James de moeder van Reheema heeft vermoord!'

'Nog niet.'

'Maar ze gaan hem wel oppakken om hem te ondervragen over de moord, of niet?' Vicki wilde direct Reheema bellen, maar dat kon ze niet. 'Hij heeft haar vermoord, óf hij weet wie het heeft gedaan!'

'Rustig aan. Dat gaan ze nog niet doen. Waarom wind je je hier zo over op?'

'Het is nog maar een paar dagen geleden! De kans is groot dat hij het heeft gedaan. Ray James is waarschijnlijk de man met de rauwe stem die we allebei hebben gesproken!'

'Vick.' Dan glimlachte en stak een waarschuwende hand op. 'Kalm aan. Je weet wel beter.'

'Is dat zo?'

'Ja, dat is zo. Denk eens rustig na. Het betekent alleen dat Ray James de telefoon heeft van iemand die dat zou kunnen weten. Of dat Ray James de telefoon in een vuilcontainer of op straat heeft gevonden. Of dat hij hem heeft gekocht van iemand die hem weer van iemand anders heeft gekocht die hem op straat heeft gevonden nadat de moordenaar hem daar had gedumpt.' Dan hield zijn hoofd schuin en zijn ogen stonden vermoeid. 'We weten eigenlijk alleen zeker dat Ray James jouw telefoon heeft.'

'We kunnen het hem toch vragen?'

'Helaas is dat in strijd met die vervelende grondwet, dus mogen we het niet. De ATF mag het niet en gaat het ook niet doen.' Dan lachte. 'Het is nog veel te vroeg voor zekerheden en ze zijn niet van plan om hun kaarten op tafel te leggen, zolang ze de feiten niet hebben om het te onderbouwen. Ze moeten een rechter namelijk een frequentielijst van enkele maanden laten zien om aannemelijke verdenking aan te tonen.' Dan glimlachte. 'Jouw telefoon is dus hard aan het werk voor de maatschappij.'

'Maar wat gaan ze dan met Ray James doen?'

'Proberen meer informatie over hem te krijgen, een zaak op te bouwen, zijn telefoontjes te documenteren. Het goed doen.'

'Heeft hij een strafblad?'

'Zware mishandeling, wapenbezit, drugsbezit en dealen, de hele rataplan. Ik heb zijn strafblad in mijn koffertje zitten, ze hebben ons allemaal kopieën gegeven. Ze zullen het wel nagaan, het is een kwestie van tijd. Je weet hoe zo'n onderzoek gaat. Morty was de meest zorgvuldige agent die ik ken.'

*Morty.* Vicki probeerde zichzelf tot kalmte te manen. 'Ray James brengt ons niet dichter bij de moordenaar van Morty.'

'Niet echt, nee.'

'En hij heeft geen prioriteit.'

'Voorlopig niet. Dan keert de rust weer, maar ze vergeten hem niet. Daar zorg ik wel voor.' Dan begon zijn tabellen op te ruimen. 'Maar we hebben wel te horen gekregen dat we ons in de eerste plaats moeten bezighouden met Toys "Я" Us. Ik heb een persbericht geschreven voor Strauss. Er is morgenochtend om elf uur een persconferentie. Iedereen is erbij, tot de burgemeester aan toe.' Dan stopte de tabellen in zijn koffertje. 'Plus, dat was ik bijna vergeten, ze zoeken nog iemand anders. De man die bij Browning stond. Ze zeiden dat ze die gaan zoeken zodra ze daar de kans voor krijgen.'

'Welke vent? De man die is neergeschoten? Ik dacht dat die dood was.'

'Nee, niet die, een andere. Een lange man die samen met Browning de winkel uit kwam. De FBI denkt dat die hem misschien in de val heeft gelokt. Hij wordt overal gezocht.'

*Hè?* 'Ik heb hem niet op tv gezien.'

'Hij was er wel, bij Browning. Ze hebben hem er op de surveillancecamera's van Toys "Я" Us uitgepikt. Hij droeg een soort muts en ze hebben hem alleen van achteren gezien.'

*O, nee.*

'Een lange, zwarte man, dat is alles. Hij rende weg toen het vuur werd geopend.'

*Reheema.*

'En ze zijn op zoek naar een auto die voor hem klaarstond. Die hebben ze op de surveillancebeelden gezien. Hij werkte samen met een andere man en hij rende daarnaartoe toen er werd geschoten.'

*Ik dus.* 'Weten ze wie die andere man is?'

'Nee. Een blanke man, klein postuur. Volgens de FBI is deze nieuwe bende multicultureel. Hoopvol, hè?'

*Ai.* 'Konden ze zien wat voor auto het was?'

'Ik geloof het wel, maar weer geen nummerbord.' Dan liet de tabellen in zijn koffertje glijden en ging toen met een glimlach rechtop staan. 'Genoeg gewerkt voor vandaag.'

*De FBI* was op zoek naar Reheema en haar als travestieten.

'Weet je hoe heerlijk het is om bij jou het gevoel te hebben dat ik thuis ben?' Dan liep naar Vicki toe, trok haar in zijn armen en kuste haar zacht. 'Je hebt me vandaag heel gelukkig gemaakt, terwijl het de ergste dag van mijn leven had kunnen zijn.'

*Aah.* 'Echt waar?'

'Ja. Ik ben min of meer dakloos en jij geeft me het gevoel dat ik thuis ben. Ik hou van je. En ik moet steeds aan gisteravond denken, dat was waanzinnig.' Dan keek naar het klokje op de oven. 'Volgens mij hebben we nog wel een halfuurtje voor het eten. Dat is genoeg voor een dutje.'

'Maar ik ben niet moe.' *Bovendien moet ik een andere auto huren.*

'Ook toevallig.' Dan kuste haar zacht. 'Kan ik je verleiden?'

'Dat heb je al gedaan,' antwoordde Vicki, en ze kuste hem terug. Vervolgens liet ze zich door hem aan de hand de keuken uit leiden. Ze zou zichzelf dwingen fantastische seks met hem te hebben, zodat hij niet wantrouwig zou worden. En haar orgasmen zouden haar list alleen maar geloofwaardiger maken.

Maar ze keek nog een keer vol lust achterom.

Naar zijn koffertje.

# Deel 4

*Goed is goed, al zijt eenieder tegen; fout is fout, al zijt eenieder voor.*

William Penn

*Iedereen die in drugs zit wil de top bereiken en zakendoen met de leverancier. Niemand die in de drugswereld begint, blijft onderaan; tenzij je een sukkel bent. Als je iets doet, doe je het goed. Dus is het net Monopolie. Je begint bij* START *en het doel is om het spel te winnen. Dat is je doel. De top bereiken.*

Jamal Morris
*Verenigde Staten vs. Williams*, United States District Court,
Eastern District of Pennsylvania
Rolnummer 02-172, 20 februari 2004
Proces-verbaal regel: 429

# 33

Het eerste wat Vicki en Reheema de volgende ochtend deden was een nieuwe gebruikte auto kiezen, een onopvallende beige Intrepid, bouwjaar 2000, een automaat, met 125.000 kilometer op de klok, die ze voor honderd dollar per week huurden. Ze zetten de Sunbird in een garage voor dertig dollar per dag, omdat ze het risico niet konden lopen dat hij zou worden gevonden, hoewel Vicki zich ernstig zorgen maakte over haar torenhoge surveillancekosten.

Ze parkeerden de Intrepid in de buurt van het restaurant dat het dichtst bij hun nieuwe favoriete autodealer lag en gingen aan een tafeltje zitten voor het ontbijt. Er zaten alleen een paar winkeliers in het restaurant dat een houten lambrisering had, felle tl-verlichting en rode formicatafeltjes die vettig aanvoelden. Ze hadden voor dit restaurant gekozen om de tv, niet om de inrichting of het eten, en dat zagen ze niet verkeerd. De breedbeeld-Panasonic stond hoog in de hoek op een triplex verhoging en het roerei werd geserveerd in een blauw, plastic bakje.

Vicki nam een slokje koffie, terwijl Reheema het proces-verbaal van de politie over Bill Toner las. Op tv bracht *Live at 10* een speciale reportage over de schietpartij bij de Toys "Я" Us en de krantenkoppen deze morgen gingen allemaal over het bloedbad. De stad had emotioneel gereageerd en Vicki wist dat de pijn alleen maar erger zou worden wanneer de kinderen werden begraven. De moord op Morty was niet langer actueel en verdween bij de officiële instanties langzamerhand naar de achtergrond.

Reheema keek op. Haar blik was helder en alert. Haar haar had ze verborgen onder een nieuwe Eagles-pet en ze droeg een effen grijze trui onder haar jekker. Als het haar al raakte dat ze nu de naam wist van de man die haar bijna had vermoord, dan liet ze het niet merken. 'Heb je deze papieren van je vriend?'

'Ja.'

Reheema fronste haar wenkbrauwen. 'Heb je hem verteld wat we aan het doen zijn?'

*Niet precies.* 'Nee, ik heb ze uit zijn koffertje gehaald toen hij lag te slapen. Ik heb ze gescand en daarna uitgeprint.'

'Shit, meid!' Reheema's blik lichtte vol bewondering op.

'Nou, ik ben er niet trots op.' Vicki had de papieren niet mee kunnen nemen, dat zou Dan gemerkt hebben. Ze had ook de papieren van de HIDTA en het strafblad van Ray James gekopieerd, maar ze had Reheema nog niets over hem verteld. Ze wist niet zeker wanneer, hoe en zelfs óf ze het haar zou vertellen. Hoe vertel je iemand dat je misschien wel/niet de naam en het adres hebt van degene die je moeder heeft vermoord?

Reheema wist hier niets van en ze glimlachte nog steeds. 'Ben je gisteravond uit de keuken gebleven, lellebel?'

Vicki huiverde. 'Hou op. Ik hou van hem.'

'Kalm aan, mens. Hij is twee dagen geleden bij zijn vrouw weggegaan.'

'Zij is bij hem weggegaan.'

'Des te erger, en hij is nog niet gescheiden.'

'Dat is alleen maar een juridische kwestie.'

'Jij bent de advocaat.'

'Oké, oké. Duidelijk.' Vicki keek naar de televisie, waar de reclame van T-Mobile afgelopen was en een balk in beeld kwam met de tekst EXTRA NIEUWSUITZENDING. Ze leunde naar voren in haar stoel. 'Let op. De persconferentie.'

'O, wauw.'

Vicki zag Strauss achter een podium staan met de Amerikaanse vlag rechts van hem en een formatie mannen in pakken aan zijn andere zijde. Haar hart maakte een sprongetje. 'Dat is Dan, aan het eind.'

Reheema richtte haar blik op de televisie. 'Hij is blánk?'

Vicki schoot in de lach. 'Hij heeft rossig haar. Een lekker ding, hè?'

'Kan ermee door.' Reheema glimlachte.
Vicki keek weer naar de televisie. Bale was niet in beeld. Vreemd.
Strauss zei: 'Niemand hoeft te worden herinnerd aan de ontstellende taferelen die gisteren plaatsvonden bij de Toys "Я" Us. Mannen, vrouwen en kinderen zijn dood, en de lafaards die hen hebben vermoord, moeten tegengehouden worden zodat wij ons leven kunnen leven, kunnen winkelen met onze kinderen en kunnen genieten van de geweldige kansen die dit land ons allen biedt.'
'Wil die man zich soms ergens kandidaat voor stellen?' vroeg Reheema, en ze duwde het bord met de eieren weg die ze nog maar half op had.
'In dat kader kondigt het ministerie van Justitie met trots een nieuw initiatief aan, het Schone Winkelcentra Project, waarbij het vervolgen van schietpartijen, geweld en andere misdrijven die plaatsvinden in winkelgebieden en winkelcentra in de stad Philadelphia de hoogste prioriteit krijgt.'
Vicki dacht aan Morty. *Mr. Schoon.*
'Tijdens de persconferentie van de burgemeester vanmorgen hebt u al gehoord dat het aantal agenten in winkelgebieden en winkelcentra zal worden verdubbeld. De verschillende overheidsinstanties zullen samenwerken om de veiligheid van onze burgers en de economie van deze welvarende stad te waarborgen. Gaat u dus gewoon verder met uw leven. Rouw om deze slachtoffers, toon hun eerbied door te leven en te genieten. Sta niet toe dat een paar criminelen – of angst – u ervan weerhouden te winkelen voor uw gezin en u zelf.'
''t Draait allemaal om de poen,' zei Reheema, terwijl ze een slok koffie nam.
'Zo dadelijk zal ik enkele vragen beantwoorden, maar ik wil u eerst voorstellen aan Dan Malloy, een van de beste openbaar aanklagers van het OM, die het Schone Winkelcentra Project zal gaan leiden. In het persbericht dat we vandaag uitdelen staat Dan als contactpersoon, dus u hebt nu zijn telefoonnummer en e-mailadres. Alstublieft, mensen, stelt u Dan gerust de lastige vragen. Laat de makkelijke maar aan mij over.'
*Wauw!* 'Wauw!' Vicki kon haar verbazing niet verbergen. Dat had Dan gisteravond helemaal niet verteld. Ze was verward en trots tegelijkertijd.
'Dan de man,' zei Reheema met een glimlach, en Vicki voelde dat trots de bovenhand kreeg.

'Leuk voor hem. Hij verdient het.'

'Zouden ze weten dat hij het in de kéúken doet?'

'Gedraag je.' Vicki volgde de rest van de persconferentie, waarin Strauss softe vragen beantwoordde met de bekwaamheid van een politicus. Toen hij was uitgesproken, nam ze een grote hap eieren. 'We moeten gaan, we hebben nog genoeg te doen, we lopen achter. Volgens Dan is er een speciale ATF-groep aangewezen voor deze zaak vanwege het vele geweld, en na gisteren, moeten we voorzichtig zijn. Laten we maar gewoon kijken wat er speelt en proberen uit de buurt van wapens te blijven, goed?'

'Geldt dat ook voor het mijne?'

Vicki legde haar vork neer en leunde achterover in haar stoel. 'Heb je die bij je?'

'Ja.'

'Waar dan?' Vicki keek naar Reheema's jekker. 'Ik heb mijn röntgenbril niet op.'

'In mijn jaszak.'

'Heb je ook kogels?'

'Die horen in het wapen, Harvard. Anders is er geen lol aan.'

Boven de etensrestjes keken ze elkaar aan. Vicki zei: 'Tja, ik zal je niet zeggen dat je fout zit. Je luistert toch niet.'

'Dat is waar.'

'Waar heb je dat ding trouwens vandaan?'

'Gewoon.'

'Wat betekent dat?'

'In de buurt.'

'Wacht eens even. Toen je vorig jaar wapens wilde, kocht je ze in een winkel.'

'Sinds die tijd heb ik in de cel gezeten. Ik heb veel geleerd.' Reheema glimlachte gespannen en pakte haar vork. 'Eet eens door.'

Maar Vicki had geen trek meer. *Wapens.* HIDTA. Bill Toner. Misschien ging dit te ver. Voor het eerst was ze bang, en het ironische was dat het kwam omdat zij nu ook gewapend waren.

'Zeg, zou ik toch wat geld van je mogen lenen? Je bood het gisteravond aan.'

*Mooi.* 'Hoeveel heb je nodig? Ik heb wat contant geld bij me.'

'Driehonderd om even op gang te komen, als je dat redt.'

'Volgens mij heb ik het bij me. Ik had extra geld opgenomen vanwege de nieuw auto.' Vicki pakte haar portemonnee, telde de biljetten en hield toen op. 'Maar ik wil een onderpand. Het wapen.'

'Wat?'

'Geef mij het wapen, dan geef ik jou het geld. Ik wil een onderpand hebben.'

Reheema hield haar hoofd schuin en ze kneep haar prachtige ogen half dicht. 'Je wilt gewoon niet dat ik een wapen heb.'

'Zou je denken?' Vicki trok een gezicht, maar Reheema kon er niet om lachen.

'Het heeft geen zin als jij het hebt. Je weet niet hoe je het moet gebruiken. Je bent goed met computers, maar een vuurwapen is iets heel anders.'

'Je bent niet beter dan ik.'

'Wel waar.'

Vicki klakte met haar tong. 'Heb je wel eens een wapen afgevuurd?'

'Ja.'

*O.* 'Op iemand?'

'Ja, natuurlijk. Hoe moet je iemand anders raken?'

*Lid zijn van de National Honor Society zegt dus ook niet alles.* 'Maar toch.'

'Best.' Reheema stak haar hand in haar jekker en pakte het wapen tevoorschijn alsof het haar sleutelbos was. Het was een revolver met een zilveren loop en een zwart handvat, en ze legde hem met een knal op de rode tafel.

'Wat doe je nou?' Vicki griste het wapen van tafel en legde het op haar schoot voordat iemand het kon zien; niet dat er iemand was die het kon zien. En zelfs op haar schoot gaf het wapen haar een onveilig gevoel, alsof het spontaan kon exploderen. Vicki was nog nooit zo dicht bij een geladen wapen geweest dat niet op haar was gericht.

'Nu wil ik het geld.' Reheema stond met uitgestrekte hand op en Vicki gaf haar het geld. Ze vouwde het op en duwde het in de zak van haar spijkerbroek. 'En denk maar niet dat ik dat wapen niet zomaar van je kan afpakken.'

'Je doet maar.' Vicki liet de revolver in haar tas glijden, kwam toen overeind en probeerde haar waardigheid enigszins te hervinden. Dat leek merkwaardig genoeg een beetje zinloos nu ze een wapen op zak had.

Vicki en Reheema reden in de Intrepid een paar keer rond Lincoln Street om een beeld te krijgen van de nieuwe Cater Street-operatie nu Browning dood was. Er stonden onbekende uitkijken aan beide kanten van Cater, maar dezelfde gestage stroom klanten ging het terrein op. De kleinere sneeuwploegen waren zeker geweest, want Cater was sneeuwvrij, waardoor het autoverkeer en afhaalcrack aan de stoep weer mogelijk waren.

Vicki had het opgegeven om nog langer te piekeren over waarom een wapen haar een onveilig gevoel gaf en ze vergaten hun ruzie. Toen de Intrepid eenmaal achter hun favoriete sneeuwhoop geparkeerd stond, richtten ze hun aandacht op het komen en gaan in Cater.

'Zelfde wijn, andere fles,' zei Reheema, en Vicki knikte. Fel licht dat tegen de overgebleven sneeuw weerkaatste verlichtte het groezelige zwarte interieur van de auto. Ze hadden die belachelijke hoofddeksels niet nodig, maar wel een zonnebril.

'Ik vraag me af of er een heel nieuwe crew is.'

'Crew?' Reheema keek over de rand van haar zonnebril. 'Waar heb je dat geleerd?'

'MTV.'

'Ik ben trots op je.' Ze schoten allebei in de lach, en Reheema vroeg: 'En wat is het plan? Wachten we op de tussenpersoon?'

'Ja. Ik wil ze hogerop pakken, zeker nu we weten dat we op een goed spoor zitten. Ik denk dat Tony's crew Jacksons huis die avond heeft overvallen en haar en Morty heeft vermoord. Nu moeten we de Browning in Tony's crew vinden en dan een stapje hoger gaan naar de leverancier.' Vicki tastte in haar rugzak naar haar camera. 'Ik neem aan dat de organisatie op dezelfde manier werkt.'

'Crack verkopen, nog meer crack inkopen, dan móét iemand je die leveren.'

'Precies.' *Werktuiglijk.* 'Dus we houden de boel in de gaten en wachten. We zijn dé surveillance-experts.'

'Precies.'

Twee uur later hadden ze de Intrepid een paar keer verplaatst omdat de uitkijken in Tony's crew waakzamer waren en niet rookten of met klanten praatten, wat logisch was, want die kenden ze ook niet. Het zette Vicki wel aan het denken. 'Dit is een hardere organisatie.'

'Hoezo?'

'Ze komen niet uit deze buurt. Voor hen is dit een bedrijf.'

'Voor die andere lui was het ook een bedrijf.'

'Als je het vergelijkt, leek het meer een feestje. Ze waren niet zoals deze lui, en de tussenpersonen komen niet zo vaak.' Vicki keek op haar horloge. 'Brownings crew zou meneer Zwartleer hier al een keer hebben gehad.'

'Dat betekent misschien dat ze meer dan één verkoper op het terrein hebben. De dubbele voorraad.' Reheema bestudeerde de klanten. 'Het weer is beter, de omzet groter. Er is meer concurrentie. Het recht van de sterkste.'

'Ik tel de klanten al een tijdje niet meer, maar ik zou weer opnieuw kunnen beginnen.'

'Laat maar zitten. Het zijn er veel.'

'Nou en of,' zei Vicki, terwijl ze een foto nam.

Een halfuur later kwam er aan de andere kant van Cater Street een zwart busje de hoek om scheuren dat voor het huis stopte. 'Let op,' zei Reheema.

'De bedrijfsauto.' Vicki nam een foto toen een man achter het stuur vandaan kwam in een dikke Eagles-jas en met een zwarte gebreide muts op. 'Eindelijk een Philadelphia-fan.'

'Hij heeft ook een passagier.'

Vicki nam een foto ook al kon ze door de voorruit niets zien vanwege de glinstering. Vervolgens dook de man de auto weer in en haalde er een zwarte sporttas van Nike uit en liep er haastig mee naar het terrein.

'Ach, is dat niet leuk? Hij doet aan sport.' Reheema deed haar gordel om, maar Vicki was te gespannen om grapjes te maken en deed haar gordel ook om. Even later liep de man met de Nike-tas snel terug naar het busje en reden ze hun kant op. De vrouwen doken tegelijk weg en zodra hij bijna uit het zicht was verdwenen, trok de Intrepid op.

Met Vicki zenuwachtig voorin.

# 34

'Kijk eens voorin, op de passagiersplek.' En paar straten verderop begon Vicki bang te worden dat ze waren ontdekt door de tussenpersonen in het zwarte busje.

'Wat is daarmee?' Reheema reed met de Intrepid achter een Toyota pick-up, maar bleef het busje volgen. Ze reden door een genummerde straat en in haar paniek was Vicki haar richtinggevoel kwijtgeraakt.

'De passagier heeft een honkbalpet op, dus kun je de klep zien als hij zijn hoofd draait.'

'Ja, en?'

'Hij draait zijn hoofd heel vaak. Om de twee minuten kan ik zijn klep zien. Volgens mij houdt hij ons in de gaten.'

'Rustig maar. We rijden hier nog maar vijf minuten.'

Vicki trok haar Philadelphia-pet omlaag. 'Ze weten dat we ze volgen.'

'Welnee.'

'Jawel! Het zou kunnen. Die lui zijn niet gek.'

Reheema stopte bij de verkeerslichten twee auto's achter het busje. 'Wat wil je dan doen?'

'Ze laten gaan.'

'O, kom op, zeg!'

'Het is overdag en het is te riskant. Ik speel liever op safe.'

'Doe niet zo belachelijk.'

'Ga naar links. Stop. Breek het af.'

'O, goed dan.' Reheema reed naar links en sloeg een zijstraat in.

'We kunnen ze weer oppikken als het donker is. We komen wel terug.'

'Stom.' Reheema reed naar de stoep en vond een parkeerplaatsje achter een truck van een gasservicebedrijf. Ze zette de motor af en keek opzij. 'Waarom ben je zo vreselijk gespannen?'

'Dat weet ik niet.'

'Voel je je wel goed? Je ziet bleek.' Reheema glimlachte. 'Té bleek.'

'Het gaat wel,' zei Vicki misselijk. 'Mijn maag doet raar. Of het komt door die plastic eieren of door de gedachte dat we vermoord gaan worden.'

'Wil je wat water? Je hebt vast een fles in die rugzak van je gestopt.' Reheema boog voorover en pakte de rugzak.

'Nee! Wacht!' riep Vicki net iets te laat. Reheema had de rugzak al vast en haalde het politierapport en een politiefoto van Ray James tevoorschijn.

'Yo, die komt bij mij uit de buurt. Zijn adres is vlak bij mij.'

'Ja.' Vicki wilde de papieren pakken, maar Reheema was het rapport al aan het lezen.

'Hoe kom je aan deze papieren? Hier staat dat hij heeft vastgezeten wegens mishandeling met een mes.'

Vicki huiverde. Even wist ze niet wat ze moest zeggen.

'Wie is die vent?' Reheema hield met een vragende blik het rapport omhoog. 'Hou je dingen voor me verborgen? Ben je hier op dezelfde manier aan gekomen als aan dat rapport van Toner?'

'Eh, ja.' Vicki voelde dat haar hart tekeerging. Ze had de rapporten liever thuisgelaten, maar ze was bang geweest dat Dan ze daar zou vinden. En nu Reheema over het bestaan van James wist, kon ze niet tegen haar liegen.

'Wat verzwijg je voor me?' vroeg Reheema gekwetst, en opeens had ze het door. Ze zette met een ruk haar zonnebril af en haar donkere ogen verhardden met het bekende wantrouwen. 'Hij heeft iets te maken met mijn moeder.'

'Misschien wel, misschien niet. Dat weten ze nog niet zeker.'

'Zeg op!' zei Reheema, maar het klonk als een bevel, waarmee elke hartelijkheid tussen hen werd verdreven.

'Dat is goed, maar...'

'Ik heb het recht om te weten wat er met mijn moeder is gebeurd.'

'Dat is zo...'

'Het is míjn moeder. Zeg me wat je weet!'

'Kalm aan, dan zeg ik het je.'

'Goed.'

'Fijn. Dank je.' En dus begon Vicki aan het verhaal, blij dat Reheema haar het vuurwapen eerst had gegeven. Ze vertelde Reheema alles, nam ook de HIDTA-gegevens met haar door en toen ze klaar was, zag ze dat Reheema iets rustiger was geworden en iets redelijker was. 'Dus hoe graag je hem ook zou willen pakken, misschien is hij niet de moordenaar.'

'Maar het zou wel kunnen. Of hij weet mogelijk wie het is.'

'Nee. Het enige wat we weten is dat Ray James mijn telefoon heeft.'

'En wanneer gaan die pennenlikkers van de ATF met hem babbelen?'

'De ATF heeft in deze misschien geen rechtsbevoegdheid, en dan zullen ze moeten samenwerken met de plaatselijke politie omdat de moord onder de rechtspraak van de staat valt. De plaatselijke politie was gisteravond vertegenwoordigd bij de vergadering en dit valt onder hun rechtsbevoegdheid...'

'Ho maar.' Reheema hield haar hand op. 'Waar komt het op neer?'

'De moord op je moeder is een zaak van de plaatselijke politie. Zij zijn ermee bezig. Je hebt rechercheur Melvin die ochtend ontmoet, hè? Dat is een goeie. Hij zal James ondervragen zodra hij dat juridisch gezien kan. Begrijp je dat?'

'Begrepen.'

'Nog vragen? Het is behoorlijk ingewikkeld.'

'Geen vragen.' Reheema ging weer recht zitten, startte de motor en reed een stukje naar achteren. Ze gaf gas en de auto schoot naar voren waardoor ze bijna de bumper van de truck van het gasservicebedrijf raakte.

'Reheema, waar gaan we naartoe?'

'Wat denk je?'

'Reheema, dat kan niet.' Vicki hield zich letterlijk en figuurlijk vast, toen de Intrepid verder reed.

'O, jawel.'

'Daarmee kun je het onderzoek in gevaar brengen.'

'Ze onderzoeken helemaal niks.'

'Jawel.'

'Niet waar.' Reheema trapte op het gaspedaal om een verhuiswagen te passeren. 'Mijn moeder komt op de laatste plaats, achter jouw vriend van de ATF en die kleine blonde kindjes bij de Toys "Я" Us. Je zei het zelf.'

Vicki kleurde. 'We kunnen dit op de juiste manier doen.'

'Ik ga niks doen wat niet mag.'

'Dit kun je niet maken.'

'Jawel.' Reheema reed door rood en negeerde luid getoeter. 'Ik ga er alleen naartoe om de vent een paar vragen te stellen.'

'Maar dat is niet aan ons.'

'Het is aan mij.'

'Ik heb een ander voorstel.'

'Ik ook, maar je hebt mijn wapen afgepakt.'

Vicki wist redelijk zeker dat Reheema een grapje maakte. 'Als we nu eens in plaats daarvan Moordzaken bellen en vragen of ze al vooruitgang hebben geboekt? Om zeker te weten dat ze de informatie over Ray James hebben. Informeren wat ze met hem doen?'

'Ga je gang. Bel ze maar. Doe ze de groeten.' Reheema remde nauwelijks af op de hoek van de straat en sloeg toen rechts af in de richting van de hoofdweg.

'Oké, dat zal ik doen.' Vicki stak haar hand in haar tas, voelde het geladen wapen, pakte haar mobieltje en belde Moordzaken. Ze kende het nummer nog uit haar hoofd van haar tijd bij het parket. 'Rechercheur Al Melvin, graag.'

'Die is niet aanwezig,' zei een norse mannenstem. Vicki wist dat die stem van de agent van dienst was, een rechercheur die vandaag was opgezadeld met het beantwoorden van de telefoon.

'Rechercheur, u spreekt met Vicki Allegretti. Ik ben assistent-openbaar aanklager en ik bel over de zaak van Arissa Bristow.'

'Wie?'

'Allegretti.'

'Nee, de zaak.'

'De naam van het slachtoffer is Arissa Bristow.'

'Is het een lopende zaak?'

Reheema rolde veelzeggend met haar ogen en Vicki drukte op een knopje om het volume wat zachter te zetten.

'Ja, natuurlijk is het een lopende zaak. Mevrouw Bristow is afgelopen vrijdag doodgestoken in een huis in Lincoln Street.'

'Wat hebt u daarmee te maken?'

'Ik bel als vriendin van de familie.'

Reheema snoof. De rechercheur vroeg: 'Akkoord, wat kan ik voor u doen?'

'De zaak wordt onderzocht door rechercheur Melvin en zijn partner.'

'Melvin en zijn partner zijn beiden op het stadhuis.'

*Slik.* 'Hebt u een nummer waar ik hem kan bereiken?'

'Moet u luisteren, mevrouw Bristow...'

'Allegretti.'

'Ik zal doorgeven dat u hebt gebeld, meer kan ik niet doen.'

'Wanneer krijgen ze het bericht?'

'Zo snel mogelijk. We hebben het de laatste tijd allemaal een beetje druk, vanwege het gebeuren bij de Toys "Я" Us.' Er klonk sarcasme in zijn stem door. 'Hebt u het nieuws de laatste tijd nog gezien?'

Reheema kneep haar lippen samen met een blik van zie je wel en Vicki werd boos.

'Goh, ik had niet gedacht dat jullie de boel uit jullie handen zouden laten vallen, alleen omdat er nóg een moord wordt gepleegd. Er was een onderzoek gaande en ik zit hier met een familielid van het slachtoffer.'

'Gecondoleerd. Ik verzeker u dat rechercheur Melvin aan de zaak werkt. Is dat wat u wilde weten, waarom u belde?'

'Nee. Ik wilde weten of rechercheur Melvin enige vooruitgang heeft geboekt, en in het bijzonder of hij contact heeft opgenomen met iemand die Ray James heet.'

'Ik zal doorgeven dat u dat hebt gevraagd. Bedankt voor het bellen.'

'Dank u.' Vicki gaf hem haar mobiele nummer en klapte de telefoon dicht toen de Intrepid de hoek om scheurde en in de richting van Lincoln Street schoot. Het was nu nog een halfuur rijden.

'En, wat zeiden ze?'

'We gaan geen gekke dingen doen.'

'Niemand doet gekke dingen,' zei Reheema, en ze reed weer door rood.

'Als je door rood blijft rijden, worden we vanzelf aangehouden.'

'Welnee. Heb je je baas dan niet op tv gezien? De politie is bij de Toys "Я" Us.'

'Bekijk het dan zo,' zei Vicki, en ze gooide het over een andere boeg. 'Als we nu naar hem toe gaan, laten we ons in de kaart kijken, net zoals jij zei. Op dit moment weet James niet dat de HIDTA zijn telefoontjes registreert. Hij weet niet dat ze een zaak tegen hem aan het opbouwen zijn. Als wij nu naar hem toe gaan en vragen gaan stellen over de telefoon, dumpt hij hem geheid.'

'Daar heb je misschien gelijk in.'

'Goed.' Vicki zuchtte opgelucht.

'Maar misschien ook niet. En misschien doet het er niet toe wat er daarna met hem gebeurt.'

Voor het eerst voelde Vicki een prikkeling van echte angst. 'Hij is gevaarlijk. James is een gevaarlijke man.'

Reheema glimlachte. 'Jij hebt een wapen.'

'Dat ga ik niet gebruiken en jij ook niet.'

'Ik ben hoe dan ook gevaarlijk.'

'O, geweldig.' Vicki begon kwaad te worden, maar ze wist dat ze daarmee de zaak geen goeddeed. 'Reheema, ik garandeer je, hoe keihard je ook denkt te zijn, James is veel harder.'

'Ik kan hem wel aan. In het proces-verbaal staat dat hij een meter achtenzestig is en achtenzestig kilo weegt. Ik ben iets langer dan hij en ik doe al bijna een jaar aan gewichtheffen.'

*Au.* 'Daar gaat het niet om.'

'Nou, als je bang bent, ga dan niet mee.' Reheema gaf een ruk aan het zwarte stuur van de Intrepid, reed de auto naar de stoep voor een kippenrestaurant en trapte op de rem. De auto kwam met piepende banden tot stilstand. 'Eruit.'

'Wat?' vroeg Vicki geschrokken.

'Ga. Wegwezen. Dit is een nette buurt, je redt je wel. Neem wat kippenvleugeltjes, dan kom ik je straks wel halen.'

'Nee.' Vicki bleef zitten, hoewel ze wist dat ze beter kon uitstappen.

'Eruit.'

Vicki bleef stug zitten. 'Mooi niet.'

'Waarom niet? Straks ben je je baan nog kwijt.'

'Niet als jij je gedraagt. Ik ga met je mee. Je hebt me nodig.'

Reheema barstte in vrolijk lachen uit; even klonk ze als zichzelf en waren ze bijna weer vriendinnen.

'Ik bescherm je tegen jezelf, Reheema.'

'Rot toch op!'

'Bovendien zou je me missen. Last krijgen van scheidingsangst.'

'Nee, hoor.'

Vicki wuifde met haar hand. 'Kom op, stoer wijf dat je bent. Gáán met die bak!'

Reheema begon weer te lachen. 'Dat meen je niet.'

'Rijden.' Vicki wendde zich tot haar, deze keer met een serieuze blik. 'Maar ik hou je in de gaten. En als ik jóú moet neerschieten, dan doe ik dat.'

'Shit, hé!' zei Reheema, en ze trapte op het gaspedaal. Sneller dan een gemiddelde raket arriveerden ze bij het huis van James, en de Intrepid kwam bij een bouwvallig stenen rijtjeshuis tot stilstand. Reheema zette de motor af, haalde de sleutel uit het contact en wilde de auto uitstappen, toen Vicki een hand op haar arm legde om haar tegen te houden.

'Als we het nu eens zo doen,' zei Vicki in een laatste poging. 'Als je mij nou het woord laat voeren en we hem niet zeggen wie je bent.'

'Als we dat nou eens niet doen.' Reheema's gelaatstrekken waren zo hard als donker marmer geworden.

'Als ik hem ondervraag, kan ik hem er misschien van overtuigen dat hij zich moet aangeven. Dat lukt niet als jij hem te lijf gaat.'

'Ik wíl hem te lijf gaan.'

Opnieuw voelde Vicki een tinteling van angst. Ze had die onderweg al zo vaak gehad, dat ze het gevoel had dat ze onder stroom stond. 'Reheema, ik smeek je, wees toch verstandig.'

'Genoeg gepraat.' Reheema rukte zich los, stapte uit de auto en sloeg het portier achter zich dicht.

*O, geweldig.* Vicki sprong uit de auto en rende eromheen, toen Reheema met twee treden tegelijk het betonnen trapje naar James' voordeur nam en op de deur begon te bonzen. Het rijtjeshuis van James lag midden in de straat en zag er bouwvalliger uit dan de rest van de buurt. Het had voor twee ramen op de begane grond maar één zwart rolluik, en de voordeur was felgroen wat niet bij de rest paste, alsof hij tweedehands was of van een schroothandel was gejat.

'Rustig nou,' zei Vicki, maar Reheema bleef bonzen.

'James! Ray James!'

'Rustig nou!' Vicki keek door de straat. Op Reheema's gebons na was het rustig. In een van de huizen sloeg een hond aan.

'Ray James! Doe open!'

'Misschien is hij niet thuis.'

'James! Doe die deur open!'

'We kunnen hem even bellen, om te zien of hij thuis is.'

'Doe die deur open!' schreeuwde Reheema, en voordat Vicki doorhad wat er gebeurde, laat staan iets kon doen, had Reheema een stap naar achteren gedaan en vervolgens met haar hele gewicht tegen de deur aan geramd zodat het slot opensprong. 'Dát bedoel ik dus!'

'Reheema!' riep Vicki benauwd.

Maar Reheema duwde de deur al verder open en brak in.

# 35

'James! Ray James!' schreeuwde Reheema boven het geblèr van de tv uit, en Vicki liep haastig achter haar aan naar binnen. Achter in een klein halletje was de gewelfde ingang van een woonkamer, waar het lawaai vandaan kwam.

'O! Wie ben jij?' vroeg de man angstig.

'Ben jij Ray James?' wilde Reheema weten.

'Ja, doe me geen pijn!'

'Reheema! Hou op!' Vicki kwam de hoek om en zag nog net dat Reheema tegen een man stond te schreeuwen die in een bed in een donkere kamer lag. Hij hield zijn armen half omhoog alsof ze een wapen had. Hij was redelijk jong, zwart en duidelijk ziek, want het bed was een instelbaar ziekenhuisbed met een oranje sticker van Brophy's Medical Supply op het voeteneind. Daarnaast stond een plastic wit toilet met dezelfde sticker, en de salontafel diende als provisorisch nachtkastje dat vol stond met hoge bruine flesjes medicijnen, een plastic kan, een doos Kleenex en een papieren bordje met twee pizzakorsten.

'Reheema Bristow! Ken je die naam? Brístow!' brulde Reheema, en Vicki pakte haar arm vast.

'Doe normaal! Die man is ziék!'

'Nou en?' was Reheema's weerwoord een fractie rustiger, als een orkaan die in kracht afneemt tot een tropische storm. Ze wendde zich tot James.

'Geef me je mobiele telefoon!'

'Oké, oké, oké.' James sperde angstig zijn ogen wijdopen en hij viste de mobiele telefoon van het bed en gooide hem naar Reheema. 'Hier. Je mag hem hebben. Neem maar.'

'Ha!' Reheema pakte de telefoon met het frontje met blauwe madeliefjes en liet hem aan Vicki zien. 'Van jou?'

'Reheema, doe eens rustig. Kijk eens naar die man,' zei Vicki, terwijl ze Reheema's arm bleef vasthouden. Er was iets niet in orde met James. Zijn hoofd hing scheef, hij had zich in geen dagen geschoren en hij sprak onduidelijk. Hij was niet dronken, maar leek een beetje van de wereld, alsof hij onder de medicijnen zat.

'Waar heb je die telefoon vandaan?' wilde Reheema weten, en ze zwaaide met het ding.

'Thuis.'

'Van wie?'

'Watte?

'Zég me van wie je die telefoon hebt!'

Vicki kneep in Reheema's arm. 'Reheema, rustig.'

James' ogen schitterden. 'Van Chucky! Chucky heb hem me gegeven.'

'Hoe heet Chucky nog meer?'

'Ze noemen hem Chucky Cheese. Net als die Chucky-pop.'

'Waar woont Chucky?'

'Weet ik niet,' antwoordde James.

'O, jawel! Waar woont-ie?' Reheema rukte zich met gemak van Vicki los en liep naar de rand van het bed, waarop Vicki soepel tussen hen in ging staan met haar gezicht naar de man in het bed.

'Meneer James,' zei ze, 'weet u waar Chucky woont? Zegt u het ons gewoon, dan gaan we weer. We proberen erachter te komen waar hij de telefoon vandaan heeft.'

'Ik vergeet de naam steeds. De straat met die bank.'

'Welke bank?'

'Weet ik niet. Blauw bord, ongeveer tien straten verderop.' James wees over zijn hoofd en Reheema schoof Vicki opzij.

'De PNC aan Jefferson Street?'

James knikte zwak.

'Oké, dus hij woont aan Jefferson. Op welk nummer, Ray?'

'Weet ik niet.'

'Denk na!'

Vicki maakte een sprongetje van schrik. 'Reheema, bek die man niet zo af!'

'Ergens in het midden… van de straat, rode… deur,' stotterde James, en Reheema ontplofte.

'Je hebt die telefoon gejat toen je mijn moeder hebt vermoord!'

'Nee!' James' ogen werden groot en hij hield zijn handen nog hoger. 'Ik heb niemand vermoord! Ik heb in het ziekenhuis gelegen, ze hebben verdomme mijn voet eraf gehakt! Kijk!' Hij liet een hand zakken, trok de dekens weg en liet de verbonden stomp van zijn linkerbeen zien die in een blauwe, schuimrubberen koker lag. Vicki wist haar schrik te verbergen en zelfs Reheema deed een stap naar achteren.

'Wanneer hebben ze dat gedaan?'

'Zaterdagochtend.'

Vicki kwam ertussen. 'Dus u lag vrijdagnacht in het ziekenhuis?'

'Ja. Ze hadden me opgenomen voor onderzoek en toen hebben ze hem er de volgende dag zo afgehakt.'

Vicki ging pal voor Reheema staan. 'Meneer James, wanneer hebt u de telefoon gekregen?'

'Toen ik thuiskwam, de volgende dag.'

'Wanneer was dat?'

James knipperde traag met zijn ogen. 'Wat is het vandaag?'

'Donderdag. Wanneer bent u uit het ziekenhuis gekomen?'

'Ik ben zaterdag thuisgekomen.' James leek zijn concentratie te verliezen en zijn oogleden vielen dicht. 'Zaterdagochtend.'

Vicki knikte. 'Dus Chucky heeft u het mobieltje op maandag gegeven?'

'Ja, Chucky heb hem mij gegeven.'

'Heeft Chucky u verteld hoe hij aan de telefoon kwam?'

'Nee.'

Reheema hield het niet langer uit en vroeg dwingend: 'Waar had hij de telefoon vandaan, Ray?'

'Dat zei ik toch, van Chucky. Chucky heb alles, alles wat je nodig heb, hij heb het. Chucky is net een winkel,' brabbelde James met zijn ogen nog steeds dicht. 'Nu lig ik hier alleen maar en praat aan de telefoon. Kan niet werken, kan niks. Ik kijk tv en praat de hele dag met mijn maten.'

*Mmm.* Vicki besefte dat dit de frequentierapporten van de HIDTA verklaarde; James pleegde dezelfde telefoontjes, maar de inhoud was anders en mettertijd zou het belpatroon veranderen. De ATF zou op basis van die gegevens nooit aan een arrestatiebevel voor James zijn gekomen.

'Ik hoop voor jou dat het de waarheid is!' zei Reheema woest, en James wuifde haar weg alsof ze een vlieg was.

'Ga toch weg, laat me met rust. Ik heb niemand vermoord. Ik heb niks gedaan.'

'Dank u, meneer James,' zei Vicki, waarna ze zich tot Reheema richtte. 'We zijn hier klaar, denk je ook niet?'

'Hm.' Reheema liep achteruit bij het bed vandaan.

*Nu.* Vicki liep voor Reheema uit omdat ze een Geheim Plan had. Ze kon dit niet nog een keer laten gebeuren. Plotseling duwde ze Reheema opzij alsof ze een ordinaire tasjesdief was, griste de autosleutels uit haar hand en rende door de gang naar de voordeur.

'Wat doe je?' riep Reheema, die verrast was en even bleef staan.

*Lopen, lopen, lopen!* Vicki stoof de voordeur uit de kou in, in de richting van de Intrepid. Ze sprong de auto in en deed de portieren op slot.

'Waar ben je in gódsnaam mee bezig?' Een fractie van een seconde later stond Reheema al bij de auto en sloeg woedend tegen de ruit.

Maar Vicki was niet van plan om te blijven staan om antwoord te geven. Ze startte de motor, trapte op het gaspedaal en reed weg, terwijl Reheema achter haar aan rende.

*Jemig!* Vicki had er niet op gerekend dat Reheema een auto zou achtervolgen en dus trapte ze het gaspedaal helemaal in. De Intrepid versnelde, ze scheurde door de straat en sloeg de hoofdweg in, in de richting van de PNC bank in Jefferson Street. Ze keek in haar achteruitkijkspiegel en zag Reheema door de straat sprinten. Vicki bleef het gaspedaal ingetrapt houden, had twee keer groen licht en zag de PNC-bank. Reheema was inmiddels in haar achteruitkijkspiegel verdwenen.

*Jippie!* Vicki sloeg rechts af Jefferson in en racete naar het huis met de rode deur. Ze ging dit eens even regelen zonder bullebakpraktijken, bemoeienissen of onwettigheden. Chucky Cheese klonk niet bepaald gevaarlijk. En als Vicki zich moest verdedigen, kon ze nog altijd schermen met haar titel als meester in de rechten.

Chucky bleek niet alleen geen vlieg kwaad te doen, hij was in alcohol gedrenkt en leunde veel te dicht tegen Vicki aan toen ze samen voorin in de Intrepid zaten. Ze stonden achter een drogist drie straten verderop geparkeerd, waar Reheema hen nooit zou vinden. Chucky was ongeveer vijfenzestig, zwart en klein met zijn een meter zestig in een groene parka. Hij had schrandere bruine ogen met de glinstering van een handelaar en was, zoals James al had gesuggereerd, de eBay van de buurt.

'Wil je informatie, dan kost je dat twintig dollar,' zei Chucky, en zijn adem rook naar Budweiser.

'Nóg eens twintig dollar?' Het had Vicki al twintig dollar gekost om hem in de auto te krijgen, toen ze hem er eenmaal van had overtuigd dat ze niet van plan was om een feestje met hem te bouwen.

'Graag of niet, dan is Chucky zo weer verdwenen.' Chucky grijnsde en ontblootte de spleet tussen zijn voortanden.

'Oké dan.' Vicki pakte haar portemonnee weer en gaf hem twintig dollar. 'Goed, vertel me dan...

'Heb je nog een horloge nodig, een nieuw horloge?'

'Ik heb al een horloge.'

'Een chique dame als jij, hoort toch een Rolex te dragen.'

'Ik hoef geen nep-Rolex, Chucky.'

'Is niet nep!'

'Tuurlijk wel.' Vicki had al een imitatie-Vuitton tas gekocht, een roze met zwarte sjaal die zogenaamd van Burberry was en een illegale kopie van *Indiana Jones and the Temple of Doom*. De spullen lagen tussen hen in als een afzetting van imitatiespullen. Ze keek vol afkeer hoe Chucky weer op de achterbank begon te rommelen waar hij per se zijn laken met spullen had willen leggen, als de Kerstman met zijn zak vol copyrightschendingen.

'Je hebt een Rolex nódig, mevrouw Vicki.' Chuck liet zich weer op zijn stoel ploffen met een roestvrijstalen imitatie-Rolex in zijn handen. 'Deze moet je kopen.'

'Nee, hoor.'

'Wel als je wil weten waar ik die mobiele telefoon vandaan heb.'

'Weet je echt waar je hem vandaan hebt?'

'Ja, dat zweer ik je.' Chucky knikte met zijn kale bruine, geaderde schedel waar hier en daar wat grijze haartjes op zaten.

'Ik geloof je niet. Volgens mij verkoop je heel wat mobiele telefoons.'

'Ik doe goeie zaken, deze tijd van het jaar.'
'Vertel me dan eens hoe mijn telefoon eruitziet.'
'Klein, zilverkleurig, Samsung, blauwe madeliefjes met een groen hart.'
Onwillekeurig was Vicki onder de indruk. Ze hield wel van een heler die zijn handelswaar kende.
'Het horloge kost dertig dollar.' Chucky gaf haar een Rolex die glinsterde als zilverfolie.
'Dertig dollar voor dit ding? Kom nou!'
'Neem me niet kwalijk, twintig dollar.'
'Neem míj niet kwalijk! Tien!'
'Twintig.'
*Misschien is smeergeld wel aftrekbaar.* Vicki gaf hem nog een briefje van twintig en Chucky stopte het in zijn zak.
'Je zult er geen spijt van krijgen, mevrouw Vicki. Ik zal je laten zien wat ik speciaal voor jou heb achtergehouden.' Chucky dook naar de achterbank en begon weer te rommelen.
'Nee, ik koop niks meer. Zeg me nou waar je die mobiele telefoon vandaan hebt.'
Chucky ging weer zitten en hield een nepgouden ketting met een joekel van een Mercedes-symbool voor haar neus. 'Mooi?'
'Nee.'
'Hij is heel groot.'
'Dat is waar; niet echt subtiel te noemen.'
'Achttien karaat!'
'Vast.'
'P. Diddy heeft er net zo een.' Chucky slingerde de ketting heen en weer als een hypnotiseur uit een tekenfilm. 'Voor twintig dollar is-ie van jou.'
'Nee. Absoluut niet.'
'Toe! Tien dollar! Je hebt wel tien dollar, meisie!'
'Nee!' Vicki stak resoluut haar hand op. 'En vertel me nu wat ik wil weten.'
Een halfuur later reed Vicki in de Intrepid weer de hoofdweg op. Ze had Chucky thuis afgezet en Reheema opgepikt. Ondanks de kou had Reheema kokend van woede bij zijn voordeur zitten wachten. Ze zei niets en zag er ondoorgrondelijk uit met haar zonnebril en gebreide muts. Misschien moest ze eerst ontdooien.

'Reheema, je hoeft niets tegen me te zeggen als je dat niet wilt.' Vicki zette haar zonnebril op tegen het zonlicht. 'Ook al heb ik al deze mooie dingen voor je gekocht, inclusief die prachtige Mercedes-Benz-ketting.'

Reheema keek uit het raam.

'P. Diddy heeft er net zo een, weet je dat? Vierentwintig karaat.'

Reheema reageerde niet.

'Oké, jij je zin. Ik ben erachter gekomen waar Chucky de mobiele telefoon vandaan heeft en daar gaan we nu naartoe. Ik neem je deze keer mee omdat zelfs jij je zult gedragen onder deze omstandigheden.'

Reheema bleef haar hoofd afgewend houden.

'Ik begrijp waarom je boos bent, dat zou ik zelf ook zijn. Heel boos en gekwetst. Verdrietig. Maar je ging echt te ver met James en dat kon ik niet nog een keer laten gebeuren. Het was verkeerd.'

Reheema verroerde zich niet.

'We willen erachter zien te komen wie je moeder heeft vermoord, zodat we hem voor het gerecht kunnen brengen. Dat is zuiver gezien misschien niet aan ons, maar we doen niets verkeerd of illegaal.' Vicki zweeg even, in afwachting van een reactie die niet kwam. 'Je ging te ver met James. Je kunt iemand niet terroriseren in naam der gerechtigheid. Als je dat doet, ben je nog erger dan de ergste crimineel. Dan schiet je kinderen neer in de Toys "Я" Us.'

Reheema zei niets, maar Vicki dacht nu hardop en maakte zich er voor de verandering eens niet druk over of ze er goed aan deed of niet.

Na tien minuten stilte reed de Intrepid Pergola Street in en kwam voor het huis tot stilstand.

# 36

De keuken was helderwit geschilderd met witte kastjes, en het rook er aangenaam naar chocolade en verdund lysol. Op tafel lag een wit plastic tafelkleed met een geribbelde rand en daarop stond een beschadigd bord met brownies. Vicki en Reheema zaten schuin naast elkaar tegenover mevrouw Bethave. Ze droeg het vrolijk rood-witte uniform van een serveerster van Bennigan, maar haar ooghoeken hingen omlaag van vermoeidheid. Naast haar zat haar zoon, Albertus, een klein jochie van acht jaar dat werd verzwolgen door een grijs sweatshirt met capuchon. Hij zat met een opengeslagen wiskundeboek voor zich met een multomap en een puntige gradenboog en een half opgegeten brownie op een servetje naast een glas melk.

'Zoals ik al bij de deur zei, is mijn naam Vicki Allegretti en dit is een vriendin van mij, Reheema Bristow. Fijn dat u ons wilde binnenlaten.'

'Best,' zei mevrouw Bethave koeltjes. 'Ik heb niet veel tijd. Zodra de oppas er is, moet ik naar mijn werk.'

'Prima, dan zal ik het kort houden. We zijn hier omdat ik zojuist een man heb gesproken, een zekere Chucky, die een paar straten verderop woont in Jefferson Street. Kent u Chucky?'

'Iedereen kent Chucky.' Mevrouw Bethave glimlachte even, maar Vicki keek naar Albertus om te zien of hij reageerde. De jongen had enorm grote bruine ogen en een sombere melksnor.

'Volgens Chucky heeft hij vorig weekend, op zondagmiddag, uw zoon Albertus vijf dollar gegeven in ruil voor de mobiele telefoon die hij had.'

Albertus knipperde met zijn ogen, één beweging met zijn kleine oogleden.

Vicki ging verder. 'Ik wil weten of dat waar is en zo ja, waar en wanneer Albertus aan de telefoon is gekomen.'

'Waarom wilt u dat weten?'

'Het is mijn mobieltje en hij is van me gestolen...'

'Albertus steelt niet.'

'Dat bedoelde ik niet. Natuurlijk niet. De telefoon is van me gestolen door een vrouw die later is vermoord.' Vicki gebaarde naar Reheema. 'Haar moeder, Arissa Bristow.'

Mevrouw Bethaves blik schoot even naar Reheema en weer terug.

'De mobiele telefoon was vrij bijzonder,' zei Vicki. 'Hij had een frontje met blauwe madeliefjes erop. Hij was mooi.'

Albertus knipperde opnieuw met zijn ogen en hij fronste zijn wenkbrauwen met de ongekunstelde angst van een kind. Hij was bang dat hij op zijn donder zou krijgen.

'Ik denk dat degene die mijn telefoon van mevrouw Bristow heeft gestolen, mogelijk informatie heeft over wie haar heeft vermoord.'

'Of haar zelf heeft vermoord,' was mevrouw Bethaves weerwoord op kille toon.

'Ja, dat is natuurlijk mogelijk. We volgen het spoor van de mobiele telefoon terug in de tijd om te kijken waar hij ons naartoe leidt.' Vicki merkte dat ze gespannen werd omdat ze al haar kaarten op tafel had gelegd. Mevrouw Bethave had het zeker ook gemerkt, want ze wendde zich tot Reheema.

'Jij wilt weten wie je moeder heeft vermoord.'

'Ja,' zei Reheema, en mevrouw Bethave wendde zich weer tot Vicki.

'En jij? Wat kan het jou schelen?'

Reheema antwoordde voor haar. 'Ze is mijn vriendin.'

*Wauw.*

Mevrouw Bethave dacht even na en keek toen naar Albertus. 'Mook, weet je waar deze dames het over hebben?'

Albertus keek schuchter naar haar op en knikte toen.

*Ja!* Vicki kon wel juichen.

'Kijk me eens aan, jongen.' Mevrouw Bethave nam Albertus' kin in haar hand en trok zijn gezicht omhoog. 'Heeft Chuck jou vijf dollar gegeven voor de telefoon?'

Albertus knikte met zijn kin stevig in zijn moeders hand.
'Waar heb je die telefoon vandaan? Heb je die ergens gevonden?'
Albertus schudde van nee.
'Waar heb je hem dan vandaan?'
Albertus bracht zijn handen omhoog en gebaarde snel. Zijn donkere vingertjes vlogen heen en weer en Vicki wachtte ademloos op de vertaling. Chucky had haar verteld dat het jongetje doof was en dat hij kon liplezen.
Albertus was klaar en mevrouw Bethaves blik vulde zich met angst. Haar hand viel onder zijn kin vandaan en haar lippen weken uiteen. Ze sprong zo plotseling overeind dat ze tegen de multomap aan stootte en hen alle drie deed schrikken.
'O, nee! Nee, nee, nee!' Paniekerig rende mevrouw Bethave om de tafel heen en tilde Vicki bijna letterlijk uit haar stoel. 'Wegwezen, jullie moeten allebei weg! Niets aan te doen, jullie moeten gaan.'
'Mevrouw Bethave, toe, wat zei hij?' Vicki stond op, omdat ze er liever niet uitgegooid werd, maar Reheema bleef zitten.
'Ik ga helemaal nergens naartoe, dame! Degene die hem die telefoon heeft gegeven, heeft mijn moeder vermoord. Wie heeft hem de telefoon gegeven?'
'Ik kan het niet, ik kan het niet zeggen, jullie moeten gaan.'
'Ik wil weten wie!'
'Wil je mijn kind dood hebben?' schreeuwde mevrouw Bethave terug, en ze ging pal voor Reheema staan. Met de vurigheid van een moeder was mevrouw Bethave meer dan opgewassen tegen de langere, jongere vrouw. 'Ik zeg niks, wat er ook gebeurt. Die man is een koelbloedige moordenaar! Hij vermoordt mensen voor geld en hij zou mijn zoon in een oogwenk vermoorden.'
*Hij vermoordt mensen voor geld?* De woorden doorbraken de impasse en Vicki en Reheema keken elkaar aan.
'Ga weg! Zeg tegen niemand dat je hier bent geweest!' Mevrouw Bethave joeg hen doodsbang de keuken uit in de richting van de voordeur. 'Alsjeblieft! Jezus!'
'Wacht, nee!' riep Reheema, die zich als eerste herstelde, maar mevrouw Bethave had de deur al opengetrokken en duwde hen nu letterlijk de kou in.
'Zeg nooit tegen iemand dat je hier bent geweest, nooit!'

Mevrouw Bethave sloeg de deur achter hen dicht en deed hem met een resolute, metalen klik op slot.

Vicki sloeg de dwarsstraat in en reed sneller dan nodig bij het huis van de familie Bethave weg. Ze maakte zich zorgen om de veiligheid van mevrouw Bethave en Albertus en ze had alles moeten doen om te voorkomen dat Reheema de voordeur van mevrouw Bethave intrapte.

'Hoor eens, we hebben de antwoorden gekregen die we zochten,' zei Vicki. 'We hebben mijn telefoon gevolgd en we weten waar het spoor eindigt. En het leidt tot de volgende vraag. Waarom zei ze dat het iemand is die mensen voor geld vermoordt? Wat bedoelde ze daarmee?'

Reheema schudde haar hoofd. 'Ik had de deur in moeten trappen.'

'Ik was ervan uitgegaan dat het een gelegenheidsmisdrijf was. Een junkie of iemand uit de buurt.' Vicki dacht terug aan die avond, aan de arme Arissa die in haar eentje in haar jurk over de koude straat had gezwalkt. De oudere vrouw was een makkelijke prooi geweest, maar Vicki hoefde die informatie niet aan de rouwende dochter door te geven. 'Het lijkt me niet logisch dat het een huurmoord was. Misschien bedoelde ze dat niet. Denk je dat ze dat bedoelde?'

'Je kunt hier wel blijven zitten gokken, maar Bethave weet wie mijn moeder heeft vermoord.'

'En dat mag ze niet met de dood bekopen en dat kleine jochie ook niet. Ze beschermt haar gezin.'

'En ik bescherm het mijne. Ik had het uit haar moeten sláán.'

'Dat meen je niet, bovendien zou ze het je toch niet hebben verteld.' Vicki keek even opzij om het te controleren, maar het werd donker in de auto en Reheema had haar zonnebril op. 'Hoor eens, het wordt al laat. Als we nou eens ergens wat gaan eten en dan naar Cater Street gaan.'

'Ik heb geen honger.'

'Dan gaan we nu naar Cater en pikken we het zwarte busje op. Het is donker en ik voel me beter.'

'Ik voel me beroerder.' Reheema zat nog steeds met haar hoofd te schudden. 'Ze weet wie het heeft gedaan en we rijden gewoon weg alsof het niets voorstelt.'

'We komen er wel achter, het duurt alleen even.' Vicki probeerde met een legale oplossing te komen, maar wist niets te bedenken. 'Als we het aan de politie vertellen, komt ze in gevaar en zal ze bovendien alles ontkennen. Nu weten we in elk geval waar ze woont en hebben we de informatie.'

'En als ze weggaat?'

'Dat doet ze niet. Ze heeft een baan en een kind dat op school zit.'

'Kan ze geen getuigenbescherming krijgen? Dat doen ze toch zo vaak bij de FBI?'

'Alleen voor federale misdrijven, zoals omkoping. Moord is een misdrijf tegen de staat.'

Reheema snoof minachtend. 'Advocatenpraat.'

'Het spijt me,' zei Vicki, en ze meende het. Ze was opgevoed met eerbied voor haar beroep, maar voor het eerst begon ze te begrijpen wat mensen bedoelden met 'juridisch gezever'.

'Jij hebt het over logisch, maar er is nóg iets wat logisch is. Ik snapte niet waarom een moordenaar een mobiele telefoon zomaar zou willen weggeven. Maar hij geeft hem aan een kind dat niet kan praten.'

'Ja.' Vicki knikte. Daarom had Chucky niet geweten wanneer en waar Albertus de telefoon had gekregen. Het kind was niet in staat geweest hem dat te vertellen.

'Maar waarom heeft hij de telefoon niet gewoon weggegooid? Waarom heeft hij hem überhaupt gestolen?'

'Misschien mocht hij Albertus, wilde hij hem een plezier doen.'

'Een moordenaar met een hart van goud. Die mijn moeder heeft doodgestoken. We moeten terug.'

'Nee.'

'Keer om. Ik wil terug.'

'Nee.'

'Dan ga ik zonder je terug. Dump ik jou zoals jij mij hebt gedumpt.'

'In dat geval zorg ik ervoor dat ik je niet uit het oog verlies. Houden we een pyjamafeestje bij jou thuis. Neem ik de nagellak mee. Heb je popcorn?' Vicki reed het rustige verkeer in dat net iets drukker werd nu mensen van hun werk naar huis gingen. Ze veranderde van baan, sloeg toen rechts af, links af, nog een keer rechts af en na een tijdje keek Reheema opzij.

'Waar ga je naartoe?'

'Cater Street.'

'Draai dan om, Harvard,' zei Reheema, terwijl ze zachtjes grinnikte, en Vicki wist dat het weer goed zat.

Het werd al donker tegen de tijd dat Vicki en Reheema in de Intrepid achter in Cater Street geparkeerd stonden. Ze hadden een nieuwe parkeerplaats aan de overkant van de straat gevonden; ze veranderden hun tactiek om te voorkomen dat de uitkijken hen doorhadden, en omdat ze wisten dat het om het zwarte busje ging, was het niet nodig om voor het lege terrein te parkeren.

'Ze komen vanaf de andere kant aanrijden en we zien ze als ze weer wegrijden. Dit is veiliger.' Vicki tuurde naar de uitkijk aan hun kant van de straat, vier huizen van de hoek. Hij droeg een lange groene legerjas en een donkere muts en meestal keek hij naar het andere einde van de straat. 'Het komt goed uit dat de actie aan de andere kant van de straat is. We hebben een keer geluk.'

'Ja.' Reheema's stem galmde in het koude, lege interieur van de auto. Ze was steeds stiller geworden sinds hun ontdekking in het huis van de familie Bethave en Vicki had medelijden met haar.

'We vinden de moordenaar van je moeder wel.'

'Reken maar, goddomme. Op jouw manier of de mijne.'

Vicki reageerde hier niet op en hield haar blik op de donkere straat gericht. Dikke wolken hielden de maan verborgen. 'Ik hoop dat we de rit naar de handelaar niet gemist hebben.'

'Ja.' Reheema keek op het klokje in het dashboard. 'Het is al zeven uur. Vraagt je vriendje zich niet af waar je bent?'

'Ik heb een briefje voor hem achtergelaten om te zeggen dat ik ging winkelen.'

'Gelooft hij dat?'

'Ik winkel veel.' Vicki stak haar hand in haar zak om haar mobieltje te pakken. 'Eigenlijk wilde ik hem nu ongeveer bellen om even dag te zeggen.'

'Ga je te buiten.'

Vicki pakte de telefoon en klapte hem open waardoor er een blauw schijnsel in de auto kwam. Ze wilde net Dans nummer intoetsen, toen ze een auto hoorde starten en ze opkeek.

'Dat zijn ze!' zei Reheema, en ze wees onnodig toen het zwarte busje de hoek om kwam en sneeuw deed opspatten.

Vicki klapte de telefoon dicht, startte de motor en reed weg.

# 37

Een uur later hadden Vicki en Reheema met succes het zwarte busje van Devil's Corner door de stad heen gevolgd tot aan een fout deel van Zuidwest-Philadelphia, in Getson Street, nog geen tien straten verwijderd van Aspinall, waar Browning had gewoond. Aan weerszijden van de straat stonden verwaarloosde rijtjeshuizen, maar hier en daar brandde wel licht. Vicki kon zien dat er mensen woonden, maar niet zo veel of zo burgerlijk als de degelijke gezinnen uit Devil's Corner. Er stonden minder auto's buiten geparkeerd en veel van de huizen waren donkere krotten, grote zwarte rechthoeken die er naast de verlichte huizen scherp afgetekend bij stonden.

Vicki zette de auto aan het eind van de straat, ongeveer zes huizen van het rijtjeshuis vandaan waar Eagles-jas met zijn sporttas naar binnen was gegaan. Voor zover ze kon zien in het donker was het Getson Street 8372; het was een stenen huis met één verdieping, een bouwvallige veranda en besneeuwd kunstgras op het trapje. Binnen brandde licht, maar de gordijnen waren dicht. Op een incidentele auto na was het stil in Getson Street en niemand liet zijn hond uit of zette het vuilnis buiten; het was te koud of te gevaarlijk om deze avond buiten te zijn. Op een van de straathoeken was een groezelige bar en op de hoek daartegenover stond een verlicht geel bord met daarop THE RITE SPOT; het hing boven een kleine supermarkt met zwarte tralies voor de deur en een vuil raam van kunststof, een kogelvrij vierkant van tl-licht.

Vicki zette de motor af. 'Misschien is dit zijn werkhuis, of hoe ze het ook maar noemen.'

'Ja.' Reheema keek om zich heen en deed haar zonnebril af. 'Deze buurt is niet mooi genoeg om in te wonen.'

'Goed zo, en het is nog maar acht uur, dus zal hij vanavond nog wel zakendoen.' Vicki keek nog een keer op de klok. 'Misschien brengt hij zelfs wel een bezoekje aan zijn leverancier.'

'Zou kunnen. Heb je het wapen?'

'Dat hebben we niet nodig.'

'Waarschijnlijk niet, ze zijn per slot van rekening niet gewelddadig.' Reheema glimlachte. 'Zit hij nog in je tas?'

'Dat zeg ik niet.'

'In je rugzak?'

'Geen commentaar.' Toevallig had Vicki het vuurwapen in haar linkerjaszak gestopt, waar hij een gat in haar eierstok kon schieten.

'Dan moet je het zelf weten.'

'Het plan is dat we wachten en kijken. Als we Toner zien, bellen we de politie. Anders volgen we ze en geven we aan de politie door waar ze zitten.'

'Weet je zeker dat je me mijn revolver niet wilt geven?'

'Heel zeker.' Vicki leunde achterover in de bestuurdersstoel, terwijl de adrenaline door haar lijf gierde. Het volgen van het busje was spannender geweest dan ze wilde toegeven en ze was zich sterk bewust van haar lichaam; de pijn van de klappen van de tiener die ze destijds in het huis van Shayla Jackson opgelopen had voelde ze nog steeds in haar zij, en ze kon zich de tederheid van de vorige avond in bed met Dan bijna herinneren. Er was in korte tijd zoveel gebeurd, sinds Morty was vermoord. Vicki had het merkwaardige gevoel dat ze haar hele leven deze afgelopen week had geleefd en ze besefte dat ze het vóór die tijd misschien niet goed genoeg had geleefd.

'Je moet je vriend bellen. We willen niet dat hij straks belt.'

'Ja, je hebt gelijk. Dat zal ik doen.' Vicki pakte haar telefoon uit haar tas, schermde het blauwe licht af zodat het hen niet zou verraden en drukte op de voorkeuzetoets voor Dan. Zijn telefoon ging over, waarna hij overging op de voicemail. Vicki zette een luchtige stem op. 'Dag, schatje, ik ben aan het winkelen en kwam een oude vriendin uit mijn studietijd tegen, dus het kan wel laat worden. Deze nieuwe telefoon valt steeds weg, dus als je me niet te pakken krijgt, hoef je je geen zorgen te maken. Tot straks en anders bel ik wel. Ik hou van je.' Snel zette ze hem uit en liet hem weer in haar zak glijden. 'Goed, we zullen niet gestoord worden.'

'Mooi.'

'Misschien kan ik wat foto's nemen.' Vicki dook in haar rugzak, pakte de camera, zette de flits uit en begon te klikken. Ze wist niet hoeveel ze kon vastleggen met zo weinig licht, maar ze bleef fotograferen omdat het met Toner succesvol was geweest. Vijftien foto's later had ze elke mogelijke hoek vanuit de auto geschoten. Ze legde de camera neer en keek samen met Reheema naar het huis. Niemand ging naar binnen of naar buiten. Acht uur werd negen uur en Reheema legde even een hand op haar arm.

'Ben je wakker?'

'Ja.'

'Ik moet naar de wc. En jij?'

'Natuurlijk, we zijn toch meisjes. En ik heb honger.' Vicki draaide zich om in haar stoel en keek naar de supermarkt en de bar. 'Ik ben voor de winkel. Daar hebben ze vast wel een wc die we mogen gebruiken.'

'Als we snel zijn, missen we niets.' Reheema trok haar muts over haar oren en stapte uit, net als Vicki die haar portemonnee meenam en met haar meeliep.

Met een behoedzame blik op nummer 8372 staken ze de weg over en liepen ze haastig naar het supermarktje. Vicki voelde de revolver in haar jaszak zitten en pas toen besefte ze dat ze geen wapen kon afvuren met wanten aan. Ze kwamen bij de winkel aan en van dichtbij kon Vicki zien dat de voorkant eens van glas was geweest, maar dat die nu was dichtgespijkerd met triplex planken die waren beplakt met oude stickers van de Pennsylvania Lottery, een vale spotprent van de kameel die een sigaret rookt en een sticker met daarop WIJ ACCEPTEREN OOK VOEDSELBONNEN.

Reheema deed de deur open. 'Wees snel. Blijf bij me in de buurt.'

'Ben je mijn paspoort?'

'Nee, je bodyguard.'

Ze liepen de winkel binnen en de oudere winkelbediende keek op. Hij was ongeveer zestig en had diepe rimpels, kleine donkere ogen achter een scheve dubbelfocusbril en een onbuigzaam trekje om zijn mond. Hij droeg een legergroen, gewatteerd vest met een zwarte trui en hij zat de sportpagina van de *Daily News* te lezen, die op de groezelige witte toonbank lag opengeslagen. De toonbank was bijna bedolven met dozen sigaretten en zakken Cheetos, Doritos, Snyder's Hard Pretzels, Rold Gold Pretzels, Beef Jerky en Fritos. De winkel was klein en stoffig en het rook er naar de Newport die hij rookte. Zijn sigaret lag in een smerige, glimmende asbak met een onderkant van stof met een uit de toon vallend ruitjespatroon.

'Wat kan ik voor jullie doen?' vroeg de winkelbediende behoedzaam, terwijl hij hen opnam.

'We willen wat eten kopen en graag even naar het toilet.'

'Dat is alleen voor personeel.'

'Mooi, ik zoek werk.' Reheema trok haar muts af als een hiphopversie van Jeanne d'Arc en wierp hem een stralende glimlach toe. 'Wanneer kan ik beginnen?'

De winkelbediende begon te lachen en eindigde met een kuch. 'O, al goed, jongedame, het is achterin, voorbij de schoonmaakmiddelen. Ga maar gauw, het is bijna sluitingstijd.'

'Bedankt,' zei Reheema, en de winkelbediende gebaarde in de richting van een gangpad met kattenvoer en wasmiddel.

'Doe wel het licht uit als je klaar bent,' riep de winkelbediende haar te laat na. 'Niemand doet tegenwoordig het licht nog uit.'

'Dat geloof ik graag,' zei Vicki, om maar wat te zeggen. Ze kreeg het gevoel dat ze thuis ook had als haar moeder haar alleen liet met haar vader. Ze pakte twee verfrommelde zakken Lay's chips uit het rek en legde ze op de toonbank. 'Hebt u ook broodjes?'

'Nee.'

'Oké.'

'Het doet er niet toe of jij dat oké vindt of niet, want we hebben geen broodjes. Het is hier geen luxe avondwinkel, we hebben niet alles. Ik sta hier in mijn eentje, de winkel is niet eens van mij. Hij is van een stel Koreanen.'

'Aha,' zei Vicki vriendelijk, en ze bleef spullen kopen in de hoop dat de winkelbediende haar en daarmee blanken in het algemeen aardig zou gaan vinden. Ze legde Doritos, Fritos en Cheetos op de toonbank in een stapel verzadigde vetten en liep toen naar het gangpad voor Chips Ahoy en Pecan Sandies, en bleef zo tijdrekken totdat Reheema eindelijk terugkwam en de winkelbediende opklaarde.

'Woon je hier in de buurt?' vroeg hij Reheema, terwijl Vicki door het smalle gangpad naar het personeelstoilet liep. Het toilet bleek net zo fraai te zijn als ze al had gedacht, dus haastte ze zich en liep zo snel mogelijk terug naar het winkelgedeelte, waar ze ter plekke als aan de grond genageld bleef staan.

Naast Reheema – waar hij een doos Winstons kocht en twee briefjes van twintig over de toonbank schoof – stond de tiener die haar bijna had neergeschoten op de avond dat Morty was vermoord. Hij droeg dezelfde basketbalschoenen en een zwarte jas in plaats van de satijnen Sixers-jas, maar ze zou dat gezicht nooit meer vergeten.

'Reheema, grijp hem!' schreeuwde Vicki, en ze dook op de tiener af die onmiddellijk reageerde en naar de deur rende, hem opentrok en wegrende.

'Wat?' Reheema wendde zich met open mond tot Vicki.

'Dat is hem! Dat joch van die avond!' Vicki rende langs de geschrokken winkelbediende naar buiten, met Reheema achter zich aan.

De tiener sprintte in een rechte lijn naar de overkant van Getson Street met zijn grote gympen als twee witte vlekken. Vicki rende achter hem aan, zat hem bijna op de hielen. Haar hart bonkte als een bezetene, haar benen gingen heftig heen en weer en haar rode laarzen gleden uit over beijzelde stukken, maar ze slaagde erin hem bij te houden. Ze voelde dat de woede en het verdriet die ze had onderdrukt het overnamen en haar vooruit stuwden. De tiener had haar bijna vermoord. Hij wist wie Morty had vermoord. Vicki stak al rennend haar hand in haar zak en hield de revolver vast zodat hij niet uit haar zak zou vallen. Hij voelde zwaar en goed aan, zelfs met een want aan. De tiener had misschien een wapen, maar ze was niet meer te stuiten. Ze kon hem niet laten ontsnappen.

Vicki dacht aan de avond dat Morty was neergeschoten. Bij het zien van de jongen was het allemaal weer bovengekomen. De knallende schoten. De manier waarop Morty viel. De geur. Het waterige bloed op zijn lippen. Morty's laatste woorden. Woede pompte door Vicki's aderen. Ze ging nog sneller lopen.

'Aan de kant!' riep Reheema, die Vicki rechts inhaalde en als een raket achter de tiener aan ging.

*Rennen, rennen, rennen!* Verbijsterd bleef Vicki rennen, terwijl haar longen op ontploffen stonden. Ze had nog nooit iemand zo hard zien lopen. Ze dacht aan de wedstrijdtijden op Reheema's oude prikbord. De Willowbrook Lady Tigers.

De tiener stak de volgende straat over, en zijn jas bolde als een donkere spinnaker in de wind op. Met z'n drieën renden ze langs verlaten auto's, lege huizen en gedumpte autobanden, zonder acht te slaan op de buurt die steeds slechter werd. Vicki bleef rennen en vóór haar was Reheema's baan een zuivere rechte lijn die als een laser op haar doelwit af ging.

Vicki's ademhaling was nu een schor gehijg; de ene straat na de andere, de koude lucht die haar longen vulde en haar laarzen die glibberden op het gladde ijs. Haar benen deden pijn, maar haar emoties joegen haar op.

De tiener sloeg links af een zijstraat in en fladderde met zijn armen om in evenwicht te blijven. Reheema nam de bocht als een sportwagen en behield de binnenbocht ondanks de sneeuw en de vrieskou. Ze verdwenen om de hoek en Vicki bundelde al haar krachten om nog te versnellen. Ze mocht niet achteropraken. Ze moest dit joch pakken.

Ze rende de hoek om en zag dat Reheema de tiener aan het inhalen was. De afstand tussen hen kromp van zes huizen tot vijf huizen en toen vier. Reheema had hem bijna! Vicki ging nog harder rennen en hoopte dat hij geen vuurwapen bij zich had.

Reheema stak haar hand uit om zijn wapperende jas te pakken. Bang keek de tiener achterom. Vicki hield haar adem in en hoopte dat hij geen wapen zou trekken.

Reheema dook naar voren, greep hem met haar lange arm bij zijn jas vast en tackelde hem tegen de besneeuwde stoep. Ze vielen samen op de grond en gleden tegen de muur van een leegstaand huis.

Vicki's hart bonkte in haar keel uit bezorgdheid om Reheema. En in de hoop dat ze het joch zou pakken. Het was te donker om te zien wat er gebeurde. Reheema en de jongen leken te vechten in de sneeuw en even later verdwenen ze in de steeg.

'Reheema, pas op!' riep Vicki buiten adem. 'Misschien heeft hij een mes!' Ze had het gevoel dat haar hart uit haar jas sprong. Ze rende naar de steeg toe en zag toen een onwaarschijnlijk tafereel.

Reheema stond hijgend aan één kant met haar handen in haar zij en de tiener had met grote ogen van paniek zijn handen in de lucht gestoken, zijn rug tegen een met sneeuw bedekte vuilcontainer.

'Alstublieft, mevrouw!' smeekte de tiener Vicki, en zijn stem was gevuld met paniek. 'Ik ben geen politiemoordenaar! Ik heb geen agenten vermoord! Ik heb u ook niet beschoten, weet u nog? Ik ben Teeg, Teeg Brumley, u kent me toch? Ik ben degene die Jay heeft gezegd dat hij u niet moest neerschieten, dat u een agent was! Ik heb uw leven gered! Doe me alstublieft geen pijn!'

'Ho, kalm aan!' zei Vicki verbijsterd. Er vormde zich een bal van woede en verdriet in haar borst. Ze kon niet op adem komen.

'Ik wist niet dat Jay iemand ging vermoorden, dat zweer ik! Ik wist niet dat er politie zou zijn! Of dat zwangere meisje of die blanke agent!'

*Morty.* Vicki kon nog steeds niet op adem komen en het kwam niet van de inspanning. De tiener legde hier een volledige verklaring af. Ze wist niet of ze ernaar mocht luisteren zonder hem eerst op zijn rechten te wijzen, maar ze kon niet níét luisteren. Ze moest de waarheid weten.

'Meer weet ik niet, dat zweer ik! Ik heb niemand neergeschoten! Jay heeft het allemaal gedaan. Jay Steptoe is de politiemoordenaar, ik niet! En hij werkt voor de baas! Hij is nu in Getson Street bij de afspraak!'

Vicki hapte naar adem. Dus Jay Steptoe was de man die Morty had vermoord. En hij was op dit moment slechts een paar straten verderop. Even kon ze geen woord uitbrengen, maar toen wist ze het weer. Ze mocht een aanklacht tegen Steptoe niet in gevaar brengen. 'Luister, wacht, Teeg, je hoeft dit allemaal niet te vertellen, je hebt het recht om te zwijgen...'

'We moesten alleen maar de coke halen, dat is alles, ik zweer het u! Jay en ik! Ik weet alleen dat Jamal de baas niet had betaald voor de coke. Hij had de baas niet betaald, dus stuurde de baas ons daarnaartoe om de coke terug te halen!'

Vicki kon haar oren niet geloven. De jongen vertelde haar waarom Morty was vermoord en het was niet om wat ze had gedacht. Het was helemaal geen gevecht tussen twee middelgrote handelaars. Het was een ruzie met een schuldeiser, en het terughalen van de drugs was een gangsta-versie van een inbeslagname. 'Teeg, je hebt het recht te zwijgen. Als je dat recht opgeeft, kan alles wat je zegt tegen je gebruikt worden...'

'Dat weet ik allemaal wel, u moet me geloven! Als u me beschermt, zeg ik alles. De baas had me daarnaartoe gestuurd, het was niet mijn schuld! Preston Courtney had me gestuurd!' Het joch werd hysterisch en sloeg compleet door. 'Hij doet zaken met Jamal, met allemaal, door de hele stad! Hij is de grote baas! Hij levert aan iedereen! Hij is de leverancier!'

Vicki sperde haar ogen wijdopen. *De leverancier.* 'Teeg, deze uitspraken zullen tegen je gebruikt worden tijdens een rechtszaak en je hebt het recht op juridische bijstand tijdens ondervraging...'

'De baas is nu in Getson, met allemaal! Die blanke van dat busje die jullie zoeken? Die is er ook! Ik moest sigaretten voor ze halen! Als ik niet terugga, ben ik dood. Jullie moeten me nu beschermen!'

Vicki stak haar hand op. 'Als je niet in staat bent een advocaat te bekostigen, zal je er een toegewezen worden. Begrijp je deze rechten? Teeg, hoor je me?'

'Ja, dat begrijp ik! Jullie moeten me beschermen! Courtney is degene die Jay en mij had gestuurd! Het is zijn schuld dat die agent is doodgeschoten, niet de mijne! Ik heb het niet gedaan! Ik heb niks gedaan!' Plotseling viel de tiener op zijn knieën in de sneeuw en begon hij te snikken. 'Ik heb het niet gedaan! Zij hebben het gedaan! Ik heb niemand vermoord! En nu maken ze me af!'

Vicki merkte dat ze een stap naar achteren deed in een poging het allemaal te verwerken. De tiener zat voorovergebogen van angst te snotteren als het kind dat hij eigenlijk nog was. Preston Courtney en Steptoe waren verantwoordelijk voor de dood van Morty. En allebei waren ze op dit moment in Getson Street.

'Vicki?' vroeg Reheema.

Vicki draaide zich om bij dit ongewone geluid. Ze had Reheema nog nooit haar naam horen zeggen en het klonk heel ver weg. Courtney en Steptoe hadden Morty vermoord. Ze waren maar een paar straten verderop, binnen handbereik. Ze zouden er niet eeuwig blijven. Vicki's hart bonkte, haar hoofd deed pijn.

Ze stak haar hand in haar zak.

# 38

Binnen een kwartier na Vicki's telefoontje snelde chef Bale verbijsterd de steeg in met in zijn kielzog enkele ongemarkeerde auto's met daarin gewapende ATF-agenten in donkerblauwe jekkers. De resterende uren van de nacht gonsde het van de politieactiviteiten. Teeg Brumley werd gearresteerd en in handboeien naar het huis van bewaring afgevoerd, waar Strauss en Bale zelf zijn verklaring op video opnamen. Vicki, Reheema, en vervolgens ook Dan, keken door een doorkijkspiegel naar de verhoorkamer. Vicki hoopte vurig dat Brumley zou herhalen wat hij haar had verteld, en er was een door het hof aangewezen advocaat aanwezig voor de tiener terwijl hij opnieuw zijn verklaring aflegde en uitweidde over wat hij in de steeg had gezegd en zelfs toegaf dat Vicki hem op zijn rechten had gewezen. Daarop omhelsde Dan haar, hoewel ze verder puur zakelijk met elkaar omgingen. Hoezeer Vicki ook troost kon gebruiken, er was even geen tijd voor romantiek.

Strauss en Bale wisten een deal te bereiken waarbij Brumley zich schuldig verklaarde aan een minder vergrijp in ruil voor medewerking en getuigenis in de rechtbank tegen de anderen. Reheema legde haar verklaring af en ging naar huis, terwijl Vicki, Dan en een harde kern van assistent-openbaar aanklagers en personeel de hele nacht aan het werk waren om aanklachten en bevelschriften uit te vaardigen tegen ene Preston Courtney en Jay Steptoe wegens het beramen van de moord op speciaal agent Robert Morton, en daarnaast vele aanklachten en bevelschriften tegen tien andere personen wegens handel in crack en verschillende wapenovertredingen. De ATF bleek het huis in Getson Street al een tijd in de gaten te hebben gehouden vanuit een flatje in de straat in afwachting van het juiste moment om er een drugs- en wapeninval te doen. Het juiste moment was eindelijk aangebroken.

Dan werkte in zijn eentje aan de aanklachten en bevelschriften tegen William Toner voor het beramen van de moord op zeven mannen, vrouwen en kinderen die waren vermoord bij de Toys "Я" Us, waarna hij ze om vijf uur 's morgens aan Vicki gaf. Ze nam de hele stapel mee naar Bales kantoor, legde ze voor hem neer en ging in de stoel aan de andere kant van zijn bureau zitten.

'Het gaat beginnen, chef,' zei Vicki. Hoe hard ze ook had gewerkt, ze zat boordevol energie.

'Klaar, meisje?' Bale keek van zijn toetsenbord op en draaide zich in zijn bureaustoel om. Even keken ze elkaar boven de papieren aan. Achter hen brak er weer een nieuwe dag aan en kleurde de hemel een prachtig roze en grijs; het licht weerspiegelde in alle wolkenkrabbers en zette ze in vuur en vlam. Of Vicki was zo moe dat ze in extase was.

'Helemaal.'

Bale glimlachte vermoeid. Zijn huid leek gespannen van het harde werken die nacht en zijn ogen waren rood maar alert. Zijn blik was enigszins geamuseerd. Hij had de gouden manchetknopen die hij altijd droeg uitgedaan en zijn mouwen opgestroopt, maar wel met zorg zodat de omgevouwen manchet volmaakt vlak tegen zijn gespierde onderarm lag. Een kleine tatoeage van een Amerikaanse vlag kwam eronder vandaan.

'Hebt u een tatoeage?' vroeg Vicki verrast, en Bale glimlachte.

'Daarom draag ik nooit korte mouwen. Mondje dicht.'

'Dat is goed.'

Hij stak zijn vinger uit en wees naar haar. 'En waag het niet om nog eens met die Botox-roddels over mij te komen, wicht.'

*Betrapt.* 'Hoe weet u dat?'

'Van Debbie Hodill.'

Vicki leunde naar voren. 'Is het waar?'

'Natuurlijk,' antwoordde Bale, en ze moesten allebei lachen. 'Nu ter zake. We moeten een rechter wakker maken en dan wat slechteriken van hun bed lichten.' Hij pakte de stapel papieren en trok die naar zich toe. Zijn vingers vormden een donker contrast tegen het maagdelijke wit.

'Dit is de goede afloop, hè?'
'Nog niet.'
'U bedoelt, pas als we ze gearresteerd hebben?'
'Sst.' Bale bracht een slanke vinger naar zijn snor. 'Wil je voor de verandering eens stil zijn? We zijn nog niet klaar. Dit is allemaal papier. Ze hebben de juiste handtekeningen nodig, zodat ze door de wet worden bekrachtigd.'
*Door de wet bekrachtigd.* Vicki vond het een mooie zin, krachtiger dan een wapen. Daar had Reheema gelijk in gehad, ook al had ze het nog niet eerder beseft.
'Eens kijken.' Bale nam het bovenste formulier van de stapel met daarop VERENIGDE STATEN VS. PRESTON COURTNEY EN JAY STEPTOE.
Vicki voelde een intense tevredenheid. Ze had hem zelf geschreven. 'Dat is de aanklacht en dagvaarding voor de moord op Morty.'
'Weet ik, daarom noemen ze me ook de chef. Stil nu.' Bale pakte de aanklacht, las hem helemaal door tot aan de plaats van ondertekening. Het was gebruikelijk om de papieren alleen te paraferen, maar gezien het belang van de zaak, had het OM besloten ze volledig te ondertekenen.
'Hier is uw pen, chef.' Vicki pakte een zwarte Montblanc uit zijn onberispelijke kristallen houder en gaf die aan hem, maar Bale draaide zich om in zijn stoel en pakte een vel papier uit de printer achter zich. Vicki legde verward de pen neer. 'Wat is dat?'
'Een nieuwe pagina. Ik heb even een fout van je gecorrigeerd. Het viel me op toen ik de papieren daarstraks doorlas.'
'Een fout in Morty's papieren?' Vicki's mond werd droog, terwijl Bale de papieren ondertekende. 'Ik heb ze honderdduizend keer bekeken. Wat was er fout?'
'Dit.' Bale schoof de pagina over het bureau en Vicki keek ernaar. Hij had een nieuwe regel voor een handtekening toegevoegd en daaronder stond:
*Voor de Verenigde Staten:* VICTORIA ALLEGRETTI.
'Je handtekening, graag.' Bale schoof de Montblanc over het bureau naar haar toe.
Vicki voelde dat ze volschoot, maar knipperde met haar ogen haar tranen weg.
'Ik zou maar snel tekenen. Dan kunnen we een paar moordenaars

oppakken.' Bale zwaaide met de pen en Vicki nam hem aan.

'Betekent dit dat het mijn zaak is?'

'Nou en of.' Bale knikte met een glimlach. 'Mijn handtekening is voor de vorm. Ik kan niemand bedenken die het meer verdient.'

'Bedankt, chef,' wist Vicki uit te brengen, en ze slaagde erin de aanklacht en dagvaarding te ondertekenen zonder er tranen op te laten vallen, wat heel wat was.

'Ik zou het je graag laten afhandelen tot en met de aanklacht en de rechtszaak, maar we hebben je nodig als getuige om te beschrijven wat er is gebeurd, en je moet de schutter aanwijzen. Volgens de regels kun je niet beide doen.'

'Dat weet ik.' Maar Vicki kon tenminste wel de eerste zitting doen en achter de schermen aan de rechtszaak werken. Ze gaf de papieren terug aan Bale. 'Dank u.'

'En nu je mond houden terwijl ik de rest onderteken.' Bale ging zitten en begon te lezen, wat Vicki de kans gaf om tot rust te komen.

'Dit betekent neem ik aan dat ik mijn baan houd.'

'Helaas kan ik je nu moeilijk ontslaan.' Bale keek niet op. 'Ik wil dat je bij de persconferentie aanwezig bent.'

'Jippie!' Vicki kon haar mond niet houden. Buiten kwam de zon op en brak er een nieuwe dag aan, maar ze wist redelijk zeker dat dat toeval was.

'En bij die persconferentie worden er geen details vrijgegeven over hoe deze zaak zich heeft ontwikkeld. Die informatie hou je voor je en je laat Strauss en de ATF het woord voeren.' Bale bleef lezen. 'Verknal dit niet, anders legt Strauss mijn hoofd op het hakblok.'

'Akkoord.'

'Maar je weet hoe ik erover denk, hè? Dat heb ik je gisteravond gezegd.' Met zijn pen in de lucht en zijn ogen samengeknepen keek hij naar haar op, zoals hij ook om twee uur die ochtend had gedaan toen hij haar tijdens de pizza de les had gelezen over het gevaar waar ze zichzelf en anderen in had gebracht. 'Nooit meer, beloofd?'

'Beloofd. Maar ik ga toch wel mee voor de arrestaties, hè?'

'Je blijft als een brave pup in de auto zitten.'

'Waf!' zei Vicki, en Bale las verder. Ze keek toe en nam toen een gokje, aangezien hij in een open bui was. 'U moet toch toegeven dat ik goed werk heb geleverd, chef.'

'Nee, dat hoef ik helemaal niet, want dat heb je niet gedaan.' Bale keek niet op, maar bleef ondertekenen. 'De resultaten waren goed, maar je methoden waren vreselijk. Gevaarlijk. Ik zet je op een nieuwe drugszaak, Kalahut, samen met ATF-agent Barbara Pizer. Zij zal je zo druk bezig houden dat je geen tijd hebt om detective te spelen.'

'Begrepen,' zei Vicki. Ze besloot haar mond te houden en tevreden te zijn met wat ze had.

Maar vreemd genoeg moest ze aan haar vader denken.

Vicki had nog nooit deel uitgemaakt van een grote federale drugsinval, en de overval vond plaats met een coördinatie en precisie waar de gemiddelde belastingbetaler, zo niet oorlogsveteraan, zich over zou verbazen. Twintig ATF-agenten in volledige uitrusting met aanvalswapens en nieuwe aanhoudingsbevelen, ondersteund door FBI-agenten en een arrestatieteam van de politie deden op vrijdagochtend om precies acht uur zeventien invallen in de huizen, bedrijfspanden en op straathoeken waar elk van de vijftien verdachten werkte. Dan was met Strauss meegegaan voor de aanhouding van Toner voor de moorden bij de Toys "Я" Us, maar Vicki keek, beschermd door een zwaar zwart kogelvrij vest van kevlar en verschanst in een ongemarkeerde bus, toe hoe de ATF bij het huis van Jay Steptoe aanklopte en er vervolgens binnendrong om de aanhoudingsbevelen uit te voeren. Zonder vuurgevecht of ongeregeldheden kwamen de agenten nog geen tien minuten later naar buiten met een worstelende Steptoe in een zwarte joggingbroek en wit T-shirt.

Vicki hapte naar adem. Steptoe vloekte en vocht met de agenten, en op zijn gezicht stond dezelfde boosaardige blik te lezen als de avond dat hij Morty had doodgeschoten en zijn wapen op haar had gericht. Ze tuurde door het kleine raampje van de bus en schepte een intens genoegen in het feit dat hij schoppend en schreeuwend over de stoep werd gesleept en de wachtende surveillancewagen in werd geduwd.

'Joehoe!' Gewoontegetrouw keek Vicki naar rechts, maar Reheema was er niet. Als burger had ze niet mee gemogen, en Vicki had amper de kans gehad om haar gedag te zeggen en haar te bedanken voordat ze haar in de lift had gezet.

*Maar zonder jou hadden we hem niet kunnen pakken, Lady Tiger,* dacht Vicki, terwijl ze de surveillancewagen nakeek die met gillende sirene wegreed.

Het was geen complete verrassing voor Vicki dat de persconferentie even zorgvuldig gepland, getimed en gecoördineerd was als de drugsinval. Advocaat-generaal Strauss, chef Bale, hoge omes van de ATF, de FBI en de plaatselijke politie en tot slot Dan en Vicki stonden voor in de ruimte in het schelle licht van grote lampen en zeker vijfenveertig film- en fotocamera's. Om precies 12.10 uur betrad Strauss het podium, zo afgesproken om de lokale netwerken de tijd te geven het plaatselijke nieuws uit te zenden en vervolgens over te kunnen schakelen naar de persconferentie.

Strauss schraapte zijn keel. 'Het OM kondigt een grote overwinning aan in het Schone Winkelcentra Project om de stad Philadelphia te verlossen van gewelddadige misdrijven. Vandaag hebben we William Toner opgepakt en gearresteerd, de man die was betrokken bij een drugssamenzwering en die wordt aangeklaagd wegens de moord op twee drugdealers en zes andere onschuldige burgers bij de Toys "Я" Us.'

Camera's zoemden, fototoestellen flitsten en er klonk zelfs applaus.

'Bovendien hebben we tijdens dezelfde overval Jay Steptoe gearresteerd voor de moord op speciaal agent Robert Morton van de ATF, die vorige week tijdens zijn werk werd doodgeschoten, zoals u zich wellicht nog kunt herinneren.'

Hierop klonk applaus en Vicki keek omlaag.

'In het kort zijn dit de aanklachten en verdachten,' ging Strauss verder, maar Vicki luisterde niet naar de rest, niet na het deel over Morty. Ze dacht aan wat Bale had gezegd, aan de kracht van het recht en hoe dat uiteindelijk had gezegevierd. Het OM zou tegen Steptoe procederen en zij zou ervoor moeten zorgen dat ze wonnen. Iets in haar zei dat ze dat zou gaan doen... voor Morty.

'Tot slot,' concludeerde Strauss, 'is het op dit moment belangrijk om iemand te prijzen voor zijn buitengewone inzet bij het onderzoek en zijn leidinggevende kwaliteiten. Dat was wat betreft deze zaak, zoals u zich kunt voorstellen, een herculische taak.' Strauss zweeg even en Vicki werd opgeschrikt uit haar overpeinzingen en keek op.

'Ik wil hier publiekelijk chef Howard Bale, districtschef Zware Misdaad, bedanken voor zijn niet-aflatende toewijding aan zowel gerechtigheid als de veiligheid van onze burgers op dit zeer gevaarlijke en wezenlijk belangrijke gebied van wetshandhaving. Chef Bale?' Grijnzend als een quizmaster stak Strauss zijn lange arm uit naar Bale. Het publiek applaudisseerde en Vicki deed spontaan mee, gevolgd door Dan zodat ze geen belachelijke indruk zou wekken. Daar zou ze hem straks maar voor moeten bedanken... in bed.

Bale liep het podium op en sprak een paar woorden, gevolgd door de bazen van de ATF en de FBI en tot slot de burgemeester, de politiecommissaris, de locoburgemeester en de voorzitter van de Kamer van Koophandel, die iedereen uitnodigde om toch vooral in alle veiligheid te winkelen. De persconferentie was eindelijk afgelopen en Vicki vroeg zich onwillekeurig af of Reheema het ook op tv had gezien en wat ze van de show vond.

En dat deed Vicki er weer aan denken dat ze nog wat onafgemaakte zaken had.

# 39

Vicki lag tevreden thuis met haar hoofd tegen Dans warme borst in de donkere slaapkamer die ze al als die van hen zag. Ze wist dat die gedachte voorbarig was, maar het was moeilijk om helder na te denken na echt waanzinnige seks met een man van wie ze hield onder een wit donzen dekbed met een lapjeskat opgerold aan het voeteneinde. Zeker als je eerder naar huis bent gegaan om te vrijen. Vicki dacht erover om van spijbelseks haar nieuwe hobby te maken.

De late middagzon die buiten het slaapkamerraam had gestaan toen ze thuiskwamen, scheen allang niet meer, verjaagd door een koude blauwe winterlucht. Het was zeker al zes uur of later. Vicki richtte haar blik dromerig op het blauwe vierkant boven de halve gordijnen, maar kon niet zien of het weer zou gaan betrekken. Als klein meisje keek ze altijd naar de sterren voordat ze in slaap viel en stelde ze zich in de winter voor dat ze zo hard waren als diamanten, afgevuurd door de kou in de hemel.

'Was dat mijn beloning?' vroeg Dan met zachte, diepe stem.

'Ja, ik ben een fervent voorstander van het beloningssysteem. Bof jij even.'

'In dat geval moet het maar.'

'Heel grappig.' Vicki gaf Dan en kneepje in zijn zij en hij kronkelde.

'Maar ik ben nog steeds boos op je.'

'Hè, begin nou niet weer.'

'Jawel. Je bent zelf ook beloond door mijn waanzinnige seksuele talenten, maar je zou eigenlijk gestraft moeten worden.'

'Geef me maar een pak slaag.'

'Ik maak geen grapje. Mijn koffertje doorzoeken? Papieren stelen? Gevaarlijke misdadigers achtervolgen? Dag na dag tegen me liegen?'

'Het spijt me dat ik tegen je heb gelogen.'

'Je deed zelfs alsof je nog nooit een foto van Toner had gezien, terwijl je hem nota bene zelf had gemaakt!'

Vicki huiverde 'Dat spijt me ook.'

'En al die andere dingen?'

'Daar heb ik geen spijt van.'

'Dat zou anders wel moeten!' Zo te horen glimlachte Dan niet en het bedierf haar dromerige napret van de seks.

'Hoor eens, ik ben niet van plan er een gewoonte van te maken, maar ik heb de vent gepakt die Morty heeft vermoord en daar ben ik trots op. En ben jij niet blij dat we Toner hebben?'

'Jij en Reheema hadden óók gearresteerd kunnen worden! Zij heeft je hierin meegesleept.'

'Dat is niet waar,' zei Vicki afwerend. 'Ik heb háár er eerder bij betrokken.'

'Ik mag haar niet. Dat mens is zo vijandig.'

'Ik vind haar aardig. Die vijandigheid is een deel van haar charme.'

Het bleef even stil, toen zei Dan: 'Vick?'

'Wat?'

'Je gedrag was erg ongepast.'

Vicki glimlachte. 'Nou lijk je net het hoofd van een school.'

'Misschien omdat ik dat ook ben. Of althans, ga worden.'

'Wat bedoel je?'

'Dat mag ik niet zeggen.'

'Vertel op. Wat is er aan de hand?' Vicki tilde haar hoofd op en keek naar Dan. In het halfduister zag ze een mysterieuze glimlach om zijn lippen.

'Nou, er zitten wat promoties aan te komen. Het is nog niet officieel, maar ze gaan het maandag bekendmaken aan het OM en de pers.'

'Wat bekendmaken? Vicki ging opgewonden op haar zij liggen en Dan hees zichzelf al overeind op een kussen.

'Ik word de nieuwe chef.'

'Jíj! Gefeliciteerd!' Vicki voelde haar hart zwellen van trots. Ze sloeg haar armen om Dan heen en hij omhelsde haar hartelijk.

'Is het niet geweldig?'
'Super!'
'Ik krijg ook opslag, drieduizend dollar.' Dan grijnsde. 'Er komt een overgangsperiode. De promotie treedt volgende week over een maand in werking.'
'En wat gaat Bale doen?'
'Die wordt de nieuwe advocaat-generaal.'
'Wauw! Geen wonder dat Strauss hem tijdens de persconferentie bedankte.'
Dan knikte. 'Strauss heeft me gezegd dat hij de pers voorbereidt.'
'En wat gaat Strauss doen?'
'Hij kan elk moment genomineerd worden voor een benoeming tot federaal rechter. Ze hebben het er achter de schermen al maanden over.'
'Dat meen je niet! Ik had wel gehoord dat hij dat wilde.'
'Ja, en na de inval van vandaag heeft hij te horen gekregen dat het prioriteit gaat krijgen en dat de benoeming er zonder problemen doorheen komt. Die gaat het hooggerechtshof nog wel halen.'
'Nou, leuk voor hem. Dan, jezus! Jij, chéf?' Vicki liet het nieuws tot zich doordringen. 'Wacht eens, betekent dit dat ik met mijn baas in bed lig?'
'Eerlijk gezegd, ja. Als we zo doorgaan.' Dans glimlach vervaagde en Vicki kreeg een bezorgd gevoel.
'Wat bedoel je met "als"? Natuurlijk gaan we zo door. We houden van elkaar.'
'Ik zeg niet dat ik je wil opgeven. Ik heb je net gevonden.'
'Ik ook. Ik bedoel, ik ook niet!' Vicki was te moe om na te denken. Ze had zeker twintig uur niet geslapen. Haar oogleden werden opeens loodzwaar, maar dat kon van de spanning komen. 'We kunnen het gescheiden houden. Liefde en werk, je hebt ze beide nodig.'
'Op dezelfde werkplek? Wat voor indruk wek je dan? Je krijgt geheid geroddel.'
De toon van zijn stem stond Vicki niet aan. Ze wou dat het niet zo donker was zodat ze zijn gezicht beter kon zien. 'Ze roddelden ook over ons toen je nog getrouwd was. Wie maakt zich nou druk om roddels?'
'Wij allebei. Mensen weten het nu nog niet van ons, maar ik moet als chef rechtszaken verdelen. Promoties, opslag. Dan lijkt het net of ik jou voortrek.'

'Maar dat doe je niet.' Vicki kreeg het een beetje benauwd. 'Hou je opeens niet meer van me nu je promotie hebt gemaakt?'

'Ja, natuurlijk wel,' antwoordde Dan zacht. 'Ik hou echt van je, schatje.' Hij trok Vicki dicht tegen zich aan, en zij vond hem terug en kroop tegen zijn borst aan. Hij slaakte een zucht. 'Kom, vergeet het voorlopig. Het is een eindeloos lange dag geweest en ik heb geen idee wanneer jij voor het laatst hebt geslapen. Laten we eerst maar eens wat uitrusten.'

'Ik kan nu niet slapen!'

'Jawel. Je bent kapot.' Dan schoof wat omlaag, bleef Vicki vasthouden en trok het dekbed over hen heen. 'Ga gewoon lekker slapen en maak je nergens zorgen om.'

'Ik maak me wel zorgen.'

'Alles komt goed,' zei Dan, en hij gaf haar een zoen op haar hoofd. 'Welterusten.'

'Welterusten,' zei Vicki, maar ze dacht aan iets over relaties. Mannen sliepen altijd beter na een ruzie. Een stevige ruzie werkte voor mannen zelfs net zo goed als een pijnstiller. Ze probeerde zich te ontspannen en bleef naar de lucht kijken om te zien of ze sterren kon zien. Die waren er niet.

Toen Vicki haar ogen weer opendeed was het 21:17 uur. Het was donker en stil in de slaapkamer op het sissen van de radiator en Dans regelmatige ademhaling na. De poes zat niet op haar vaste plekje, maar was aan haar nachtelijke wandelingetje bezig, wat inhield dat ze luidruchtig met haar nagels over krantenpapier ging, met veel kabaal in boodschappentassen kroop en hard naar de straatlantaarns miauwde. Vicki mocht Zoe, maar een stiefkat had zo zijn nadelen.

Ze draaide zich om en dacht aan het gesprek dat zij en Dan hadden gehad vlak voordat ze in slaap waren gevallen. Ze draaide zich weer om en probeerde het tevergeefs uit haar gedachten te zetten. Ze stond op, liep naar de badkamer, kwam terug, ging voorzichtig op bed zitten en keek naar Dan die vredig sliep na zijn promotie.

*Ik hou van je, schatje.*

Vicki was zenuwachtig, bezorgd, ze had honger en was in de war. Ze was al zo veel nachten wakker en actief dat ze net zo'n nachtdier was geworden als Zoe. Ze vroeg zich af wat Reheema nu deed. Ze hadden elkaar sinds die ochtend niet meer gesproken. Ze keek op Dan neer die zijn armen boven zijn hoofd had gelegd, en ze wist dat ze niet meer kon slapen. Als ze weer naar bed ging, zou ze hem alleen maar wakker maken. Ze moest nadenken en ze had een vriendin nodig. Ze stond op, kleedde zich aan en legde een briefje voor haar nieuwe baas op het kussen.

Een uur later zat Vicki weer in haar geliefde cabrio lusteloos te luisteren naar KYW's eindeloze herhaling van de verslaggeving over wat ze de Toys "Я" Us Arrestaties en de Grote Drugsinval noemden. De burgemeester werd uitgebreid geciteerd, vervolgens lieten ze Strauss nog een keer horen en Vicki genoot ervan mooie dingen te horen over waarheid, gerechtigheid en 'the American way' toen ze iets bedacht wat ze was vergeten.

Ze grabbelde in haar zak naar haar mobiele telefoon en gleed langs dat hinderlijke wapen van de vorige avond. Ze vond de telefoon, klapte hem met haar duimnagel open en drukte op de voorkeuzetoets voor het vaste nummer van haar ouders, zodat het niet zou lijken of ze aan de een de voorkeur gaf boven de ander. Ze had vijftig procent kans. Er werd opgenomen.

'Mam?' vroeg Vicki hoopvol.

'Dag, lieverd!'

*Gelukkig!* 'Ik wilde alleen even dag zeggen. Ik dacht, jullie hebben me vast wel op het journaal gezien. We hebben de man gearresteerd die mijn partner heeft vermoord, de ATF-agent.'

'Ja! Wat spannend! Haar moeder klonk echt blij en op de achtergrond blafte Ruby de Gestoorde Corgi als een bezetene. 'Wat een geweldig resultaat, en je zag er zo mooi uit. Je schoenen waren perfect.'

'Dat zijn ze altijd.' Vicki glimlachte. Dit telefoontje werd een makkie, omdat de lijn volledig schoon was. Deze keer loog het OM tegen Vicki's ouders, hoewel ze blij was met de hulp.

'Wacht even. Dan zeg ik je vader dat hij de andere telefoon even moet pakken.'

*Nee!* Het enige wat nog erger was dan haar vader aan de telefoon, was haar vader aan de andere telefoon. Haar moeder legde haar hand op het mondstuk toen ze hem riep en nadat een verkeerslicht op groen was gesprongen, pakte hij op.

'Victoria?' zei haar vader. Nu hoorde ze het geblaf in stereo.

'Ja, hoi. Ik wilde alleen maar even dag zeggen en laten weten dat alles goed is. Jullie hebben dus de persconferentie en het nieuws gezien.'

'Ja, en ik heb het ook online gelezen. Het klinkt erg interessant en de telefoon heeft vandaag op kantoor roodgloeiend gestaan. Harry en Janet Knowles belden, je weet wel hoe aardig die zijn, en Maureen Thompson en Gail Graves.'

*Hun cliëntenfamilie.* 'Wat leuk.'

'En haar zus, Lynne Graves Stephenson, die ken je nog wel, uit Chester County. Will Donato belde ook en nog iemand. O ja, Karen Abdalla-Oliver en Mama Jean Brightcliff.'

*Weet je zeker dat je nu iedereen hebt gehad?*

'En Phyllis Banks uit Zuid-Philadelphia.'

'Zuid-Philly Phil?' Vicki glimlachte bij de herinnering. Ze miste Phyllis.

'Ja. Ze vond het heel fijn voor je. Jij en je collega's zullen wel heel blij zijn.'

'Dat ben ik ook.' *Maar dat zul jij wel nooit zijn.*

'Zo te horen is het een grote zaak, vijftien beklaagden, tenlasteleggingen met veel punten.'

Haar moeder voegde eraan toe: 'Zeg, ik hoop wel dat je aan je rust toekomt, lieverd. Je zag er een beetje moe uit op tv.'

*Dat komt door de seks.* 'Nou, ik moet ophangen, mam. Het wordt al laat. Ik wilde alleen even iets van me laten horen.'

'Fijn, ga maar gauw slapen, lieverd,' zei haar moeder. Haar vader voegde eraan toe: 'Slaap lekker.'

Na enige tijd reed Vicki Devil's Corner in, ze kwam bij Lincoln Street aan en werd verrast door de lichten, de commotie en de activiteit. Ze reed door Lincoln en kwam steeds dichter bij de kern van het rumoer; een straat, nog een straat, tot ze gedwongen was te stoppen. Reheema's straat was door de politie afgezet en ondanks de kou hing er een menigte op straat rond. Televisielampen doorboorden de avondlucht in witte banen die door de koude kobaltblauwe lucht sneden, en de witte antennes op nieuwsbusjes waren bijna net zo hoog als de huizen.

Vicki voelde haar mond droog worden. Ze dacht aan de beelden bij Shayla Jacksons huis op de avond dat ze was vermoord. Reheema's straat leek wel een plaats delict. Wat kon het zijn? Ze had onderweg naar de radio geluisterd en het nieuws was alleen maar over de Toys "Я" Us arrestaties en de drugsinval gegaan. Ze had niets gehoord over ongeregeldheden in Devil's Corner. Misschien was het net gebeurd en hadden de media het nog niet opgepakt.

Geschrokken trapte Vicki op de rem, ze deed haar alarmlichten aan en parkeerde de auto. Ze sprong eruit en liep met haar hart in haar keel naar de menigte en de televisielichten. Toen ze bij de menigte aankwam, hoorde ze lawaai, gepraat en geschreeuw uit de buurt van Reheema's huis.

'Wat is hier aan de hand?' vroeg Vicki aan een man in een donzen parka, maar hij had zijn dikke capuchon op en wendde zich af. Toen hoorde ze rapmuziek en iets wat op zingen leek.

*Hè?* Vicki baande zich een weg door de menigte die vrolijk gonsde en babbelde. Mensen hadden zelfgemaakte spandoeken bij zich die op en neer gingen op de maat van de rap. Op een met de hand geschreven bord stond HOU DE DUIVELS WEG UIT DEVIL'S CORNER! Op een ander bord stond met dikke stift AFBREKEN DAT KROT!

Vicki ontspande zich, glimlachte. Het was geen misdrijf, het was een soort straatfeest. Ze baande zich een weg naar Reheema's huis waar ze hotdogs en een barbecuelucht rook. Vanuit een gettoblaster rapte Nelly over Nellyville en buren dansten, lachten, rookten en stonden te praten op de straat en de stoep zonder zich iets aan te trekken van de kou. Het was een vrolijke aanblik voor een straat die er voorheen zo verlaten bij had gelegen. En te midden van de massa, hoog boven hen uit, danste een bekende muts.

'Reheema!' riep Vicki, en ze vormde een megafoon met haar wanten. Reheema keek haar kant op, maar kon de kleine assistent-openbaar aanklager niet zien tussen de feestgangers. 'Ik ben het!'

Een paar buren keken haar nieuwsgierig aan, maar de meesten hadden zich verzameld om een televisieverslaggever, volgden het interview en trokken gekke bekken op de achtergrond. De verslaggever was de enige blanke in de menigte en hij hield een microfoon voor een moeder met een dik ingepakte peuter op haar heup. De moeder sprak in de microfoon: 'Dit is een feest van de gezinnen die in Devil's Corner wonen. We eisen onze buurt terug! We hebben de winkel in Cater Street gesloten en we gaan ervoor zorgen dat hij niet meer terugkomt!'

De verslaggever keek een beetje angstig, de buren juichten en Vicki baande zich een weg naar de gebreide muts.

'Kom hier, mens!' riep Reheema boven de herrie uit met een brede glimlach op haar gezicht toen ze haar herkende. 'Wat doe jíj nou hier?'

'Ik miste je!' riep Vicki terug, en ze liepen naar de rand van de menigte waar het wat rustiger was.

Reheema straalde. 'Moet je kijken! Wat vind je van ons feest?'

'Geweldig! Wat is er aan de hand?'

'We hebben de muur in Cater Street afgebroken, het vuil weggegooid en het krot uitgeruimd. En we hebben teams samengesteld voor een buurtwacht.' Reheema zwaaide naar iemand die haar naam riep. 'We gaan rondlopen. Met oranje hesjes en zo, net als op de lagere school.'

'Echt waar?'

'Gelóóf het! Het is feest!'

'Ding dong, de heks is dood!'

Reheema knipperde met haar ogen? 'Waar heb je het over?'

'Iets blanks.'

Reheema glimlachte. 'Ook goed, is het niet geweldig? Ik heb deze mensen dus nooit eerder gezien en nu staan ze hier allemaal bij elkaar. Georganiseerd. Samen. En raad eens, ik ben straathoofd!'

Vicki salueerde.

Reheema schoot in de lach. 'Ik heb het deels aan jou te danken. Ik ga het huis niet verkopen. Ik heb er zelf voor betaald en mijn moeder woonde hier. Ik hoor hier thuis. En ik dacht: waarom geeft dat Harvard-meisje meer om waar ik woon dan ik?'

Vicki glimlachte. Ze voelde zich geroerd.

'Toen ze vandaag die persconferentie hielden, al die hoge omes en toen jíj, zei ik tegen mezelf: oké, eens zien of we het hier zelf schoon kunnen houden. Dus ben ik van deur naar deur gegaan en ze hebben het allemaal opgepakt.' Reheema grijnsde. 'Ze waren gewoon bang, dat is alles.'

Vicki keek vrolijk om zich heen. 'Nu niet meer.'

Reheema keek ook naar de menigte. 'Nee, ze zijn dronken!'

Ze schoten in de lach en als ze meisjesachtige meisjes waren geweest, hadden ze elkaar op dit moment omhelsd. Maar dat gebeurde niet en de sterren waren ook geen diamanten.

Vicki zei: 'Ik wilde je zeggen hoe ontzettend blij ik was met je hulp de afgelopen week, en met dat joch. Ik had hem nooit te pakken gekregen. Het was heel dapper van je, en allemachtig wat kun jij rennen!'

Reheema haalde haar schouders op. 'Ik ben jou ook wat verschuldigd. Je hebt me mijn huis teruggegeven.'

‘Ik ben je moeder niet vergeten.’

‘Dat wist ik wel.’

‘Mooi.’ Dat klonk Vicki goed in de oren. Het betekende vertrouwen en dat was nog veel beter dan een omhelzing. ‘Morgenochtend, om negen uur?’

‘Ha! Heb je een plan?’

‘Wat denk je zelf?’

En ze gaven elkaar een high five. Een zwarte handschoen tegen een rode want.

# 40

Zaterdagochtend stonden Vicki en Dan vroeg op, ze namen een douche, kleedden zich aan en gingen samen naar de keuken, waar ze stiller dan anders koffiezetten. Vicki was bang dat er iets mis was. Om te beginnen had Dan niet willen vrijen toen ze wakker werden, maar ze had haar best gedaan zich dat niet aan te trekken. Misschien was hij de enige man op aarde die niet automatisch 's morgens wilde vrijen. In de tweede plaats zei Dan, toen hij tegen haar elleboog stootte om bij het koffiezetapparaat te kunnen: 'Pardon.' Vicki deed haar best er niet te veel aandacht aan te besteden, maar ook dat gevecht dreigde ze te verliezen. Gebrek aan libido en beleefdheden waren onbetwistbare tekenen dat een paar op de rand van de afgrond stond.

'Gaan we uit elkaar?' vroeg Vicki, en ze draaide zich opeens om bij de gootsteen.

'Wat? Nee. Natuurlijk niet.' Dan fronste zijn wenkbrauwen en keek haar aan alsof ze gek was.

'Ik ben niet gek.'

'Dat zeg ik ook helemaal niet.'

*O.* 'Gisteravond zei je dat we misschien uit elkaar gingen vanwege je promotie.'

'Niet waar.' Dan zette het koffiezetapparaat aan. 'Ik zei dat ik me zorgen maakte over hoe onze relatie ons werk zou beïnvloeden en andersom, maar dat betekent niet dat we uit elkaar gaan.'

Vicki verbleekte. 'Zo kwam het wel over.'

'Dat was niet mijn bedoeling.' Dan glimlachte en terwijl de koffie begon te pruttelen, kwam Dan naar haar toe en sloeg hij zijn armen om haar heen. Hij droeg Vicki's favoriete slobberjeans en donkerblauwe sweater en zelfs daar werd ze niet vrolijk van. 'Als we vanavond eens uitgaan? Een heus afspraakje, dan gaan we uit om het te vieren.'

'Om wat te vieren?' jammerde Vicki, en ze genoot ervan. Niemand kon zo goed jammeren als een burgermeisje.

'Dan vieren we dat de goeien hebben gewonnen en dat die in dit geval ook nog eens verliefd op elkaar zijn.'

'Oké.'

'Goed zo.' Dan gaf Vicki een snelle zoen, wat ze een beetje te 'getrouwd' vond en niet 'vriendinnetje' genoeg, waarna hij haar een tik op haar billen gaf alsof ze een ordinaire quarterback was. 'Nu moeten we naar kantoor.'

*Wat een team!* 'Moet dat?' Vicki keek op haar horloge. 07.38 uur. Ze had om negen uur met Reheema afgesproken.

'Ja, dat moet. We hebben gisteren een paar bevelschriften uitgevoerd, weet je nog?' Dan lachte zachtjes, trok de vaatwasser open, pakte hun Harvard- en Elvis-bekers en zette ze op het aanrecht. 'We moeten ons gaan voorbereiden op de hoorzittingen van de onderzoeksjury. We hebben scripts nodig voor de kruisverhoren, voor getuigen, er moeten dagvaardingen opgesteld worden, je weet hoe dat gaat.' Dans mobiele telefoon aan zijn riem begon te rinkelen en hij draaide hem omhoog om te kijken wat er op het schermpje stond. 'Onbekend, dat is de pers. Ik heb Strauss gezegd dat ik er om negen uur zou zijn.'

*Twee zielen, één gedachte.* 'Eh, tja, ik heb vanmorgen met Reheema afgesproken.'

'Je vriendin van gisteravond.' Dan trok een lang gezicht. 'Wat voor rotzooi hebben jullie uitgehaald?'

'Niks, ik heb haar alleen even dag gezegd.' Vicki klaarde op. 'Ze hadden een feest in de buurt en ze gaan de crack buiten de deur houden. We hebben ze eigenlijk geholpen. Die buurt gaat het redden en Reheema organiseert het.'

'Is dat de waarheid?' Dan trok een wenkbrauw op en Vicki nam een besluit.

'Ik ga niet meer tegen je liegen. Dat is het enige wat we gisteravond gedaan hebben. Maar we weten nog steeds niet wie haar moeder heeft vermoord en waarom haar die wapenrunnerzaak in de schoenen is geschoven, en daar wil ik haar bij helpen.'

'O, ja?'

'Ik wil ook graag je mening over iets anders. Kun je luisteren zonder door het lint te gaan?' Vicki wachtte niet op antwoord. Ze had hem de vorige avond verteld dat ze Toners strafblad uit zijn koffertje had gehaald, maar ze had er niet bij gezegd dat ze ook de HIDTA-grafieken van Ray James had gepakt. Dat moest ze nu opbiechten. 'Ik zou graag mijn klankbord weer terug hebben.'

'Ga je gang,' zei Dan, en hij schonk koffie voor hen in. Vicki nam de beker aan en vertelde hem dat ze de papieren over James had gepakt en haar mobiele telefoon naar Albertus had herleid. Dan glimlachte niet toen ze klaar was. 'Dus het zijn nu huurmoordenaars.'

'Zelfs ík denk dat ik het in mijn eentje misschien niet aankan.'

'Maar je bent niet van plan om ermee op te houden, of wel?'

'Dan, Reheema heeft dat joch voor me weten te pakken en hij had wel gewapend kunnen zijn. Ik ben haar iets verschuldigd.'

'Dat is niet waar.'

'Dan is het gewoon de juiste beslissing.' Vicki kon niet geloven dat hij zo koppig was. 'Zelfs een crackjunkie is iemands moeder. Deze was Reheema's moeder. Ze verdient net zoveel gerechtigheid als Morty, gaat het daar niet om? Gelijkberechtiging voor iedereen?' *Chef?*

'Goed. Wil je mijn hulp?' Met een keramische klap zette Dan zijn beker op het betegelde aanrecht. 'Dan maken we een deal.'

'Wat?' Vicki voelde een imitatie-Vuitton aankomen.

'Ik regel het. Ik vraag Strauss een telefoontje te plegen om ervoor te zorgen dat de Bristow-moord de hoogste prioriteit krijgt bij de politie. Een vipbehandeling. Daar hebben ze wel tijd voor nu de Toys "Я" Us-zaak is afgelopen. Ik breng ze ook onofficieel op de hoogte van Bethave en haar zoon. Misschien kan een patrouillewagen in de buurt het in de gaten houden.'

'Geweldig!' Vicki voelde zich direct een stuk beter, en Dan glimlachte alweer naar haar zoals vroeger. Zoals de dag ervoor.

'In ruil daarvoor onderzoeken jij en Reheema geen huurmoordenaars. Dit is echt een zaak voor de politie. Jullie hebben fantastisch voorwerk gedaan, maar het is te riskant om verder te gaan. Deal?'

'Deal.' Vicki knikte. 'Nog één ding. Ik weet nog steeds niet waarom

Shayla Jackson Reheema die wapenrunnerzaak in de schoenen heeft geschoven. Geen van de arrestaties van gisteren kan dat verklaren. En ik weet niet eens hoe Jackson Reheema kende.'

'Wat maakt het uit, Vick?' vroeg Dan met een vermoeide glimlach. 'Met Reheema is alles weer goed en de vent die jouw informant heeft vermoord zit vast. Alles in orde, toch?'

Vicki moest hier bijna om lachen. 'Behalve dan dat Reheema bijna een jaar van haar leven kwijt is omdat ze vastzat.'

'Als ze had verteld dat ze de wapens aan haar moeder had gegeven, was ze waarschijnlijk niet eens aangeklaagd.'

'Maar haar moeder wel. Dat is nog steeds niet duidelijk.'

'Het leven zit vol onduidelijkheden. Je kunt niet alles weten, schatje.' Dan glimlachte. 'Zo. Ga je mee naar kantoor?'

'Nog niet. Ik moet vanmorgen nog iets doen.'

'Toch niet met Reheema?'

'Jawel.'

Dan lachte. 'Wat nu weer?'

Vicki vertelde het hem, maar ze vroeg hem niet om toestemming.

En uiteindelijk kreeg ze die ook niet.

Een uur later steeg de zon boven de wolken aan de hemel uit en zat Vicki weer in haar cabrio voorzien van verse koffie en kranten. Ze zou haar huurwagenpark moeten retourneren, maar dat had vandaag geen prioriteit. Ze stond in het verkeer vast en las de krantenkoppen. TOYS "Я" US-SCHUTTER IN HECHTENIS stond er in de *Philadelphia Inquirer*, terwijl het plaatselijke suffertje opende met KINDERMOORDENAAR GEPAKT. Beide kranten gaven een korte levensbeschrijving van Morty met foto, plus citaten van Strauss. Geen van beide kranten vermeldde Shayla Jackson.

Vicki keek op, maar het verkeer stond nog steeds vast en dus las ze verder. Beide kranten versloegen het verhaal verder van alle kanten, inclusief een paar kolommetjes over de methoden van het arrestatieteam van de ATF, nieuwe veiligheidsmaatregelen in winkelcentra, gebruik van surveillancecamera's en de handel in crack. Ze bladerde verder naar een redactioneel artikel GENEGEERD OP EIGEN RISICO, dat het verband benadrukte tussen de handel in crack en het willekeurige geweld bij speelgoedzaken. Vicki zag dat als vooruitgang.

Het verkeer kwam op gang, dus reed ze verder en algauw arriveerde ze in Devil's Corner. De politieafzettingen waren weg, maar overal lagen verfrommelde papieren bekertjes, vieze servetten en bierblikjes die werden opgeraapt door een kleine harde kern van buurtbewoners met zwarte vuilniszakken. Reheema in haar jekker was een van hen en ze gooide haar vuilniszak in een afvalbak en wuifde naar haar buren toen ze de cabrio zag.

Vicki zette de auto langs de stoep, leunde opzij en deed het portier open voor Reheema, die er als nieuw uitzag. Haar haar zat in een strakke paardenstaart naar achteren, ze droeg glimmende gouden oorknopjes en had een roze lipgloss die haar volle lippen deed glanzen.

'Wauw, jij ziet er fantastisch uit!' zei Vicki.

'Geen vermomming meer, goddank.' Reheema vouwde zich in de auto en er hing vrijwel direct een lavendelgeur in de auto.

'Je ruikt zelfs fantastisch. Ik krijg het er helemaal warm van.'

'Ik heb gedoucht!' Reheema glimlachte. 'Ik heb gas, licht én water.'

'Doe maar wild! Wij houden van gas, water en licht.'

'Nou en of!'

'Zeg, als ik nou eens de Intrepid koop, dan kun je me terugbetalen als je een baan hebt.' Vicki voelde zich uitgelaten nu ze haar baan terug had. 'Of je neemt de Sunbird. Voor een auto moet je bij mij zijn, wijfie.'

'Ik zal erover nadenken, bedankt.' Reheema grijnsde. 'Zeg, waar gaan we heen?'

'Ik zal je eerst vertellen hoe het staat met de zaak van je moeder.' Vicki trapte het gaspedaal in en trok op terwijl ze haar vertelde over de afspraak met Dan. Reheema knikte en luisterde met haar hoofd schuin.

'Dus Dan de Man gaat zijn invloed gebruiken?'

'Hij gaat ervoor zorgen dat de zaak de vipbehandeling krijgt, zei hij.'

'We zullen wel zien wat hij bereikt. Ik wil weten wie haar heeft vermoord.'

'Natuurlijk,' zei Vicki, en ze hoopte vurig dat Dan met resultaat zou komen. 'Als de politie die huurmoordenaar oppakt, kunnen wij onderzoeken waarom Jackson jou er heeft ingeluisd.'

'Ik vraag me af of ze verband met elkaar houden.'

Vicki keek opzij en reed bijna door rood. 'Denk eens hardop na.'

'Hè?'

'Vertel me eens wat je denkt. Misschien kunnen we het samen uitvogelen. Dat doe ik heel vaak.'

'Ik nooit.'

Vicki glimlachte. 'Toe maar. Probeer het eens.'

Reheema zweeg even. 'Oké. Nou ja, Jackson lokte mij ongeveer een jaar geleden in de val en vervolgens wordt mijn moeder vermoord. Het is net een puzzel en als je naar dat ene stukje kijkt, lijkt het net of er iemand is die iets tegen de Bristows heeft.'

Vicki knipperde met haar ogen. 'Dat is waar. Enig idee?'

'Het is dat mijn vader al dood is, anders zou ik in eerste instantie aan hem gedacht hebben.'

Vicki hield zich wijselijk stil. Haar familieproblemen stelden hiermee vergeleken niets voor. 'Andere familieleden?'

'Nee, alleen zij en ik, al zolang ik me kan herinneren. Ik had een oom, maar die is ook dood.'

'En dat vriendje over wie je het had?'

'Getrouwd.'

'Ik heb wel aan het huis van bewaring gedacht, maar de timing klopt niet, je was er vóór die tijd al ingeluisd.'

'Ik heb geen vijanden.'

'Kan ik me niet voorstellen,' zei Vicki, en ze moesten allebei lachen nu ze vriendinnen waren. Bijna.

'Denk jij dat ze verband houden?'

'Zou kunnen.' Vicki kon zich wel voor het hoofd slaan. Ze had er zelf aan moeten denken, maar ze had zich alleen maar op Morty gericht. 'Het verandert niets aan wat we doen. Laat de politie dat maar onderzoeken, wij doen ons eigen ding. Als we elkaar in het midden tegenkomen, winnen we nog steeds.'

Reheema knikte. 'En wat is het plan?'

'We doen een buurtonderzoek.'

'Wat houdt dat in?'

'Tja, het punt is dat we niet weten waarom Jackson jou er heeft ingeluisd. We moeten meer over Jackson te weten komen en erachter zien te komen wat haar verband met jou is. Dus vragen we het de buren. Dat doet de politie ook altijd na een moord. Alleen omdat ze de eerste keer een ooggetuige hadden – mij – was dat niet nodig. Of misschien hebben ze het ook wel gedaan, dat weet ik niet.'

'En wat je eerst dacht, dat Jackson misschien jaloers op me was? Dat Browning en zij me zagen en dat ze me daarom in de val heeft gelokt.'

'Dat is een van de redenen dat ik haar vriendin Mar wil spreken, over wie haar moeder me vertelde. Mar zou ons kunnen vertellen of Browning het überhaupt wist.' Vicki dacht aan de ontbrekende getuigenverklaring voor de onderzoeksjury. 'Zonder onderbouwing is dat wel vergezocht.'

Reheema werd stil, terwijl de cabrio door het verkeer reed, en ook Vicki zweeg totdat er een gedachte in haar opkwam.

'Stel dat je nu in gevaar bent, Reheema?'

'Wat?'

'Stel dat degene die is ingehuurd om je moeder te vermoorden van plan was om jou ook te vermoorden?' Vicki klemde haar vingers om het stuur toen deze mogelijkheid haar begon te dagen. 'Ik bedoel, jij zou eerder die dag uit het huis van bewaring worden vrijgelaten, alleen duurde het door de administratieve rompslomp langer. Misschien was jij het werkelijke doelwit en was je moeder toevallig daar. Misschien was het plan om jullie allebei te vermoorden.' Vicki en Reheema keken elkaar aan en allebei wisten ze dat het geen idiote gedachte was. 'Allemachtig.'

'Ja.' Reheema huiverde, terwijl Vicki een bus links van haar ontweek. 'Maar wie wist dat ik werd vrijgelaten? Dat moet iemand van het OM zijn geweest.'

'Wat?'

'Ga maar na. Als dat waar is, waren de mensen van jouw kantoor, wie het dan ook zijn, de enigen die wisten dat ik vrijkwam. Of de politie, of die lui van de ATF. Wisten zij het?'

Vicki lachte spottend. 'Zo is het niet gegaan. Vergeet het maar. Dat kan niet.'

'O, nee?' Reheema trok een wenkbrauw op.

'Natuurlijk niet. Maar de kans bestaat wel dat je in gevaar bent, dus des te meer reden om meer over Jackson te weten te komen. Volgens haar moeder wilde Jackson haar leven omgooien en verhuizen. We weten dat ze haar spullen aan het pakken was.' Vicki maakte een opsomming. 'Ik denk dat ze het had uitgemaakt met Browning en niet meer met hem uitging.'

'Ja. En?'

'Niemand leeft alleen. Ze had een vriendin. Mar.' Vicki dacht ook hardop, en het was fijn om iemand anders als klankbord te hebben.

Misschien was dat het bijna-vriendinnengedeelte. 'Ging ze naar een sportschool? Had ze een arts? Ze was zwanger, ze stond vast ergens onder controle. Wie was haar arts?'

'Goed, dan gaan we de buurt af en stellen we vragen.'

'Juist.' Vicki sloeg links af en Reheema fronste haar wenkbrauwen.

'Je bent weer verdwaald, hè?'

Vicki knikte. 'Begin nou niet weer met dat Harvard-gedoe.'

'Zeg ik iets, dan?'

# 41

Een uur later had Vicki de cabrio geparkeerd, haar tas en krant gepakt en liepen ze samen in de koele zon naar het huis van Jackson, een halfvrijstaand pand met één verdieping. Het politielint was verdwenen, al wapperde er nog een flard geel in de wind. Vicki huiverde toen ze het zag. Teruggaan naar de plek waar Morty was vermoord, had in gedachten gemakkelijker geleken dan het in werkelijkheid was. Op de een of andere manier werd het verdriet er niet minder om te weten dat zijn moordenaar vastzat.

Zij en Reheema liepen het betonnen trapje op naar het huis naast dat van Shayla Jackson en klopten op de voordeur. Een wat oudere man deed open. 'Dag, meneer, mijn naam is Vicki Allegretti en ik probeer iets meer te weten te komen over uw buurvrouw, mevrouw Jackson, die laatst is vermoord.'

'Die kende ik niet,' antwoordde de man, en hij sloeg de deur dicht.

'Goeie aanpak,' zei Reheema, en Vicki glimlachte toen ze het trapje af liepen en naar het volgende huis gingen.

Vicki klopte aan en een oudere vrouw deed open, dus stelde ze zich voor en zei toen: 'Ik wil u graag een paar vragen stellen over uw buurvrouw, mevrouw Jackson, die onlangs is vermoord. Het duurt niet lang.'

De vrouw keek door haar dubbelfocusbril van Vicki naar Reheema. 'Wat willen jullie weten?'

'Mogen we even binnenkomen?'

'Nee.'

'Kende u mevrouw Jackson?'

'Niet erg goed, ze was nogal op zichzelf.'

'Sprak u haar vaak, al was het maar terloops? Als ze bijvoorbeeld iets van u wilde lenen, of andersom?'

'Nee. Ik zag op tv dat ze de lui die haar vermoord hebben, hebben opgepakt.'

'Dat klopt. Was u thuis die avond? Hebt u iets gezien of gehoord?'

'Ik was op mijn werk. Ik maak 's avonds schoon. Ik heb het helemaal gemist.'

*Ik niet.* 'Hoelang heeft mevrouw Jackson hier gewoond, weet u dat?'

'Ze is hier een jaar of twee geleden komen wonen, misschien minder. Ik sprak haar amper, een of twee keer, toen de vuilnismannen niet kwamen, met die staking, weet u?'

'Had ze een baan?'

'Volgens mij niet. Ze was veel thuis. Draaide muziek, dat kon ik door de muur horen.'

Vicki sloeg deze informatie op. 'Weet u of dit een koop- of huurwoning was?'

'Huur. De meeste huizen hier in de straat zijn huurwoningen. Van Polo Realty in Juniata. Al deze huizen zijn van hen.'

'Woonde ze hier alleen?'

'Ja.'

Vicki hield de krant voor de kunststof tochtdeur. Op de tweede pagina stonden foto's van de mensen die bij de Toys "Я" Us waren vermoord, met een extra kolom over Browning en zijn chauffeur die David Cole heette. Vicki wees naar Browning. 'Hebt u deze man wel eens bij het huis van Jackson gezien?'

'Dat was haar vriend.'

'Hoe weet u dat?'

'Hij was hier veel.'

'Wanneer? Toen ze hier pas kwam wonen of later?'

'Toen ze hier kwam wonen, volgens mij. Hij hielp haar met verhuizen. Toen heb ik hem gezien.'

'Was ze toen zwanger?'

'Was ze zwanger?' De vrouw trok haar grijze wenkbrauwen op. 'O ja, dat hoorde ik op tv, maar dat wist ik zelf niet.'

'Goed, hebt u die andere twee wel eens gezien?' Vicki wees naar de foto's van Cole en Bill Toner.

'Nee.'

'Hebt u hier wel eens andere mannen op bezoek gezien?'

'Nee.'

'Vriendinnen?'

'Nee.'

'Geen vriendin in het bijzonder? U weet wel, een beste vriendin?'

'Nee.'

'Hebt u haar ooit over een vriendin gehoord die Mar heette?'

'Nee, ik sprak haar amper.' De vrouw keek achter zich. 'Ik moet nu gaan. Ik heb een taart in de oven staan.'

'Hartelijk dank voor de moeite,' zei Vicki, en de deur ging dicht.

Reheema zei: 'Ze loog over die taart.'

'Zou ik ook hebben gedaan.'

Vicki en Reheema gingen de volgende zeven huizen langs tot aan het eind van de straat; twee buren deden niet open en de andere vijf wisten steeds minder te vertellen over Shayla Jackson. Vervolgens liepen ze terug naar het huis van Jackson en gingen verder bij het eerste huis aan de andere kant. Reheema drukte op de bel. Een zwarte tiener deed open en hij zette grote ogen op toen hij een beeldschone zwarte vrouw op zijn stoep zag staan die regelrecht uit zijn dromen leek te zijn gekomen.

'Ik ben Reheema Bristow, is je moeder thuis?' vroeg ze, en de jongen knikte.

Plotseling begon Vicki's telefoon in haar tas te rinkelen, dus deed ze een stap naar achteren en pakte ze hem uit haar tas.

En ze kreunde toen ze de informatie op het schermpje las.

Vicki stapte de lift uit en was verrast om te zien dat de hele verdieping gonsde van de mensen en activiteiten. Verslaggevers en fotografen stonden bij de liften in groepjes te praten en te lachen met hun camera over hun schouder en stenoblokken in de kontzak van hun spijkerbroek. ATF-personeel, geüniformeerde politieagenten en een oudere assistent-openbaar aanklager stonden met de pers te praten. Ze moest zich een weg door de menigte banen naar de receptie, en verslaggevers draaiden hun hoofd om toen ze haar herkenden en begonnen naar haar te roepen.

'Eén reactie, mevrouw Allegretti!' 'Eén vraagje, mevrouw Allegretti?' 'Een foto, Vicki, mogen we een foto maken?' 'Goed gedaan, Allegretti!'

Vicki hield haar hoofd omlaag en riep tegen de verslaggevers die haar belaagden: 'Geen commentaar!' De receptie achter het kogelvrije glas was volledig bezet en beide receptionisten lieten haar met een brede grijns en duimen in de lucht binnen. Achter de deur liepen assistent-openbaar aanklagers, ATF-agenten, secretaresses en juridisch personeel heen en weer door de gangen en allemaal feliciteerden ze Vicki. Ze nam zo vaak 'Klasse!' 'Goed gedaan!' en 'Ga ervoor!' in ontvangst, dat ze zich net een beroemdheid voelde.

Assistent-openbaar aanklagers in spijkerbroek en trui zaten in kleine kantoortjes te werken, maar ze staken hun hoofd om een hoekje en glimlachten toen ze langsliep. Een groepje oudere assistent-openbaar aanklagers stond bij haar kamer te praten en ze draaiden hun hoofd om toen ze hen passeerde. 'Goed van je, Vicki!' riep een van de aardigste, Marilyn Durham, en een andere assistent-openbaar aanklager naast haar, Martin Frank, riep: 'Allegretti, klasse hoor!' en een derde, Janie huppeldepup, riep luidkeels: 'Dat werd tijd, slaapkop!'

'Dank je!' riep Vicki, en ze dook de conferentiezaal van het kantoor binnen. Ze deed de deur open, en iedereen die ook maar iets voorstelde, was in vergadering aanwezig. Het was een grote, moderne ruimte met aan weerszijden grote ramen en de middagzon scheen boven op Strauss, aan het hoofd van de tafel, Bale, Dan, de persagent van het kantoor, ATF-baas Saxon, de bovenlaag van de FBI en de ATF, de hoofdcommissaris van politie met twee van zijn plaatsvervangers in witte overhemden, en de locoburgemeester. Het rook er aangenaam naar aftershave, en ze zaten allemaal met een kop verse koffie om de glimmende tafel, elk met een zwarte map voor zich met het gouden embleem van het ministerie van Justitie.

'Goedemorgen, Vick!' kweelde Bale, die te veel klasse had om haar in het openbaar te bestraffen zoals hij aan de telefoon had gedaan.

'Het spijt me dat ik laat ben,' riep Vicki uit, en ze ontweek de blik van Dan.

'Geeft niets, je had wel wat extra rust verdiend!'

Strauss knikte. 'Nou en of, jongedame! We hebben een lange weg afgelegd sinds die tragische avond, maar het is nu allemaal voorbij.' Iedereen knikte en glimlachte, zelfs Saxon.

'Vicki,' ging Bale verder, 'we zijn net begonnen en we willen iedereen een indruk geven van het grote geheel, zodat we allemaal weten hoe of wat.' Hij wees naar een lege stoel aan tafel. 'Als jij nou eens een kop koffie pakt en gaat zitten, dan kan het feest beginnen.' Iedereen glimlachte. 'Trouwens, voordat ik het vergeet, morgenmiddag heb je een afspraak met speciaal agent Barbara Pizer over Kalahut, die nieuwe zaak. Daar gaat wel een hele dag in zitten.' Bale wendde zich tot Saxon. 'Barbara is een zeer ervaren agent, hè, John?'

'Een van de besten,' antwoordde Saxon. Hij was wat afgevallen en Vicki was blij voor haar nieuwe vriend.

'Je zult dus een tijdje moeten multitasken, Vick, met de nieuwe zaak en de voorbereidingen voor de onderzoeksjury, maar dat red je wel.'

'Bedankt,' zei Vicki, die de koffie liet voor wat hij was en lekker in het zonnetje ging zitten. Ze voelde zich een beetje schuldig dat Bale haar had moeten bellen om te komen. Ze had het helemaal niet leuk gevonden dat ze Reheema het buurtonderzoek alleen had moeten laten afmaken, en ze had de cabrio en haar mobiele telefoon bij haar achtergelaten, maar Vicki begreep nu wel dat ze bij deze vergadering aanwezig moest zijn. Hoewel ze een van slechts drie vrouwen in de kamer was en ongetwijfeld de jongste van allemaal, had Vicki voor het eerst het gevoel dat ze hier thuishoorde. Ze was eindelijk een assistent-openbaar aanklager. Nu hoefde ze alleen nog maar te bedenken hoe ze op twee plaatsen tegelijk kon zijn.

Na de vergadering voelde ze zich opgeladen; ze liep naar haar kamer en werkte de hele middag aan scripts voor de onderzoeksjury in Morty's zaak. Het eerste script dat ze voorbereidde was voor zichzelf, waarin heel nauwgezet elke vraag werd beschreven die haar gesteld moest worden met daarbij het antwoord dat ze zou geven, zodat ze in staat zou zijn om een vloeiende verklaring zonder emotie af te leggen. Het betekende niet dat de voorbereiding niet emotioneel was, want het vereiste van haar dat ze die avond herleefde. Assistent-openbaar aanklagers en ander personeel liep jachtig door de gangen, maar ze slaagde erin ze uit haar gedachten te bannen en zich te richten op de taak die voor haar lag.

Naarmate de middag vorderde, zat ze steeds vaker aan Reheema te denken. Vicki belde haar mobiele nummer, maar er werd niet opgenomen en ze kreeg de voicemail, dus sprak ze een berichtje in waarin ze Reheema vroeg om terug te bellen. Ze had haar de voicemailcode gegeven, dus kon ze de berichtjes afluisteren.

Toen het donker werd en Reheema nog steeds niet had teruggebeld, begon ze zich zorgen te maken. Was Reheema in gevaar? Waarom had ze niet gebeld? Had ze iets ontdekt? Hoeveel tijd was er trouwens voor nodig om Jacksons straat af te werken? De schemering ging over in de avond en Vicki at bezorgd de pizza op die het kantoor had besteld. Weer aan haar bureau belde ze opnieuw haar mobiele telefoon, maar ook deze keer kreeg ze de voicemail. Om negen uur begreep ze precies waarom haar ouders zo vervelend deden als ze zich zorgen om haar maakten.

*Ik wil een corgi.*

'Tijd voor een snack!' zei een stem in de deuropening. Het was Dan met een grijns en een grote bruine zak in zijn handen en onmiddellijk hing er een heerlijke geur in haar kamer.

'Wat heb je daar?' vroeg Vicki. Hij kwam binnen en schopte met de achterkant van zijn Adidas de deur dicht.

'Roomservice van Joe's Peking Duck, speciaal voor mijn schatje. Inderdaad, ik bén een geweldige vriend.' Dan zette de zak neer en stak zijn armen uit. 'Geef me mijn beloning, mens.'

'Joepie!' Vicki kwam overeind en omhelsde hem, waarna hij haar lippen vond met een heel goede kus. 'Wauw. Nogal een risico op kantoor, vind je niet?'

'Nog eentje.' Dan kuste haar opnieuw en ze voelde zich weer zijn vriendin. Ze maakten zich van elkaar los en Dan begon in de zak eten te rommelen, haalde er een voor een twee witte bakjes met grappige rode draken uit. 'Je favoriete eten, kipcurry, met koude sesamnoedels als voorafje.'

'Mmm. En het jouwe?'

'Ik heb met Strauss en Bale en die andere lui bij Joe's Peking Duck gegeten.'

'De grote jongens.' Vicki voelde zich een klein beetje gekwetst. 'En jullie hebben mij niet uitgenodigd?'

'Ach, schatje, het was zo'n spontaan plan, op het laatste moment bedacht.' Dan huiverde. 'Het spijt me.'

'Het geeft niet.' Vicki maakte er verder geen woorden aan vuil. Ze wilde hem niet gelijk geven dat een relatie op het werk niet kon, ook al kon het niet. 'Ik maak me alleen zorgen om Reheema.'

'Reheema? Vertel eens, dan beloof ik dat ik niet boos zal worden.'

Dan ging tegenover haar bureau zitten en leunde achterover in de stoel zoals hij altijd deed, terwijl Vicki een paar wegwerkstokjes uit haar bureaula pakte en aanviel op de kip.

'Eerst even dit, heb je met Strauss gesproken over de huurmoordenaar en de Bethaves?'

'Ja, en hij zei dat hij het vandaag na de vergadering zou spreken. De hoofdcommissaris was aanwezig, zoals je zag.' Dan glimlachte. 'Er gaan mooie dingen gebeuren. Dat zul je zien.'

'Geweldig. Dank je.' De kip smaakte fantastisch, warm en kruidig, en Vicki kikkerde even op. 'Nou, Reheema en ik hebben ons vandaag aan ons deel van de afspraak gehouden. Maar ik maak me zorgen om haar.'

'Waarom?'

'Ik denk dat ze wel eens in gevaar zou kunnen zijn. Stel dat het feit dat zij erin geluisd is en de moord op haar moeder verband met elkaar houden, en dat degene die haar moeder heeft vermoord haar ook had moeten vermoorden.'

'Hè?' Dans ogen waren een verbijsterd blauw. 'Waarom zou iemand Reheema dood willen hebben?'

'Dat weet ik niet, maar ik weet ook niet waarom ze haar moeder zouden willen vermoorden, maar dat is wel gebeurd.' Vicki duwde haar kipcurry van zich af. 'Zij vroeg zich af of het iemand van kantoor kon zijn, omdat dat de enige mensen zijn die wisten dat ze uit het huis van bewaring werd vrijgelaten.'

'Dat is absurd. Jullie slaan door.' Dan kwam overeind, maar Vicki hield vol.

'Je had beloofd dat je niet boos zou worden.'

'Ik ben niet boos, ik ben gefrustreerd. Dat kun je toch niet menen? Dat iemand van hiér een complot tegen Reheema heeft gesmeed?' Dan schudde zijn hoofd. 'Ik zei je al, mensen als Reheema hebben een ander beeld van de wereld, ze hebben een andere achtergrond. Ik hoef jou toch niet te vertellen dat zwarten en blanken het rechtssysteem verschillend bezien?'

'Nee.'

'Dus natuurlijk zal zij denken dat de ordehandhaving tegen haar samenspant! Dat is zo oud als O.J.!'

'Hoor eens, natuurlijk is het niemand van hier, maar ik maak me zorgen om haar.'

'Weet je wat mij dwarszit? Dat die kamer vandaag vol zat met hoge omes – elke instantie van de stad was verdorie vertegenwoordigd – die allemaal om de tafel zaten om haar leven beter te maken, en dan denkt ze zoiets!' Dan begon rood aan te lopen onder zijn sproeten. 'De politie en de ATF riskeren elke dag weer opnieuw hun leven, maar daar denkt ze niet aan! Morty is vermóórd terwijl hij een informant opzocht, maar dáár denkt ze niet aan!'

*Jemig.* Vicki stak haar hand in de lucht. 'Daar denkt ze heus wel aan en ik ook. Toe Dan, ga zitten. Als ze al wantrouwig is, dan is dat volkomen begrijpelijk.'

'Maar jij zou beter moeten weten.' Dan keek haar bedaard aan en Vicki vertrok geen spier.

'Nee, ze werd gearresteerd op basis van de verklaring van iemand die zei dat ze haar beste vriendin was, maar haar helemaal niet kende. Ik maak me zorgen om haar en wil dat ze vannacht thuis logeert, zodat ze veilig is.'

'Bij óns?'

'Op de bank.'

'Je overdrijft.'

'Ik wil niet dat ze alleen is, en ik zou anders niet kunnen slapen van de zorgen.' Vicki keek naar buiten waar de grijze schemering donkerblauw kleurde. 'Ik kan haar op geen enkele manier bereiken, tenzij ik in een taxi spring en haar ga zoeken.'

'Je láát het, hoor, Vick. Bale en Strauss zijn nog aan het werk. Je moet hier zijn.'

'Stel dat haar iets overkomt.'

'Er wordt al over je gesproken.'

'O?' Vicki voelde haar mond droog worden.

'Ze twijfelen aan je inzet. Zelfs Bale, omdat je het niet wilt loslaten.'

'Mijn ínzet?' Vicki kon haar oren niet geloven. 'We hebben de inval van de eeuw gedaan, méde dankzij het feit dat ik mijn nek heb uitgestoken. Vér heb uitgestoken!'

'Maar je hebt dingen gedaan waar ze tegen zijn. Je eigen gang gaan, agentje spelen.' Dan zuchtte. 'Het feit dat ze in de media eensgezind doen, betekent nog niet dat er hier geen twijfels over je bestaan. Ze sluiten alleen de gelederen.'

Vicki kon het niet verhapstukken. Daar ging haar plekje in het spotlicht. Ze voelde zich opeens heel stom dat ze de persberichten had geloofd. Het was haar allemaal naar het hoofd gestegen. *Was het mogelijk dat je té veel van het beloningssysteem kon houden?*

'Ze denken dat je er te veel in verwikkeld bent vanwege het trauma omdat je erbij was toen Morty werd vermoord. Je bent er te emotioneel bij betrokken vanwege Morty en nu met Reheema.'

'Wie denkt dat?' vroeg Vicki vinnig.

'Zij allemaal.' Dans blik verzachtte en hij leunde achterover in zijn stoel. 'Ze wilden tijdens het eten met me praten over personeelszaken. Daarom heb ik je niet meegevraagd.'

*O, nee.* 'Wat heb je gezegd?'

'Ik heb je verdedigd, natuurlijk. Je bent een geweldige jonge aanklaagster, de beste in jouw groep.' Dans mond werd een haast verdrietig streepje. 'Maar ik kan je dit wel vertellen, omdat ik van je hou: ze houden je in de gaten.'

'Je maakt me helemaal paranoïde.'

'Terecht. Je geloofwaardigheid staat op het spel. Je reputatie. Dat vind ik veel erger dan ontslagen worden.'

'Maar jij wordt de nieuwe chef. Je kent me.'

Dan boog zich naar voren. 'Vicki, luister naar me. Je moet hiermee ophouden. Dat rondrennen met Reheema. Deze uitspraken. Je brengt je carrière in gevaar en het is gênant.'

'Voor wie?' vroeg Vicki, maar toen besefte ze het. *Voor hem.*

'Je moet kiezen.'

'Tussen Reheema en jou?'

'Nee. Tussen Reheema en jezelf.'

Opeens ging de telefoon op Vicki's bureau en ze nam de hoorn van de haak. 'Allegretti.'

'Yo, meisie.' Het was Reheema.

'Waar zit je? Is alles goed met je?'

'Prima. Sorry, ik had de telefoon uitgezet.'

'Ik maakte me vreselijke zorgen!' zei Vicki. Dan stond ondertussen op en liep naar de deur. 'Reheema, wacht even.' Ze sloeg haar hand voor het spreekgedeelte. 'Dan, wacht!'

Bij de deur draaide Dan zich om met zijn hand op de deurknop. 'Ik slaap vanavond in een hotel. Veel plezier met zijn tweeën.' Toen liep hij weg en deed de deur achter zich dicht.

‘Vicki? Vicki?’ zei Reheema, en Vicki slikte de brok in haar keel weg.
‘Ja, daar ben ik weer.’
‘Alles is goed met me, maar ik heb heel slecht nieuws.’
‘Laat maar horen,’ zei Vicki, met haar blik op de dichte deur.

# 42

'Wat is het slechte nieuws?' vroeg Vicki.

'Mar is dood.'

'O, nee.' Vicki keek uit het raam naar een zwart, maanloos vierkant dat haar eigen verdriet weerspiegelde. Er waren weer geen sterren. 'Hoe is ze gestorven?'

'Een overdosis. Crack.'

*Jemig.* 'Wat afschuwelijk. Voor haar en voor ons.'

'Zeg dat wel.'

'En wanneer?'

'In juli.'

'Vorige zomer? Hoe ben je erachter gekomen?'

'Om een lang verhaal kort te houden, ik ben de hele straat af geweest, maar bereikte helemaal niets. Niemand kende Jackson, niemand zag haar. Toen bedacht ik me dat die vrouw in de buurt van Jackson zei dat Polo Realty in Juniata de woningbouwvereniging was. Die heb ik gebeld en ik ben er langs geweest.'

'Wat goed van je.'

'Ik vroeg of ik het contract mocht zien omdat ik Jacksons nichtje was en erover dacht om het huis te huren ter nagedachtenis aan haar.'

'En daar trapte hij in?'

'Hij is blank. Hij denkt dat zwarten er rare gewoonten op nahouden.'

Vicki schoot in de lach.

'Hij heeft gelijk. Kijk maar naar Michael Jackson. Die vent is een gedrocht.'

'Oké.' Vicki moest opnieuw lachen. Ondanks het slechte nieuws, was Reheema duidelijk vol van haar succes en één van hen beiden kon op dit moment wel wat zelfvertrouwen gebruiken.

'Nou, Jackson heeft het contract wel getekend, maar de cheque voor de borg was van een Martelle Jenkins.'

'Mar.'

'Precies, en haar adres stond op de cheque.'

'Wauw! Waar woont ze, althans, waar woonde ze?'

'In het noordoosten, dus ben ik er langsgegaan. Die cabrio is trouwens een leuk autootje.'

'Je krijgt de cabrio niet.' Vicki glimlachte. 'De Intrepid is echt iets voor jou.'

Reheema grinnikte. 'Afijn, haar broer vertelde hoe ze is overleden. Maar hij wist niet wie Jackson was. Hij is net uit het leger. Is vijf jaar weg geweest.'

'Goed gedaan!'

'Dank u, dank u.'

'Waar zit je nu?'

'Nog steeds in het noordoosten, ongeveer een uur rijden.'

'Perfect. Kom je me op kantoor halen?'

'O, tuurlijk. *Driving Miss Vicki.*'

'Doe me een lol. En ik vind ook dat je vanavond bij mij moet logeren.'

'Mooi niet,' zei Reheema, en ze hing op.

Om elf uur kwamen ze na een korte, maar heftige rit bij Vicki's huis aan, maar ze zeiden amper een woord tegen elkaar. Vicki kwam de trap af met lakens, een warme deken en een donzen kussen, terwijl Reheema in een stoel in de woonkamer zat te mokken. Zoe gaf een kopje tegen haar spijkerbroek, en haar gevlekte staart vormde een vraagteken.

'Kijk eens,' zei Vicki, die de woonkamer binnenkwam. 'Ik zal de bank voor je opmaken. Warm en zacht.'

'Ik wil in mijn eigen huis slapen.'

'Iemand wil je misschien vermoorden. Ik, namelijk.' Vicki liet het beddengoed op de salontafel ploffen.

'Dit slaat nergens op.'

'Wel waar.'

'Niet waar.'

'Ik neem geen risico.'

'Als iemand me wil vermoorden, kunnen ze me net zo goed hier omleggen. Op deze manier loop jij ook gevaar.'

*Ai.* 'Niemand doet jou iets aan met een kleine, maar sterke assistent-openbaar aanklager als ik op wacht.' Vicki keek naar Zoe die met haar groene ogen knipperde. 'En met een kat met een hartkwaal.'

'Ik wil mijn wapen.'

'Nee.' Vicki bedacht dat ze het vuurwapen uit haar tas moest halen en boven in een la moest leggen. Ze kreeg het niet door de metaaldetectors op haar werk; ze namen het bij de beveiliging steeds in beslag en dan gaven ze het weer terug. Kennelijk was ze niet de eerste assistent-openbaar aanklager met een wapen, maar het was verdomd lastig en bovendien werd ze er vreselijk zenuwachtig van.

Reheema stond op, pakte een wit laken en hielp Vicki om het om de kussens te trekken, een klusje dat ze samen, maar in stilte deden.

'Ben je nog steeds aan het mokken?'

'Ja.'

'Sorry.' Vicki glimlachte en ging op de opgemaakte bank zitten. 'Je hebt het goed gedaan.'

'Weet ik.'

'Wat jij vandaag hebt ontdekt onderbouwt volgens mij wat er met Shayla is gebeurd, mocht het je interesseren.'

'Ben je weer hardop aan het nadenken?' Reheema ging gelaten, maar niet instemmend zitten.

'Nou, jij vertelde dat Mar vorige zomer is overleden. In die periode maakte Jackson volgens haar moeder plannen om haar leven om te gooien. Dat klinkt logisch, hè?'

'Ja.'

'Oké, laten we er dus even van uitgaan dat Jackson liefhebbert in crack, en dat...'

'Niemand liefhebbert in crack. Het liefhebbert in jou.'

'Wat ik bedoel is dat Jackson in de drugsscene rondhangt en dat haar vriend Browning de succesvolle crackdealer is. Hij verhuist haar naar een fraai pandje.'

'En schopt haar met jong.'

'Een afschuwelijke uitdrukking.'

'Sorry, mevrouw Vicki.'

Vicki glimlachte. 'Goed, afijn. Ze raakt dus zwanger en beseft dat ze geen drugs meer moet gebruiken en haar leven moet veranderen. Anders eindigt zij, of haar baby, net als haar vriendin Mar.'

'Mensen komen wel eens tot inkeer.' Reheema knikte. 'Niet vaak genoeg, maar het gebeurt. Soms.'

'En dan? We zijn meer te weten gekomen over Jackson, maar niet genoeg. Niet genoeg om te weten waarom ze jou in de val zou willen lokken als deel van haar nieuwe leven. Ze moet rond diezelfde tijd het OM hebben gebeld.' Vicki slaakte een zucht. Ze voelde haar vermoeidheid tot zich doordringen evenals de zorgelijke gedachten over Dan. 'Het probleem is, wat nu? We zitten op een dood spoor.'

'Niet per se. Ik moet nog langs een aantal mensen. Er waren vandaag veel mensen niet thuis. Ik ga morgen terug om met degenen te praten die er niet waren. Die zijn dan wel thuis. Ik heb gehoord dat het morgen weer gaat sneeuwen, dus niemand wil voor zijn lol de deur uit.'

'Waren dat directe buren?'

'Niet echt, maar je weet maar nooit. Ik ben nog nooit uit een wedstrijd gestapt en daar ga ik nu ook niet mee beginnen.'

Vicki glimlachte. 'Oké, mooi. Want ik moet weer aan het werk.'

'Geen punt, dan neem ik de auto en de mobiele telefoon. Als je belt, spreek je maar een berichtje in, ik heb de code.'

'Geregeld.'

Reheema krabbelde Zoe over haar kleurige kopje. 'Heeft Dan de Man nog iets over mijn moeder gezegd?'

'Hij heeft de advocaat-generaal al gesproken en die gaat met de hoofdcommissaris praten.'

'Wanneer gaat dat gebeuren?'

'Vandaag of morgen, denk ik.'

'Dank je.' Reheema zweeg even. 'Ik heb Bethave niet lastiggevallen vandaag, al wilde ik het wel heel graag.'

'Dan heb je je goed ingehouden.'

'Niet echt. Ik dacht, dan gaat ze er alleen maar vandoor. Ze moet denken dat we het laten rusten.' Reheema glimlach slapjes. 'Ik neem de bank wel.'

'Nee, ik.'

'En stel dat Dan de Man thuiskomt en me in jouw bed aantreft?'

'Die komt niet.' Vicki lachte kort en Reheema hield haar hoofd schuin.

'O, o, problemen?'

'Niet echt. Nou ja, misschien een beetje.'

'Zoals?'

Vicki wist niet hoeveel ze haar moest vertellen. 'Hij wil dat ik me gedraag, meer niet.'

'Ha! Dan kan hij maar beter die verdomde kat van hem komen halen,' zei Reheema, en ze barstte in lachen uit.

Een minuut later Vicki ook.

Hoewel ze wist dat het vreselijk kansloos was, stond Vicki de volgende ochtend vroeg op en was ze veel te lang bezig om er spetterend uit te zien voor haar vriendje dat van haar vervreemd was; ze föhnde haar haar, trok haar mooiste spijkerbroek en blauwe kasjmieren trui aan. Reheema zette haar op haar werk af voordat ze verderging met het buurtonderzoek en Vicki stapte om acht uur de lift uit en kwam een lege hal binnen; tegen de tijd dat ze bij de receptie was, besefte ze dat de media, het personeel en de sensatiezoekers er vandaag niet zouden zijn, maar alleen de hardwerkende, volledig toegewijde, geföhnde assistent-openbaar aanklagers. *Zoals ik!*

Vicki zwaaide naar de receptioniste, die haar zonder opgestoken duim binnenliet, waarna ze verder door de gang liep die ook leeg was. Ze haalde diep adem en stak haar hoofd om het hoekje van Dans kamer, maar hij zat niet aan zijn bureau, hoewel het licht wel brandde. *Best. Doe dan maar zo.*

Ze had genoeg werk te doen en ze kon niet eeuwig blijven treuren. Met een verse kop Starbucks liep ze naar haar kamer, deed haar jas uit, stroopte haar mouwen op en deed de deur dicht zodat ze niet geneigd zou zijn om op te kijken om te zien of Dan er was. Een nacht slapen had haar geen andere kijk op hun ruzie gegeven; met andere woorden, ze wist nog steeds zeker dat ze gelijk had en hij niet. Maar ze miste hem.

Ze ging aan haar bureau zitten, maakte haar script voor de onderzoeksjury af en begon toen aan de andere getuigen. De patholoog, dr. Soresh, zou moeten getuigen en Vicki zocht in haar stapel post naar zijn rapport dat ze vorige week had gekregen. Ze vond een dikke, bruine envelop met het vertrouwde zegel en bereidde zich voor. Obductierapporten waren altijd afschuwelijk om te lezen; ze zou beginnen met dat van Jackson en dan doorgaan met dat van Morty als ze zich sterk genoeg voelde. Ze hoefde uit beide alleen maar wat basisgegevens te halen om een beeld van de zaak voor de onderzoeksjury te schetsen; de officiële doodsoorzaak, plus het aantal en de plaats van de in- en uitgangswonden.

Vicki trok de papieren eruit. OBDUCTIERAPPORT: JACKSON, SHAYLA stond er met dikke letters bovenaan. Snel las ze de eerste pagina door met de akelige details over Jackson: *zwangere, zwarte vrouw, 23 jaar, een meter tweeënzestig lang, zesenzestig kilo*. Daarna volgde de doodsoorzaak: *leegbloeding en inwendige verwondingen ten gevolge van schotwonden*, en de conclusie: *moord*. Vicki maakte een aantekening van de conclusie voor haar script en sloeg de bladzijde om. UITWENDIG ONDERZOEK stond boven aan de bladzijde, en de beschrijving van het uitwendig onderzoek van het lichaam begon bovenaan: *hoofdomvang is normaal. Het hoofdhaar is zwart en is tot vijftien centimeter in lengte. De irissen zijn bruin en de sclerae vertonen petechieën...*

Vicki sloeg een stuk over, maar had er direct spijt van. De kille, in ouderwetse Courier-letters getypte details van de borstwonden waren gruwelijk en ze las er snel doorheen om de feiten te vinden die ze nodig had om deze nare taak af te ronden. Ze keek naar de informatie over de buik, waar in medisch detail de schotwonden in Jacksons buik en in haar baarmoeder daaronder werden beschreven. Die was des te schokkender door de hoeveelheid medische informatie. Net toen Vicki dacht dat ze er niet meer tegen kon, viel haar iets op:

> De foetus, met een draagtijd van ongeveer drieëndertig weken, was van het vrouwelijke geslacht en van gemengd ras, schijnbaar zwart en blank.

Ze knipperde verrast met haar ogen. Vicki was ervan uitgegaan dat Browning de vader was geweest van Shayla Jacksons baby, maar dit rapport zei dat dat onmogelijk was. Wat betekende dit, als het al iets te betekenen had? Was dat de reden dat ze uit elkaar waren gegaan? Ze keek de rest van het rapport door om te zien of er iets over stond, maar zag niets.

Opeens ging de telefoon en ze schrok op. 'Allegretti,' zei ze, in de hoop dat het Dan was.

'Vicki, met Jane van de receptie. Er is hier net een stapel dozen voor je bezorgd van speciaal agent Pizer, ATF. Op het etiket staat dat het om de zaak-Kalahut gaat.'

'Mijn nieuwe zaak. Ik kom eraan.' Vicki stond op en was bijna opgelucht dat ze het obductierapport even kon laten liggen. Ze deed de deur open en keek onderweg of Dan er was, maar zijn kamer was nog steeds leeg. Ze liep naar de receptie waar in het midden een stapel van vijftien kartonnen dozen met ATF-stickers stond. 'Dat is inderdaad een stapel.'

'Ze hebben gisteravond ook een paar dozen gebracht,' zei Jane, vanachter haar kogelvrije glas. 'Ze staan in het archief.'

'Het zijn er te veel om op mijn kamer te zetten. Hebben we een vrije vergaderzaal voor een paar dagen? Ik heb vandaag een afspraak met agent Pizer.' Vicki keek op haar horloge: 11.05 uur. 'Om twaalf uur.'

'Momentje.' Jane keek in het vergaderboek. 'Kamer C is tot vrijdag vrij. De kleine zonder ramen.'

'Die neem ik. Waar is het karretje?'

'In de kast.'

'Dank je.' Vicki pakte het oranje karretje, stapelde de dozen erop en reed ermee naar de vergaderruimte; het kostte haar drie ritjes, waarna ze naar het archief ging om de rest te halen. Het archief rook een beetje naar stof en het was er leeg, groot en raamloos. Vier kartonnen dozen met ATF-stickers stonden op de balie. Vicki laadde twee dozen op het karretje en wilde net weggaan toen ze aan Jacksons zoekgeraakte proces-verbaal van Shayla Jacksons getuigenverklaring voor de onderzoeksjury moest denken. Het hoefde niet veel tijd te kosten om daar even naar te zoeken.

Ze keek op haar horloge: 11.15 uur.

Ze zou snel moeten zijn.

# 43

Vicki duwde het karretje opzij en liep om de balie heen naar de dossiers die alfabetisch op achternaam van de gedaagde in kasten werden bewaard. Bij de la Be-Bu bleef ze staan, ze trok hem naar zich toe en ging door de dossiers op zoek naar *Verenigde Staten vs. Bristow*. Niets. Voor het geval het proces-verbaal verkeerd gearchiveerd was, pakte ze Branigan, Brest, Bristol en Bruster en bladerde ze door, maar vond niet wat ze zocht. Ze dacht even na. Het dossier was nog niet zo oud, nog geen jaar, en het was een lopende zaak. Misschien was hij per ongeluk onder Jackson terechtgekomen, dat zou gemakkelijk kunnen. Ze liep naar de la Ja-Jo en kwam bij de Jackson-dossiers. Het waren er zeker vijftig.

*Shit.* Vicki had niet veel tijd. Een voor een trok ze alle Jackson-dossiers eruit – Alvin, Adam, Boston, Calvin – en controleerde of Shayla Jacksons proces-verbaal erin zat. Nog steeds niets. Ze deed de kast met een ferme klik dicht, maar kon de gedachte aan het proces-verbaal niet van zich af zetten. Het waren Jacksons eigen woorden en de details van wat ze over Reheema wist. Het was overtuigend genoeg geweest om een onderzoeksjury over te laten gaan tot een tenlastelegging. Waar was het verdomme? Vicki dacht terug aan haar wandeling met Cavanaugh en probeerde zich te herinneren wat hij over de processen-verbaal had gezegd.

'Ik geef toe, archiveren was niet mijn sterkste kant. Misschien is het ergens verkeerd ingevoegd.'

Vicki probeerde logisch na te denken. Als Cavanaugh het proces-verbaal niet in Reheema's dossier had opgeborgen voordat hij het OM had verlaten, zou het na zijn vertrek door het kantoor hebben gezworven, totdat iemand het hoogstwaarschijnlijk naar het archief zou hebben gestuurd. Wat zouden de archiefmedewerkers ermee hebben gedaan? Het was een proces-verbaal, zo te zien van een onderzoeksjury. Ze zouden te ijverig, of te bang zijn geweest om het weg te gooien, dus zouden ze het ergens opgeborgen hebben. Maar waar? Vicki wist het antwoord zodra ze zichzelf de vraag stelde: In de bak OVERIGEN! Het was een papieren versie van een daklozenopvang. Allerlei verdwaalde juridische documenten werden in de bak OVERIGEN gestopt; papieren die niemand zonder schuldgevoel kon weggooien, of uit angst ontslagen te worden. De archiefmedewerkers hoorden de papieren in de bak OVERIGEN op te bergen als ze even tijd hadden, maar dat was dus nooit het geval. Vicki keek om zich heen om te zien waar de bak stond, en boven op de eerste rij kasten stonden niet een maar drie uitpuilende bakken met OVERIGEN. *Zouden ze zich soms voortplanten?*

Op haar tenen liep Vicki ernaartoe, ze trok de voorste bak van de kast, zette hem op de grond en ging er in kleermakerszit voor zitten. Ze bladerde door de papieren en legde ze naast zich neer op het kleed; ze kreeg weer energie bij de gedachte dat ze het proces-verbaal zou vinden en bij de gedachte aan een grote kop koffie. Het eerste document was een verzoek om strafvermindering in de zaak *Verenigde Staten vs. Streat*, het tweede was een proces-verbaal van de zaak *Verenigde Staten vs. Gola*, het derde was een verzoek tot uitsluiting van bewijs in de zaak *Verenigde Staten vs. Washington*, enzovoort. Boven aan elke zaak stond een litanie aan aliassen en bijnamen; 'Psycho Chris', 'Mier', 'Shakey', 'Baby Al' en 'Bob de Bokser'. Het was werkelijk een vergaarbak van documenten die op een hoop waren gegooid, en het enige wat ze gemeen hadden was dat niemand wist wat ermee moest gebeuren. Vicki bleef verder lezen en was na een tijdje klaar met de eerste bak. Geen procesverbaal van de zaak-Jackson.

Ze stond op en pakte de volgende bak, ging weer zitten en werkte verder. Nog meer verdwaalde documenten, zowel doorsnee als fascinerend, allemaal op één stapel. Aan het eind van die bak zonder het proces-verbaal van Jackson, hield Vicki zichzelf voor dat ze door moest gaan, want oudere informatie zou logischerwijs in de achterste bak zitten. Cavanaugh werkte al een tijd niet meer voor het OM. Ze stond op, wisselde van bak, ging zitten en bleef zoeken en legde de papieren die ze had gelezen een voor een opzij. Toen ze aan het eind van de derde stapel kwam, werkte ze wat langzamer, als een lezer die zo lang mogelijk wil genieten van een goed boek. Maar toen ze klaar was, had ze geen procesverbaal.

Verdomme nog aan toe! Vicki slaakte een zucht en keek op haar horloge: 11.45 uur. De ATF-agent zou er over een kwartiertje zijn, als ze niet vertraagd was door de sneeuw. Het was die morgen gaan sneeuwen en tegen de tijd dat Vicki op haar werk was, lag er al vijf centimeter. Haastig wilde ze de stapel papieren weer in de bak leggen, maar ze bleef abrupt staan toen haar oog op een van de documenten viel. Ze pakte het op. Het was een standaard schikkingsovereenkomst in een drugszaak, *Verenigde Staten vs. David 'Kermit' Montgomery*. Maar het was niet de titel die haar aandacht trok, maar het adres van de gedaagde: Pergola Street 2356, Apt. 2.

Vicki dacht na. Waar kende ze die straatnaam van? Toen wist ze het weer, omdat het zo'n ongebruikelijke naam was. Pergola was de straat waarin de familie Bethave woonde. Nieuwsgierig bladerde ze door de schikkingsovereenkomst. De aanklacht tegen Montgomery was voor dealen, en de schuldbekentenis was verruild voor een minder ernstig vergrijp en een celstraf van zes maanden.

Vicki trok een wenkbrauw op. *Merry Christmas, Mr. Montgomery*. Dat was nog eens lekker geregeld voor een aanklacht van handel in drugs, zeker in deze tijd. Van wie was deze zaak geweest? Ze sloeg de laatste bladzijde op en keek naar de handtekeningen. Strauss en Bale hadden de schikkingsovereenkomst getekend en daaronder de assistent-openbaar aanklager die aan de zaak had gewerkt: Dan Malloy.

Vicki knipperde met haar ogen. Wat gek. Het was niets voor Dan om iemand zo gemakkelijk te laten wegkomen. Maar goed, wat dan nog? Ze moest zich klaarmaken voor de Kalahut-afspraak. Ze legde de schikkingsovereenkomst boven op de andere papieren, stond met de bak OVERIGEN op en zette hem weer op de dossierkast. Ze moest hier weg. Het proces-verbaal van Jackson was verdwenen. Ze liep naar het karretje om weg te gaan, maar bleef toen staan. *Pergola Street*. Het nam maar een klein beetje tijd in beslag om te kijken, en ze was nu al zover.

Vicki liep weer naar de dossierkast, pakte de schikkingsovereenkomst uit de bak en controleerde de naam. David Montgomery. Ze liep naar de M, trok de la open en ging de mappen langs om te zien of er een dossier van David Montgomery was. Ze kwam langs Martin, Michelson en toen Montgomery. Er waren zelfs drie David Montgomery's, respectievelijk alias 'Meenie', 'Heiligman' en tot slot degene die ze op de schikkingsovereenkomst had zien staan 'Kermit'. *Bingo.*

Ze trok de derde Montgomery-map, die behoorlijk dik was, uit de kast en sloeg hem open. Het was een typische bruine map en aan de linkerkant zat met een paperclip een afdruk van Montgomery's politiefoto aan zijn strafblad bevestigd. Hij had smalle ogen, bijna spleetogen en een kleine, strakke mond. Naast zijn politiefoto stond: *zwarte man, geb. 02-01-1972, lengte: 1,88, gewicht: 95 kilo.* Vicki las het strafblad snel door: mishandeling met een dodelijk wapen (mes), ernstige mishandeling, poging tot moord in opdracht.

Ze voelde haar hart overslaan. Mesaanvallen. Een moord in opdracht. Een huurmoordenaar in de straat waarin mevrouw Bethave woonde? Kon Montgomery de man zijn die Reheema's moeder had doodgestoken? De man voor wie mevrouw Bethave zo bang was? Dit was toch geen toeval meer, of wel? Hoeveel huurmoordenaars woonden er in Pergola Street?

Vicki onderdrukte haar emoties om geen voorbarige conclusies te trekken. Ze keek naar de datum van de schikkingsovereenkomst. Acht maanden geleden. Montgomery was dus weer vrij, omdat hij maar zes maanden had moeten zitten. Hij was vrij. En hij woonde in Pergola Street. Haar mond werd droog. Ze keek naar het huisnummer van Montgomery, 2356. Wat was het huisnummer van de Bethaves ook al weer? Vicki wist het niet meer, maar het was in de 2000; dat wist ze nog omdat ze Twentieth had overgestoken om er te komen. Ze woonden bij elkaar in de buurt aan Pergola Street.

Ze dacht diep na. Mevrouw Bethave was in alle staten geweest toen Albertus haar in gebarentaal had verteld wie de moordenaar was, alsof Montgomery Vicki en Reheema in huis kon zien als ze niet snel genoeg vertrokken. Ze kon zich voorstellen hoe het was gegaan, als Montgomery inderdaad degene was: zaterdag was de dag van de sneeuwstorm geweest en Albertus had waarschijnlijk op straat gespeeld, zoals de kinderen van Holloway bij Vicki in de straat hadden gespeeld. Albertus was Montgomery misschien op straat tegengekomen en Montgomery had Albertus wellicht het mobieltje gegeven dat hij van de vrouw had gestolen die hij de vorige avond had vermoord. Arissa Bristow.

Geschrokken begon Vicki een plus een bij elkaar op te tellen. David 'Kermit' Montgomery. Kermit. De kikker. De man die haar mobiele telefoon die avond had opgenomen had een rasperige stem gehad. Dan was het ook opgevallen. Werd Montgomery daarom Kermit genoemd? Vanwege de kikker in zijn keel? *Mijn god.*

Opeens ging de deur van het archief open en Vicki schrok zich halfdood. Ze draaide zich om en zag Jane, de receptioniste, in de deuropening staan. 'Vicki, o jee. Sorry, ik wilde je niet laten schrikken. Die ATF-agent staat buiten te wachten voor jullie afspraak.'

'O, jezus. Dank je.' Het kostte Vicki moeite om het dossier achter haar rug te stoppen en zich te vermannen. 'Bied haar alsjeblieft vast mijn excuses aan, ik kom eraan.'

'Oké.' Jane deed de deur dicht.

Vicki had nu geen tijd om haar gedachten op een rijtje te zetten. Ze liep naar het karretje, rukte de eerste kartonnen doos open en duwde het Montgomery-dossier erin. Toen reed ze de dozen het archief uit, dumpte ze in de vergaderzaal en rende met het Montgomery-dossier naar haar kamer waar ze het in een la verstopte. Daarna pakte ze de telefoon en toetste het nummer van haar mobiele telefoon in. Gestaag viel de sneeuw uit een grijze lucht omlaag terwijl de telefoon overging en overging, totdat de voicemail het overnam. Ze voelde dat ze gespannen werd. Reheema stond erop de telefoon uit te zetten tijdens haar gesprekken, en Vicki hoopte maar dat ze niet opnam omdat ze bij een van Jacksons buren was.

De piep klonk en Vicki zei: 'Reheema, ik denk dat ik weet wie je moeder heeft vermoord en ik maak me zorgen om je. Kijk uit voor een grote, zwarte man.' Ze huiverde toen ze besefte hoe dat overkwam. 'Ik maak geen grapje, en ik doe niet burgerlijk. Hij heeft smalle ogen, is drieëndertig, ongeveer een meter achtentachtig lang en weegt vijfennegentig kilo. Hij heet David Montgomery, maar waag het niet om hem op te sporen. Ik ga hier zo snel mogelijk mee naar de politie. Bel me als je dit hoort.' Ze hing op en liet haar telefoontjes doorschakelen naar de vergaderruimte voor het geval Reheema terugbelde. Vervolgens zette ze haar professionele masker op en liep naar de receptie om agent Pizer te begroeten.

Tien minuten later zat Vicki in de piepkleine vergaderruimte met de zeer kundige ATF-agent. Ze maakte aantekeningen als ze dacht dat het nodig was, stelde op de automatische piloot vragen en maakte een heleboel stapels papier. Met haar gedachten was ze ergens anders. Niet alleen was het gek om met een andere ATF-agent dan Morty te werken, maar ze had het gevoel dat ze gelijk had wat betreft Montgomery. Ze moest met Dan en Bale praten en dan met de recherche, zodat ze Montgomery konden oppakken. Als het goed was, hadden de rechercheurs al in de buurt van de familie Bethave gekeken naar verdachten met een strafblad met huurmoorden, maar je wist maar nooit.

Vicki vroeg zich af hoe Dan zich zou voelen als hij hoorde dat iemand die hij een deal had aangeboden iemand had vermoord en zelfs welke indruk het zou wekken, maar daar kon ze nu niet aan denken. Bale zou zich nog beroerder voelen omdat hij de deal had goedgekeurd, of hij de zaak nu goed had bekeken of zonder meer zijn handtekening had gezet. Strauss kende ze niet zo goed, maar ze was bereid hem het voordeel van de twijfel te geven; waarschijnlijk zou hij het ook erg vinden en zou hij het op zijn minst vervelend vinden dat dit een smet op zijn blazoen vormde. Het zou niet genoeg zijn om zijn aanstelling als rechter of de andere promoties die in de pijplijn zaten in gevaar te brengen.

Vicki had geen enkel antwoord op de veel moeilijker vraag waarom iemand Montgomery had ingehuurd om Reheema's moeder te vermoorden, of om Reheema te vermoorden als haar moeder niet het beoogde slachtoffer was. Er ontbrak nog te veel informatie. Ze bleef naar de telefoon op het kleine kastje kijken, in afwachting van Reheema's telefoontje, maar ze belde niet. Had ze het bericht wel gehoord? Was ze veilig? Zat Montgomery achter haar aan?

Vicki verontschuldigde zich en zei dat ze naar het toilet moest, maar in plaats daarvan rende ze naar haar kamer en belde Reheema nog een keer. Er werd weer niet opgenomen en ze sprak nog een boodschap in. Haastig liep ze terug naar de vergaderruimte en keek ondertussen op haar horloge: 15.50 uur. Het was in elk geval nog licht buiten. Montgomery zou haar bij daglicht toch niet aanvallen? Dat had hij nog nooit eerder gedaan. Haar gedachten maalden door terwijl ze terugliep om zogenaamd weer aan het werk te gaan. Ze keek om 16.01 uur en om 16.20 uur op haar horloge, en tot 17.01 uur nog vijf keer. Het was buiten waarschijnlijk al donker aan het worden, maar dat kon ze hier niet zien zonder ramen. De ATF-agent was hard aan het werk, maar Vicki hield het geen minuut langer uit.

Ze kwam overeind en rekte zich theatraal uit. 'Nou, we hebben veel gedaan vandaag,' zei ze, ook al had ze geen idee of ze veel gedaan hadden of niet. 'We moesten er maar eens een punt achter zetten.'

'Ik dacht dat we tot zes uur door zouden gaan, en we zijn halverwege...'

'Het spijt me, ik dacht tot vijf uur en vanwege de sneeuw denk ik dat we wel iets eerder kunnen ophouden, vind je niet? Het was leuk je te ontmoeten.' Vicki stak resoluut haar hand over tafel uit en richtte zich voor het eerst op agent Pizer. Ze was aantrekkelijk met haar bruine haar tot op haar kin en een hartelijke glimlach. Het zou leuk zijn geweest haar te ontmoeten. 'De volgende keer gaan we lunchen.'

'Prima, ik denk dat we er nu ook wel mee kunnen stoppen.' Agent Pizer leek opgelucht dat ze haar jas van de stoel naast zich kon pakken. 'Je hebt gelijk wat betreft de sneeuw en het is per slot van rekening zondag.'

'Ja, een rustdag en zo. En moet je de vergadertafel eens zien.' Vicki gebaarde naar de rommel. 'Het is een bende, dat betekent dat we heel hard gewerkt hebben.'

Agent Pizer lachte. 'Ik wist wel dat je grappig was. Morty mocht je ontzettend graag.'

'Echt waar?' vroeg Vicki verrast. Geen van hen had het tot nu toe over hem gehad. 'Hij was niet het type om sentimenteel te doen.'

'Weet ik, dat was zijn stijl niet. Maar hij had ons allemaal over je verteld, en hij leek zo gelukkig vanaf het moment dat hij met jou samenwerkte het afgelopen jaar.'

'Dank je.' Vicki slikte de brok in haar keel weg. 'Ik loop even met je mee.' Ze verlieten de vergaderruimte en liepen door de gang naar de receptie. Vicki keek even om toen ze langs Dans kamer kwamen. Hij zat aan de telefoon, maar keek op en lachte naar haar.

'Vicki?' riep hij met zijn hand over het spreekgedeelte.

'Over vijf minuten,' riep ze bijna als vanouds terug.

Maar ze wist dat die tijd misschien wel voorgoed verdwenen zou zijn als ze elkaar hadden gesproken.

# 44

Vicki liep terug naar Dans kamer, ging naar binnen en deed de deur achter zich dicht terwijl hij net ophing. Met een vriendelijke en enigszins schaapachtige blik stond hij achter zijn bureau op. Hij zag er aantrekkelijk, ongeschoren en berouwvol uit in zijn spijkerbroek en donkerblauwe sweater, die nu waarschijnlijk aan zijn huid haakte.

Vicki zette haar emoties opzij. Daar had ze geen tijd voor. 'We moeten praten.'

Dan stak een hand op. 'Dat weet ik, het spijt me. Het spijt me. Het spijt me.' Hij trok een scheve glimlach. 'Had ik al gezegd dat het me spijt?'

Vicki voelde dat ze emotioneel werd. 'Het gaat niet om ons. Het is belangrijker dan dat.'

'Niets is belangrijker dan wij.' Dan glimlachte behoedzaam. 'Behalve misschien Zoe's medicijnen, 's morgens.'

'Daar heb ik aan gedacht.'

'God, wat hou ik toch van je,' zei Dan gemeend, en hoe geroerd ze zich ook voelde, ze legde de schikkingsovereenkomst boven op de papieren op zijn bureau.

'Wat is dit?'

'Zeg jij het maar.' Vicki ging zitten, terwijl hij de schikkingsovereenkomst naar zich toe trok, ook ging zitten en begon te lezen. Ze wou dat hij opschoot. Links van hem kon ze door het raam zien dat het avond werd; een transparante blauwe gloed die te dun was om zijn kamer te weerspiegelen die er zoals altijd keurig uitzag. Boeken en verhandelingen stonden in de houding op de plank en mappen stonden in alfabetische volgorde op een kastje naast een Nerf-football die goud was geschilderd, een versleten honkbalhandschoen en een verzameling honkbalpetten, de standaarduitrusting voor elke jonge assistent-openbaar aanklager.

'Zo te zien een schikkingsovereenkomst in de zaak *Verenigde Staten vs. Montgomery*,' antwoordde Dan, terwijl hij met zijn blik door de papieren ging.

'Jouw zaak.'

'Nee.'

'Jawel.'

'Nee.' Dan glimlachte. 'Is dit een spelletje?'

'Jij hebt de overeenkomst ondertekend.'

'Nee, hoor.'

Vicki knipperde met haar ogen. 'Kijk dan zelf.'

Dan pakte de laatste bladzijde van de overeenkomst erbij en las wat er stond. 'Mmm. Dit heb ik niet ondertekend.'

'Is dat niet jouw handtekening, dan? Het lijkt er wel op.'

'Dat zie ik.' Dan schudde verbijsterd zijn hoofd. 'Ik zie wat je bedoelt. Het lijkt op mijn handtekening, maar ik heb dit niet ondertekend. Ik kan me deze zaak niet herinneren.'

'Hij is nog maar van acht maanden geleden, of zoiets.'

'Ja, dus zou ik me die moeten herinneren, maar dat doe ik niet. David Montgomery? De naam zegt me niets en ik zou hem nooit zo'n goeie deal hebben geboden.' Dan keek opnieuw naar de handtekening. 'Iemand moet mijn naam vervalst hebben.'

'Een vervalsing?' Vicki voelde dat haar mond openviel. Ze was er altijd van uitgegaan dat elke handtekening binnen het OM een wettige handtekening was, maar misschien was dat naïef. De enige andere mogelijkheid was dat Dan loog, maar ze kon zichzelf niet tot die conclusie brengen. Nog niet.

'Het moet wel een vervalsing zijn, want ik heb dit niet ondertekend.'

Vicki dacht even na. 'Als het een vervalsing is, verklaart het wel een boel. Maar wie zou jouw naam willen vervalsen en waarom?'

'Geen idee.' Dan keek opnieuw naar de overeenkomst en hield hem tegen het licht van zijn bureaulamp, een halogeenlamp met een zwartmetalen kap.

'Wat doe je?'

'Ik weet het niet, kijken of er iets te zien is. Een watermerk, een vingerafdruk, zoiets. Dit is vreemd.' Dan liet het document zakken en keek nog steeds naar de laatste pagina. 'Strauss en Bale hebben ook getekend. Zo te zien zijn het hun handtekeningen, maar misschien zijn ze ook vervalst.'

'Drie valse handtekeningen?'

'Als je er één vervalst, vervals je er ook wel drie.'

'Maar dat is idioot,' zei Vicki, die er niets meer van begreep. 'Wie zou dat doen?'

'Dat weet ik niet. Ik heb hier geen verklaring voor, schatje.'

Vicki ook niet. 'Misschien was het wel jouw zaak, maar ben je het vergeten? Je was toen bezig met die rechtszitting, de Morales-zaak, heroïnedistributie.' Dat had ze tijdens haar afspraak met de ATF-agent bedacht. 'Misschien ging je daar zo in op dat je je niet meer kunt herinneren dat je die deal hebt gesloten en je handtekening hebt gezet.'

'Eens even denken.' Dan fronste zijn wenkbrauwen. 'Nee, ik zweer je, ik kan me deze zaak echt niet herinneren. Ik heb deze zaak niet behandeld. Heb je het dossier?'

Vicki schoof het over tafel en Dan bladerde erdoorheen.

'Dit is oud spul. Een civiele kwestie. Geen federale zaak.'

'Weet ik. Ik ging ervan uit dat jij de rest had, de tenlastelegging en de processen-verbaal van de onderzoeksjury.'

'Die heb ik niet. Het is mijn zaak niet. Waar heb je dit vandaan?'

'De bak OVERIGEN, helemaal onderin. Weggestopt.'

Dan las het dossier verder. 'Mmm. Zo te zien is meneer Montgomery een stoute jongen geweest. Hij heeft megamazzel gehad met deze deal. Wie is zijn advocaat, de barmhartige Samaritaan?'

Vicki was veel te verward om te lachen en Dan bleef lezen en opmerkingen maken.

'Een pro-Deoadvocaat. Pas op, straks worden ze nog beter dan wij.'

'Dan, het is niet grappig.'

'Vertel mij wat. Mijn naam staat op die papieren en ik ben toch zeker een betere aanklager.'

Vicki wist niet wat ze ervan moest denken en Dan keek haar met zijn blauwe ogen eerlijk aan.

'Wat kan ik ervan zeggen, schatje?'

'De waarheid. Ik wil dat je me de waarheid zegt.'

'Op die belediging zal ik maar niet ingaan. Ik zég je de waarheid.' Dan verstijfde gekwetst. 'Wat is er aan de hand?'

'Ik denk dat Montgomery Reheema's moeder heeft vermoord. Hij woont in dezelfde straat als de familie Bethave, hij is een huurmoordenaar die op vrije voeten was toen zij werd vermoord en zijn bijnaam is Kermit, en ik durf te wedden dat dat vanwege zijn rasperige stem is.'

Dans blik werd serieuzer dan Vicki hem ooit had gezien.

'Wat?' vroeg Vicki.

'Ik had het moeten weten. Dit gaat om Reheema. Ik dacht dat het iets te maken had met je afspraak met die ATF-agent, maar niet dus.' Dan keek plotseling bedroefd en zijn sterke schouders zakten omlaag. 'Ik had het kunnen weten.'

'Als wat jij zegt waar is, heeft iemand jouw naam en die van Bale en Strauss vervalst, tenzij zij echt hebben getekend. Maak je je daar geen zorgen om?' Vicki leunde naar voren. 'Nog geen minuut geleden, voordat je wist waarom ik het je vroeg, leek je erg bezorgd.'

'Ja, dit is heel erg. Ik was bezorgd, ik bén bezorgd. Iemand heeft mijn handtekening op papieren gezet en dat gaan we morgen onderzoeken.' Dan zuchtte. 'Maar dat betekent niet dat Montgomery Reheema's moeder heeft vermoord. Dat iemand mijn handtekening in deze zaak heeft vervalst, wil nog niet zeggen dat je een moordenaar hebt gevonden. Dat is volkomen onlogisch. Dat slaat nergens op.'

'Hoe kun je zeker weten dat hij niet de moordenaar is?'

'Hoe weet jij zo zeker dat hij het wel is?' Dan verhief zijn stem. Vicki stond op en pakte het dossier en de schikkingsovereenkomst van zijn bureau.

'Ik wil geen ruzie meer met je maken, daar heb ik geen tijd voor. Ik ga Bale vragen waarom hij dit heeft getekend, óf hij dit heeft getekend en...'

'Doe dat nou niet, Vick. Hij is er trouwens toch niet.'

'En Strauss?'

'Ook niet.'

'Waar zijn ze?'

'Bij Angelo's. Dat wilde ik je net zeggen. We gaan vanavond allemaal uit eten om de overval te vieren. Bovendien weet iedereen al van de promoties, dus vieren we het vóór de officiële aankondiging. Jij bent natuurlijk uitgenodigd. Ik zat op jou te wachten.'

'Ik heb geen zin in een feestje. Ik ga hiermee naar de recherche.'

'Die twee rechercheurs, Melvin en die andere? Die zijn ook bij Angelo's.' Dan stond met een definitieve zucht op en bekeek haar van een afstandje. Hij stak zijn handen in de zakken van zijn spijkerbroek. 'Dus wat nu, schatje? Ga je mee uit eten en ga je een enorme scène trappen? Met een schikkingsovereenkomst zwaaien en tekeergaan over vervalsing?'

'Waarom niet, Dan?' Vicki gebaarde naar het donkere raam. 'Reheema is daarbuiten ergens, ik weet niet waar, en die vent is op vrije voeten. Stel dat hij de klus wil afmaken en haar wil vermoorden? Moet ik dat zomaar vergeten? Uitgaan en een paar drankjes achteroverslaan?'

'Er is voor alles een tijd en een plek, en het diner is dat geen van beide.'

'Draait bij jou alles om politiek?'

'Daar ga ik ook maar niet op in omdat ik weet dat je overstuur bent.' Dan deed nog één poging met een rustige, beheerste stem. 'Maar doe dit alsjeblieft niet vanavond, niet daar. Dat zullen ze nooit vergeten. Daarmee draai je je carrière de nek om. Het is zelfmoord.'

'Nee, Dan. Het is moord.' Vicki draaide zich om en nam het dossier mee.

Voordat ze naar het restaurant ging, liep Vicki naar haar kamer om Reheema te bellen. Haar telefoon ging over tot haar voicemail klonk. Nogmaals sprak ze een boodschap in: 'Reheema, het wordt al donker en ik maak me zorgen om je. Bel me zodra je dit hoort.' Vicki zweeg even. Reheema had haar telefoon, dus waar kon ze haar bereiken? Angelo's was het vaste restaurant van het OM om de hoek. 'Over vijf minuten ben ik in een restaurant dat Angelo's heet.' Vicki gaf Reheema het adres en telefoonnummer dat ze uit haar hoofd kende van de vele afhaalmaaltijden die ze er had besteld. 'Bel me daar, dan...'

*Piep*, de voicemail stopte. Haar voicemailbox zat zeker vol. Gefrustreerd hing Vicki op. Ze moest gaan. Ze griste de schikkingsovereenkomst mee, vouwde hem op en stopte hem in haar tas; daar was genoeg ruimte nu ze de revolver thuis had gelaten. Toen liep ze naar de deur, pakte haar jas van de haak en verliet haastig het kantoor.

# 45

Tegen de tijd dat Vicki op de stoep liep, was de lucht donker en kwam de sneeuw bijna tot boven haar laarzen. De lucht was niet zo bitterkoud als voor de storm, en de sneeuw viel nu gestaag in kleine ijskristallen in plaats van dikke vlokken, alsof het als tafelzout uit de lucht werd gestrooid. Ze haastte zich door Chestnut Street die er onder een dik pak verse sneeuw verlaten bij lag. Een enkele bus raasde langs en liet dikke witte zigzaglijnen achter.

Iedereen bleef binnen in afwachting van wat de storm zou brengen, en Vicki had ongeveer hetzelfde gevoel. Ze moest doen wat ze ging doen. Als dat het einde van haar carrière betekende, dan was dat maar zo. Als ze daarmee de man van wie ze hield kwijtraakte, dan was dat ook maar zo. Terwijl ze haastig verder liep in de kou en de sneeuw voor zich uit schopte die glitterde in de straatverlichting, bedacht ze dat ze nog nooit stelling had genomen terwijl er zoveel voor haar op het spel stond. Daarbij viel zelfs ruzie met haar vader over haar werk in het niet. Uiteindelijk hadden Strauss en Bale gelijk; dit was het echte werk. Vicki boog haar hoofd tegen de storm en liep snel verder.

De stoep voor Angelo's was geveegd, maar met een berg sneeuw van meer dan een halve meter bij de ingang, leek het meer op een bunker dan op een restaurant. Vicki veegde haar natte haar uit haar gezicht, trok de zware deur open en ging naar binnen, waar ze werd begroet door de geuren van Rolling Rock op de tap, stevige tomatensaus en het vieze rode tapijt. Angelo's Ristorante was een Olive Garden, maar dan zonder naleving van de regels voor hygiëne en voedselveiligheid, en Vicki had nooit begrepen waarom het OM juist naar deze tent ging. Het was er in elk geval wel warm.

Ze liep door de smalle ingang, eigenlijk een donkere bar met een vettige toog, waar vanavond alleen de barkeeper was die naar ijshockey op tv zat te kijken. Vicki knikte even naar hem en ging af op het lawaai achterin, dat behoorlijk heftig was. Er stonden drie lange roodgeblokte tafels en daaraan zat iedereen die op de vergadering was geweest, maar nu droegen ze vrijetijdskleding en dronken ze cocktails. Strauss zat tevreden aan het hoofd van de middelste tafel te praten met de burgemeester die rechts van hem zat en hun geanimeerde blik werd verlicht door kaarsen die in dikke gele kommen stonden te flakkeren. Naast hem zat Bale die de locoburgemeester aan het versieren was, en daarnaast zaten stadsadvocaten die grappen maakten met de pr-dame. Aan de rest van de lange tafel zaten andere assistent-openbaar aanklagers en wat mensen die nog niet zo lang weg waren, inclusief Jim Cavanaugh die naar Vicki keek en haar een knipoogje gaf.

De tafel links was gereserveerd voor ATF en FBI; chef Saxon hief zijn glazen bierpul samen met de top van de FBI- en ATF-agenten en een groepje federale sheriffs, en allemaal lachten ze en praatten ze. Aan het hoofd van de tafel rechts zat de hoofdcommissaris in overhemd en das, met naast hem zijn ondergeschikten, een paar bevoorrechte agenten in uniform en aan het andere eind rechercheur Melvin en zijn zwijgzame partner, van wie Vicki steeds de naam vergat. Twee mensen in burger zaten aan een roodgeblokt tafeltje tegen de muur, maar verder werd de kleine, vierkante ruimte gedomineerd door ordehandhavers. Dan zag ze nergens en ze probeerde zich daar niets van aan te trekken. Het was haar doel om in deze menigte eerst Bale te spreken en daarna rechercheur Melvin.

'Allegretti!' riep Strauss, en hij gebaarde naar haar. 'Ga zitten en droog je af! Neem een drankje!'

'De Vickster!' Bale zwaaide naar haar met een brede glimlach, waarna hij zijn gesprek met de locoburgemeester hervatte.

Vicki veegde haar haar naar achteren en liep druipend naar de tafel waar nog één stoel aan het eind vrij was, dus ging ze daar zitten, trok haar jas uit en hing die samen met haar tas over de rugleuning van haar stoel. Ze zou moeten wachten want het eten was net geserveerd. Op tafel stonden aubergine met Parmezaanse kaas, ovale borden met gefrituurde inktvis en enorme kommen pasta met gehaktballetjes. Een jonge serveerster kwam aanlopen en zette met een klap een leeg bord voor Vicki neer.

'Wat mag het te drinken wezen?' vroeg ze.

'Natuurlijk wil ze wat drinken!' riep Bale vanaf de andere kant van de tafel, en hij hief zijn glas. 'Geef haar maar wat ik heb, rum-cola!'

'Mag ik een cola light?' vroeg Vicki, en ze wendde zich tot de serveerster, maar die was al verdwenen. In plaats daarvan leunde Dan Malloy haar kant op, zo dichtbij dat ze haast zouden kunnen zoenen. Hij fluisterde iets op het moment dat de hele ruimte in geschreeuw losbarstte.

'Malloy! Malloy! Waar heb je uitgehangen?' riep Strauss, en Bale viel hem bij: 'Was je weer eens aan het overwerken? Wil je mij soms een slechte reputatie bezorgen?'

'Malloy, je bent wáárdeloos!' riep een federale sheriff, die Vicki herkende van het intramurale footballkampioenschap. 'Ze mogen je dan wel een promotie geven, maar je bent nog altijd waardeloos!' De andere sheriffs barstten in lachen uit en begonnen te scanderen: 'Wáárdeloos! Wáárdeloos! Wáárdeloos!'

'Dank u, dank u!' Dan lachte, rechtte zijn rug en wuifde als een presidentskandidaat, terwijl Vicki probeerde te begrijpen waarom hij daar stond.

'Kom eens deze kant op met die harige kont van je, Malloy!' riep Saxon, met zijn handen als een megafoon aan zijn mond. 'Ik wil die clou horen!'

'Even wachten!' riep Dan terug, waarna hij opzij leunde en haar zijn mobiele telefoon gaf. 'Reheema heeft gebeld. Alles is goed met haar en ze wil dat je haar terugbelt. Toets 1.' Hij ging snel weer rechtop staan en baande zich een weg naar Saxon.

Verrast stond Vicki met de mobiele telefoon in haar hand op en liep snel in de richting van de bar waar ze tenminste iets kon verstaan en toetste onderweg de 1 in. De verbinding werd onmiddellijk gemaakt; het nummer van haar nieuwe mobiele telefoon stond onder Dans eerste voorkeuzetoets. 'Reheema?' vroeg ze.

'Yo, ben jij dat?'

'Ja.' Vicki legde haar hand over haar andere oor. Het lawaai uit de eetruimte nam toe toen het scanderen schunnig begon te worden. Het paar in burger passeerde Vicki lachend op weg naar de uitgang.

'Alles is goed, prima. Goed werk van Montgomery. Je moet me straks maar vertellen hoe je dat te weten bent gekomen.'

'Prima. Waarom had je Dan gebeld?' vroeg Vicki verward.

'Moest wel. Ik kon jou niet op kantoor bereiken en hij zat onder je voorkeuzetoets. Op nummer een.'

*Moderne liefde. We stonden onder elkaars voorkeuzetoets.*

'Moet je horen, ik heb nieuws, groot nieuws, maar ik wil je zien.'

'Ik kan hier wel praten.' Vicki keek naar Strauss en Bale die zaten te lachen. De sheriffs dromden om Dan heen en ook zij lachten. Hun eten stond onaangeroerd te midden van de feestvreugde.

'Waar zit je? Het is er nogal lawaaierig.'

'Zeg dat wel. Ik ben bij een diner voor mijn werk. Je bent een beetje moeilijk te verstaan.'

'Wie zijn daar allemaal bij dat diner?'

'Iedereen van mijn werk, de rechercheurs, de burgemeester. Wat maakt het uit?'

'Verdomme, mens! Schiet op en ga ergens naartoe waar je me kunt verstaan.'

'Oké.' Vicki liep verder bij de eetruimte vandaan naar de lege bar. De barkeeper zat naar de Flyers op tv te kijken, maar het was er een stuk stiller. 'Zo is het goed. Ja?'

'Wát ik je ook ga vertellen, blijf kalm. Laat niets merken. Zorg dat er niets van je gezicht af te lezen is.'

'Hè?' Vicki voelde hoe haar lijf zich spande. Door de deuropening kon ze zien dat Strauss nog steeds met Bale zat te lachen, hun hoofden dicht bij elkaar, en dat de sheriffs met Dan zaten te geinen. Ze keek de andere kant op om zich te kunnen concentreren op wat Reheema zei.

'Ik heb met een buurvrouw gesproken die iets wist. Een oude dame. Zwart. Ze heet Dolores Cooper en ze woont alleen, helemaal aan het andere eind van de straat aan de overkant. Ze kende Jackson niet, maar dit is wat ze vertelde.' Reheema was bijna ademloos van opwinding. 'Cooper is op een avond ongeveer een maand geleden haar hond kwijt, dus gaat ze bij alle buren langs en klopt ook bij Jackson aan.'

'En?'

'Het is al laat, een uur of elf. Cooper klopt en klopt, maar er doet niemand open. Ze ziet wel licht branden en ze hoort stemmen, dus blijft ze aankloppen. Nog steeds wordt er niet opengedaan, maar ze ziet licht en ze is overstuur vanwege de kleine Taco Bell.'

'Taco Bell?'

'De hond met het Spaanse accent. De Taco Bell-hond.'

'Een chihuahua?'

'Weet ik veel. Dus loopt ze naar het raam en kijkt naar binnen door een spleet tussen de gordijnen.'

'Wauw.'

'Nou, hè? Ze kijkt zo de woonkamer in en raad eens wie daar in Jacksons huis op de bank zit?'

'Wie?'

'Chef Bale, van jouw kantoor, samen met een blanke vent.'

*Wat?* Vicki had Reheema vast niet goed verstaan. Ze duwde de telefoon zo dicht tegen haar oor dat ze zichzelf wel eens een hersentumor kon bezorgen.

'Ben je er nog?'

'Zeg dat nog eens, als je wilt,' zei Vicki met droge mond.

'Cooper zag jouw báás! De zwarte, chef Bale, samen met een blanke man.'

*Nee.* 'Dat kan niet.'

'Ze weet het heel zeker.'

'Hoe weet ze zo zeker dat hij het was?'

'Ik liet haar de voorpagina van de krant van vandaag zien, net als jij gisteren deed. Ik liet haar Browning zien, en opeens wees ze naar de foto ernaast van Bale. Ze herkende chef Bale. Hij was vorige maand in Jacksons huis!'

'Dat kan niet. Wie stond er nog meer op de voorpagina?'

'Wacht even.' Ze hoorde het geritsel van een krant. 'Het is de krant van vandaag, zondag. Op de pagina die ik haar liet zien, stond Toner, de vent van het witte busje, en Browning met zijn chauffeur, Cole. En Strauss en jouw vriendje, Dan de Man. Maar die herkende ze niet. Alleen Bale.'

Dat kon niet. Niet Bale. 'Wie was de blanke die ze zag?'

'Ze kon zijn gezicht niet zien. Ze zag alleen het gezicht van de zwarte man, van Bale. Hij zat dichter bij het raam. Ze zaten allebei op de bank.'

'Ze moet zich vergist hebben. Dan zou hij iets gezegd hebben op de avond dat Morty en Jackson werden vermoord.'

'Vicki, Cooper heeft de man herkénd. Hoefde er niet eens over na te denken. Ze herkende Bale meteen. Zei dat ze hem zich nog kon herinneren omdat hij zo keurig gekleed was. Een mooi pak en een stropdas. Een snor. Aantrekkelijk. Een rijke man zo te zien. Net een advocaat, zei ze.'

*Mijn god. Dat klonk precies als Bale. Was hij het werkelijk geweest? Kende Bale Jackson? Waarom had hij niets gezegd?*

Vicki vroeg: 'Hoe goed zijn haar ogen? Je zei dat ze oud was.'

'Niet zó oud. Zestig.'

'Draagt ze een bril?'

'Nee.'

'Is ze gek?'

'Nee, ze is chagrijnig.'

'Drinkt ze, gebruikt ze drugs?'

'Vicki, hou op. Ze heeft Bale en een blanke vent gezien en ze heeft haar hondje Taco Bell nooit teruggevonden. Ze zal die avond nooit vergeten, zei ze. Ze was dol op die hond. Ze moest huilen toen ze me het verhaal vertelde. Ik ben de hele middag bij haar geweest.'

'Wat deden ze in de kamer? Jackson en die twee mannen.'

'Ze zaten te praten.'

*Er was iets goed mis op kantoor. Bale. De vervalsingen. Montgomery en Jackson. Hielden ze verband met elkaar? Hoe dan?*

Vicki vroeg: 'En toen?'

'Cooper is weggegaan. Ze voelde zich erg schuldig toen ze hoorde dat Jackson was vermoord. Maar volgens mij vindt ze het erger van de hond.'

'Waarom heeft ze dat niet aan de politie verteld?' vroeg Vicki, maar ze wist de reden al.

'Ze hebben haar niets gevraagd en ze schaamde zich dat ze het meisje had bespied.'

'Heb je haar adres?'

'Natuurlijk.'

'Ik moet met haar praten. Ik wil het controleren.'

Reheema lachte spottend. 'Best, maar ze zal je precies hetzelfde vertellen.'

'Waar ben je nu?'

'In de straat waar Jackson woonde, in jouw auto.'

'Kom naar huis. Blijf rijden. Montgomery is daar ergens.'

'Het kost me zeker twee uur om in deze sneeuw naar Center City te rijden.'

'Oké, bel me als je in de buurt van het restaurant bent, dan kun je me oppikken. Ik hou Dans telefoon bij me, en bel anders het restaurant.'

'Doe ik.'

'Reheema? Goed gedaan,' zei Vicki, en ze hing op. Ze klapte de telefoon dicht, gedachten en emoties tolden door haar hoofd en ze keek op. In de eetruimte was iedereen aan het lachen en geinen, en ze barstten los in een couplet van 'Danny Boy', waarbij Dan nog het hardst zong.

Vicki was nog niet in staat om terug te gaan. Ze kon het niet geloven. Ze had Bale altijd vertrouwd; van alle bazen had ze hem het meest gemogen en nu werd hij advocaat-generaal. Wat had hij bij Jackson thuis gedaan? Wie was de blanke man? Wat had het met Montgomery te maken, als het er al iets mee te maken had? Had Bale die handtekeningen vervalst, en waarom? Vicki wist het niet, maar ze zou er ook niet achter komen als ze daar bleef staan. Ze dwong zichzelf om terug te gaan naar het feestgedruis met chef Bale en een ruimte vol blanke mannen.

Ze zongen allemaal mee met Dan. Vicki en Dan keken elkaar even aan en wendden hun blik toen af. *Ai.*

Dan moest het maar zo zijn.

# 46

Vicki ging zitten en glimlachte toen Bale opstond en een lied aanhief, waarop nog meer werd gelachen. Bier en wijn vloeiden rijkelijk en de hoofdgerechten stonden er vergeten bij. De serveerster arriveerde met punten kersentaart en zette op elke plaats een dessert neer, of er nu iemand zat of niet; het was wel duidelijk dat het personeel zo snel mogelijk een eind aan de maaltijd wilde maken zodat het restaurant kon sluiten vanwege de storm. Vicki wenste ze sterkte; ze had deze show ook meegemaakt met het kerstfeest. Het kon nog wel even duren.

Bale begon weer te zingen. Vicki plakte opnieuw een glimlach op haar gezicht en nam een slokje van de cola die naast haar bord was gezet. Rum. Getver. Ze dronk ervan omdat ze dorst had, volgde de actie en dacht na. Ze kon zichzelf er niet toe brengen te accepteren dat Bale Jackson kende, maar ze kon zich ook niet voorstellen waarom hij anders nog geen maand geleden bij haar was geweest. Had Bale iets te maken met het feit dat Reheema erin geluisd was? En wie was de blanke man? Was dat misschien iemand anders van kantoor? Die gedachte was verbijsterend. Maar wat was het verband met Montgomery en de vervalsingen?

Terwijl Bale zong, dacht Vicki hierover na, ze dacht hardop in zichzelf, als zoiets al mogelijk was. Het was mogelijk dat Bale Montgomery de goede deal had aangeboden en de andere handtekeningen had vervalst. Hij deed sommige zaken nog steeds zelf, dus op zijn minst was het mogelijk. Dit betekende dat hij Montgomery kende. Maar het betekende niet dat hij iets te maken had met het feit dat Montgomery Reheema's moeder had vermoord, of wel? Natuurlijk niet. Maar waarom zou hij handtekeningen vervalsen? Waarom zou hij de schikkingsovereenkomst verbergen in de bak OVERIGEN? Waarom zou hij de rest van het dossier over Montgomery willen zoekmaken?

Voor in de kamer sloeg Strauss een arm om Bale heen en viel hij hem bij in een Motown-medly, al werd er meer gelachen dan gezongen.

Vicki dacht over de gebeurtenissen afzonderlijk na om vast te stellen of ze verband met elkaar hielden. Punt één: een maand geleden had Bale een afspraak met de enige getuige tegen Reheema, een getuige die haar een wapenrunnerzaak in de schoenen zou schuiven. En punt twee: bijna een jaar geleden bood hij iemand een deal aan die uiteindelijk Reheema's moeder zou vermoorden en misschien wel Reheema.

Vicki knipperde met haar ogen. Reheema was mogelijk het verband. Had Bale soms iets tegen Reheema? Had hij een of andere reden om haar veroordeeld te krijgen voor een wapenrunnerzaak en haar later zelfs te vermoorden? Wat was er gaande? Vicki probeerde geen conclusies te trekken. Wat dacht ze nu eigenlijk? Dat Bale Jackson zover had gekregen om Reheema erin te luizen en dat hij Montgomery had ingehuurd om haar te vermoorden?

*Ben ik helemaal gek geworden?* Vicki voelde zich plotseling licht in het hoofd en nam een slokje waterige rum-cola, keek naar de groep die steeds luidruchtiger werd en het hele Motown-repertoire zong. Ze wilden haar erbij betrekken, maar ze wuifde ze weg, zich ervan bewust dat Dan naar haar keek vanaf de andere kant van de ruimte. Ze had zijn mobiele telefoon in haar tasje; die gaf ze hem straks wel terug. Ze prikte in haar taart, maar het hielp niet. Ze had de rum niet moeten drinken en ze schoof het glas weg.

Ondanks haar aanval van misselijkheid en/of desillusie probeerde ze een plan te bedenken. Het verstandigste was om te wachten tot ze Cooper hadden verhoord en tot ze alle feiten had om Bale te benaderen om te zien of hij loog en om hem te betrappen. Een typisch kruisverhoor. Wat had rechter Holmes ook alweer gezegd? Het kruisverhoor was het instrument van de waarheid. Maar ze kon niet langer aan rechter Holmes, Bale of de Onbekende Blanke Man denken. Haar maag deed moeilijk. Ze wilde wat koud water in haar gezicht plenzen om zich een beetje op te frissen.

Ze stond op, verliet de ruimte en liep naar de bar. Op tv waren de Flyers aan het verliezen en de barkeeper was verdwenen. Vicki liep langs de barkrukken naar beneden naar het kleine, gore damestoilet in de kelder. Ze waste haar gezicht en droogde het met toiletpapier af omdat Angelo's alleen zo'n stomme handblazer had. Toen bekeek ze zichzelf in de spiegel. Haar blauwe ogen stonden moe, haar haar was eindelijk droog, maar hing in zwarte golvende lokken om haar hoofd en haar lipgloss was allang verdwenen. Maar haar maag was iets beter. Ze ging weer naar boven en liep door de bar. De barkeeper was nog steeds weg en de tv stond aan. Vicki wierp een blik op het scherm... en hapte naar adem.

Op het beeldscherm was de bekende rode balk zichtbaar met EXTRA NIEUWSBERICHT en daaronder een besneeuwde straat en een witte cabrio die waren afgeschermd met geel politielint. Het bestuurdersportier stond open en er zaten donkere vlekken op de beige binnenkant. Bloed. De camera toonde een beeld van de achterkant van de cabrio. Op de achterruit zat een karmozijnrode H en op de bumper een sticker met Avalon. Vicki had het gevoel alsof haar hart stopte. Het was haar auto.

*Reheema.*

De commentator zei: 'Een poging tot autodiefstal is vanavond geëindigd met een dode in een zijstraat van Greater Northeast. Chopper Six was als eerste ter plaatse met deze exclusieve beelden.'

*Nee. Reheema. Montgomery had haar vermoord en het eruit laten zien alsof het om autodiefstal ging.* Vicki pakte de bar vast om zich in evenwicht te houden.

De commentator ging verder. 'De overledene is David Montgomery uit West-Philadelphia.'

*Wat? Montgomery, dood?*

'Een ooggetuige vertelde de politie dat het slachtoffer van de autodiefstal de chauffeur van de vw cabrio was, een onbekende vrouw die moest stoppen voor een stopbord toen de man naar verluidt uit een auto achter haar sprong en haar met geweld achter het stuur probeerde te halen en haar uiteindelijk neerschoot.'

*Reheema.*

'Het slachtoffer schoot terug en wist Montgomery met één schot te doden. Ze is naar het University of Pennsylvania Hospital overgebracht en verkeert volgens de politie in kritieke toestand ten gevolge van schotwonden in de maag.'

*Reheema in kritieke toestand.*

De televisiebeelden gingen over op een verhaal over het weer en Vicki keek verdoofd toe hoe een weerman in een windjekker de geijkte meetlat in een berg sneeuw stak. Ze was verbijsterd. Gedesoriënteerd. Van de kaart. Het nieuws leek bijna onwerkelijk, maar de aanval op Reheema was het bewijs. Montgomery was de moordenaar. Reheema was neergeschoten en kon wel doodgaan. Vicki moest naar het ziekenhuis, maar ze kon hier niet weg, niet zoals ze zich nu voelde. Ze moest eerst iets doen. Het kon geen minuut langer wachten. Tact, wijsheid en zelfs rechter Holmes konden de boom in.

# 47

Bale zat te praten met de pr-dame van kantoor in de buurt van een groepje zingende mensen aangevoerd door Strauss, die samen met de hoofdcommissaris en de burgemeester in hoogsteigen persoon een lied kweelde. De federale sheriffs vormden een apart groepje dat er spontaan met een ander nummer tegenin ging. Dan stond zeker in het midden van het groepje sheriffs want Vicki zag hem niet. Ze liep regelrecht op Bale af.

'Ik moet u nu direct spreken,' fluisterde Vicki in zijn oor, en ze greep de mouw van zijn gedistingeerde jasje vast.

'Ik wist niet dat je gevoelens voor me had,' grapte Bale, en zijn adem stonk naar alcohol. Hij liet zich door Vicki de eetzaal uit leiden naar de bar, die nog steeds leeg was en bij de uitgang bleven ze staan. Bale slingerde een beetje door de rum-cola. Zijn bruine ogen glommen, zijn huid leek vettig, zijn witte overhemd stond open en zijn zijden das hing los, wat ze niet van hem gewend was.

'Reheema is zojuist neergeschoten door David Montgomery. Ze heeft hem gedood.'

'Ik begrijp het niet.' Bale knipperde langzaam met zijn ogen als gevolg van de alcohol of slecht acteerwerk.

'Zo dronken bent u niet, chef. U weet wie David Montgomery is. U hebt hem de deal van de eeuw bezorgd. U hebt op de overeenkomst de handtekeningen van Dan en Strauss vervalst zodat het er koosjer uitzag. En terwijl ik dit zeg, kan ik het nog amper geloven, u hebt Montgomery op Reheema af gestuurd om haar te vermoorden. Om de klus af te maken die hij met haar moeder was begonnen.'

'Ik weet niet waar je het over hebt.' Bales blik schoot naar de eetzaal, maar hij leek niet boos of verward en daarmee bevestigde hij Vicki's ergste vermoedens.

'U bent een maand geleden bij Shayla Jackson thuis geweest. Ik heb een ooggetuige. U was laat op de avond in haar woonkamer samen met een blanke man.'

Bales gezicht betrok onmiddellijk en hij fronste zijn wenkbrauwen. Hij keek Vicki recht aan en zijn lippen weken iets uiteen; voor het eerst sinds Vicki hem kende, had hij de situatie niet in de hand.

'Zeg me wat er aan de hand is, chef, nu meteen. De waarheid, anders ga ik nu met u naar de hoofdcommissaris.'

'Wacht even, het is niet wat je denkt, Vick. Kom even mee, dan zal ik alles uitleggen.' Bale pakte haar arm vast en voordat ze er erg in had, trok hij haar het restaurant uit tot onder het kleine afdakje bij de ingang. Het sneeuwde zachtjes, de donkere straat lag er verlaten bij en alle winkels waren dicht. Vicki maakte zich even zorgen om haar eigen veiligheid, maar de complete ordehandhavingsgemeenschap bevond zich aan de andere kant van de deur. Bale raakte zachtjes haar arm aan. 'Rustig, Vick, het is niet wat je denkt. Rustig nou.'

'Ik kan niet rustig zijn. Reheema is néérgeschoten, chef. Hebt u...'

'Oké, ik zal het uitleggen.' Bales blik was zacht, zijn donkere ogen keken dringend in het gelige licht van de ingang van het restaurant. 'Ik vertrouw erop dat je dit voor je houdt. Het kan allemaal overwaaien, het is al bijna overgewaaid.'

'Wat? Wat bedoelt u?'

'Het Schoon Schip Project, weet je nog? De poging van Strauss om wapens van de straat te halen. Het begon vorig jaar voordat jij kwam. Een groot succes. Ik stond onder grote druk om meer veroordelingen rond te krijgen. Druk van Strauss, van de media.' Bale deed een stap dichterbij, ging nodeloos zachter praten en Vicki rook de rum die hem ongetwijfeld loslippig maakte. 'Je weet toch dat wapenhandelaren bijhouden wie er meerdere wapens kopen? Ik heb toen de werkwijze wat aangepast en wat lieden omgekocht om te zeggen dat ze de mensen op die lijst kenden en dat die mensen de wapens hadden doorverkocht. Reheema stond op die lijst.'

'U hebt Jackson betááld om Reheema erin te luizen?'
'Ja,' gaf Bale zachtjes toe.
'Chef,' was het enige wat Vicki kon uitbrengen.
'O kom zeg, wees redelijk. Je weet heel goed dat die lui de wapens doorverkopen. Waarom zou je anders acht of negen semiautomatische wapens kopen? Glock, Taurus, Ruger, Smith & Wesson? We wisten wie het deden. We konden het alleen niet bewijzen zonder getuigen.'
'Reheema heeft het niet gedaan. Ze heeft niet...'
'Zij is de uitzondering, en dat weet je. Bij de anderen was het een kwestie van plichtmatig afwerken.'
'Dat plichtmatig afwerken heet gerechtigheid.' Vicki voelde zich onpasselijk en boos worden. 'En waar hebt u het geld vandaan gehaald?'
'Stel me niet te veel vragen, Vick. Neem nou maar van mij aan, dit is de overheid, daar gaat genoeg geld in om.'
'Bij hoeveel mensen hebt u dit gedaan?'
'Laat het rusten, Vicki, ze zitten nu vast en ik ga het hogerop zoeken. Speel het spelletje mee, dan gaat het vanzelf over. Het was een eenmalig iets. Ik doe het niet nog eens.' Bales toon werd bijna klaaglijk, alsof de situatie was omgedraaid en Vicki de chef was en hij de assistent-openbaar aanklager. 'Ik heb mijn lesje geleerd, geloof me. Het is helemaal uit de hand gelopen.'
Vicki kon haar oren niet geloven. 'Chef, hebt u Montgomery echt op Reheema af gestuurd om haar te vermoorden?'
'Hoor eens, ik moest wel. Mijn positie werd door Bristow bedreigd. Dat mens heeft een gedragsprobleem, dat was wel duidelijk door de manier waarop ze tijdens de hoorzitting voor verlenging van haar voorarrest in het huis van bewaring tekeerging. Toen Jackson vermoord werd en de zaak tegen Bristow instortte, wist ik dat ze haar mond niet zou houden.'
'Chef, dat is samenzwering tot moord!'
'Het was niet allemaal mijn schuld. Jíj ging je ermee bemoeien en je wou er niet over ophouden! Dit was allemaal met een sisser afgelopen als jij...'
'Moord loopt niet met een sisser af!' onderbrak Vicki hem ongelovig. 'Montgomery heeft de moeder van Reheema vermoord! Hij heeft geprobeerd Reheema te vermoorden! Dat kun je niet ongestraft doen!'
'Zo moet je het niet zien, Vick. Laat het gewoon rusten. Montgome-

ry is nu dood, en mijn positie wordt niet langer bedreigd. Laat het rusten, dan zal ik voor je zorgen.'

'Het laten rústen?' herhaalde Vicki vol afschuw.

Plotseling ging de houten deur open en verscheen Angelo's barkeeper in een zwarte muts en een Flyers-jas. Hij knikte naar hen beiden en liep door de storm de straat op. Bale gebaarde dat ze wat verder bij de uitgang vandaan moest gaan staan en Vicki liep achter hem aan naar de kleine overkapping bij de ingang van een goedkope juwelier. De lichten in de winkel waren uit en buiten brandde een blauwe neonreclame DIAMANTEN INKOOP EN VERKOOP. Er lagen lege katoenfluwelen displaybakjes in de vitrine, de diamanten waren weg.

Vicki probeerde haar gedachten op een rijtje te krijgen, maar ze was zo ontzet dat het niet lukte. 'Chef, hoe kan ik dit zomaar laten rusten? Hoe kunt ú dat?'

'Hoor eens, Montgomery was niet meer dan een extra garantie, voor het geval nog iemand me wilde chanteren. Iedereen in die buurt kende hem, hij hield iedereen in het gareel. Ik zweer het je, ik dacht echt niet dat ik hem zou hoeven te gebruiken.'

'Nóg iemand?'

Bale negeerde de vraag. 'Kom op, toen ik die deal met Montgomery sloot, wist ik niet dat de zaak tegen Reheema uiteen zou vallen. Ik wist niet dat die kinderen Jackson en Morty die avond zouden vermoorden. Hoe kon ik weten dat Browning zijn rekeningen niet had betaald? Zoals ik zei, het liep gewoon uit de hand.'

'Het is verkeerd, chef, helemaal verkeerd. U moet uzelf aangeven.'

'O, toe zeg!' zei Bale snuivend, en het neonblauw accentueerde zijn jukbeenderen. 'Doe normaal! Net nu ik zó dichtbij ben? Nu ik eindelijk promotie maak? Ben je gék?'

'U zult wel moeten!'

'Wil je dat ik in de cel kom bij de idioten die ik heb veroordeeld, Vick? Dat mijn vrouw en kinderen hieraan kapotgaan?'

'Nee, dat wil ik niet, maar het is de enige manier.'

Bale deed kwaad een stap naar achteren, alsof iemand hem een duw had gegeven. 'Je hebt het behoorlijk hoog in de bol voor zo'n jong ding, weet je dat? Zo zelfingenomen. Zo naïef, zo goedgelovig. Denk je dat ik de enige ben die het hier en daar niet zo nauw neemt? Je bent een rijkeluiskindje, je hebt geen idee hoe het er werkelijk toegaat.'

'Chef.'

'Denk je dat ik alleen werkte?' Bales ogen flitsten in de blauwe duisternis. 'Je weet dat dat niet zo is. Je weet dat ik met een blanke man samenwerkte. Wil je niet weten wie het is?'

*De blanke man.*

'Raad eens. Dan maken we er een spelletje van. Raad eens wie de blanke man is die Reheema er samen met mij heeft ingeluisd. Raad eens wie met Jackson aan kwam zetten.'

'Toch niet Dan, hè?' flapte Vicki eruit, voordat ze besefte dat ze hem had verdacht.

En Bale glimlachte.

# 48

'Dát koorknaapje?' zei Bale. 'Malloy? Welnee.'

'Niet Strauss.'

'De baas?' Bale snoof. 'Nee, die wist er niets van. Die kijkt de andere kant op. Hij weet alleen wat hij wil weten. Hij houdt er niet van om zijn handen vuil te maken.'

'Wie dan?'

'Morty.'

Vicki was verbijsterd, alsof ze een klap had gekregen.

'O ja, het was Morty.'

*Nee.* 'Chef, dat liegt u.'

'Mooi niet! Jouw geweldige Morty, jouw geliefde Morty, iedereéns geliefde Morty.' Bale keek bijna vrolijk. 'Morty was degene die Jackson kende, niet ik. Hij heeft haar voor me gevonden. Hij was de blanke man die bij me was die avond, toen we naar haar huis gingen om haar voor te bereiden op Bristows rechtszaak.'

*Morty.* 'Dat kan niet. Hij zou nooit…'

'O, jawel. Het is een feit. Hij was toegewijd, reken maar. Hij wilde de wapens van de straat en hij deed wat nodig was. Ha!' Bale leek kracht te putten uit het onthullen van het geheim; een doorgewinterde aanklager die zijn beste argument voor het laatst bewaarde. 'Jouw zaak, Bristow, was de laatste zaak, de láátste, en het zou gelukt zijn als die jongens niet hadden ingebroken die avond! Dat had Morty niet aan zien komen, de arme jongen.'

'Maar waarom zou hij...'

'Morty wilde wapens van de straat hebben, Vick! Dat weet je! Je hoorde het tijdens de dodenwake. Er was niemand die harder werkte dan hij. Hij was bereid alles te doen, en dat zou jij ook moeten zijn. Weet je, jullie leken erg veel op elkaar.'

Vicki voelde zich te ontmoedigd om te vragen wat hij daarmee bedoelde.

'Jij en Malloy, denken jullie soms dat ik het niet doorheb? De manier waarop jullie naar elkaar kijken? Zaken en privé met elkaar verstrengelen. Zo was Morty ook. Die moest zo nodig verliefd worden op de informant, op Jackson. Ze was twintig jaar jonger dan hij.' Bale leunde naar voren. 'En ze was zwanger van hem.'

*De baby in het obductierapport. Ze was van gemengd ras.*

'Hij wilde met het mens trouwen! Dat was Morty! De échte Morty! Getrouwd met zijn werk, maar dan echt! Verrast?'

Vicki kon geen woord uitbrengen. Ze dacht weer aan de avond dat Morty werd vermoord. Aan hoe hij op de grond lag met bloed op zijn lippen. Het eerste wat hij had gevraagd was hoe het met de informant was.

'Zie je, dat bedoel ik nou, Vick. Morty was erbij betrokken omdat het de juiste beslissing was. Zo bereikten we ons doel, waar we allemaal voor werken.'

Vicki dacht aan mevrouw Tillie Bott die haar had verteld dat Shayla had gezegd dat ze van plan was om haar leven te veranderen. Ze had een toekomst met Morty willen beginnen.

'Als het goed genoeg is voor Morty, is het dan niet goed genoeg voor jou?'

Vicki kon geen antwoord geven. Agent Pizer had die dag nog tegen haar gezegd: 'Hij leek zo gelukkig vanaf het moment dat hij met jou samenwerkte het afgelopen jaar.' Maar het was Shayla Jackson bij wie Morty het afgelopen jaar was geweest. Hij was verliefd op haar geworden en had op het punt gestaan om vader te worden.

'Je had de zaak met rust moeten laten, Vick. Ik had je nog gezegd dat je moest ophouden, ik had je gewáárschuwd! Ik heb je zelfs een andere zaak toegewezen, maar je wou het niet laten rusten.'

'Hoe kan dat nu, chef?' vroeg Vicki gepijnigd.

'Het moet.'

'Dat kan ik niet. Dat wil ik niet.'

'Kom op, kind. Wat doe je hier? Wat doe je me aan?' Bales blik werd opeens zenuwachtig. 'Je zet me met de rug tegen de muur, weet je dat?'

'Dat hebt u zelf gedaan, chef. Ik weet hiervan en Reheema weet het ook. Als Dan hoort dat Montgomery Reheema heeft neergeschoten, weet hij het ook. Niemand zal dit laten rusten, chef. Het is afgelopen.'

'Ik dacht dat we vrienden waren! We konden het toch goed met elkaar vinden, of niet? Ik heb je niet ontslagen toen ik de kans had. Toen wist ik al dat je het niet zou laten rusten. Hou je vrienden dicht bij je, maar je vijanden nog dichterbij, nietwaar?' Bales ogen leken opeens vochtig en Vicki had bijna medelijden met hem.

'Ik ben uw vijand niet, chef.'

'Natuurlijk wel, je gaat me aangeven!'

'Ik moet u aangeven als u het zelf niet doet.'

'Jij en Malloy! Jullie maken mijn carrière kapot, mijn leven!' Bales stem schoot omhoog en hij werd paniekerig, wanhopig. 'Willen jullie mijn leven kapotmaken? Het leven van mijn kinderen? Is dat wat je wilt?'

'Nee, maar...'

'Ik geef mezelf niet aan, Vick. Dat kan ik niet. Ik weet dat ik verkeerd zat, maar dat kan ik niet. Sorry.' Plotseling liet Bale zijn hand in zijn jas glijden en haalde hij er een donkere Beretta uit. Zijn gekwelde ogen keken over het wapen Vicki aan en ze zag aan zijn tranen wat hij van plan was. Ze had eerder een geladen wapen gezien en deze kogel was niet voor haar bedoeld.

'Chef, nee!' riep Vicki. Ze dook op Bales pols af toen hij het wapen op zichzelf wilde richten.

*Krak!* De Beretta ging af en Bale viel naar achteren, uit zijn evenwicht. Ze vielen allebei hard achterover op de besneeuwde stoep en het wapen vloog uit Bales open hand.

'Chéf!' schreeuwde Vicki, doodsbang dat Bale geraakt was. Maar achter haar lag de etalageruit van de juwelier aan diggelen. Vervolgens ging er een oorverdovend inbraakalarm in de stille nacht af.

'Nee!' kreunde Bale. Hij lag stil op de grond en begon te snikken. Vicki hield hem dicht tegen zich aan toen ze vanuit de ingang van Angelo's iemand hoorde roepen.

'Víck! Víck!' Het was Dan. Ze hoorde nog iemand anders roepen, en nog iemand dichterbij. De politie en assistent-openbaar aanklagers kwamen op hen af gerend. Ze zouden Bale, die nog steeds schokkend van het snikken op de grond lag, arresteren en hem afvoeren.

Vicki kon ook wel janken, maar ze kon zich nog niet overgeven aan haar emoties.

*Reheema.*

# 49

Vicki en Dan zaten samen in de wachtkamer van de Spoedeisende Hulp van het ziekenhuis, die er verlaten bij lag, op een echtpaar na dat een arts wilde spreken over de griep. Er schenen felle tl-lampen in de zogenaamd rustgevende ruimte met pastelblauwe muren, hotelachtige kleuren en roze folders over welzijn en het belang van een vezelrijk dieet. Kranten en tijdschriften met gekrulde randen lagen als periodieke stapels op de houten salontafel en uit een zak in de prullenbak kwam de lucht van patat van McDonald's. Een oude tv in de hoek stond zachtjes aan, maar Vicki kon het niet aan om naar de beelden van haar cabrio te kijken met Reheema's bloed op het portier. Ze had een bericht voor haar ouders ingesproken zodat die niet door het lint zouden gaan als ze het op tv zagen.

Ze legde haar hoofd op Dans schouder, maar moest de hele tijd aan Reheema denken die na drie uur nog altijd op de operatiekamer lag. Vicki dacht dat ze gek werd zonder informatie over haar toestand; de artsen waren met haar bezig en de verpleegkundigen en ander personeel hadden het druk. Ze had alle tranen die ze kon huilen al gehuild en ze zat stil, uitgeput, gespannen en schuldbewust in haar stoel in haar donsjas.

'Ik had bij haar moeten zijn, Dan.'

'Nee, dat kon niet. Je hebt alles gedaan wat je kon.'

Vicki gaf geen antwoord, maar dat zou ze nooit geloven. Ze had niet kunnen voorspellen waar deze lange weg haar zou brengen, maar nu ze aan het eind was, wilde ze er niet zijn. Niet als het Reheema haar leven zou kosten.

Onwillekeurig kwamen er beelden bij haar op aan wat er nog ging komen. De aanklacht tegen Bale. Zijn diepbedroefde vrouw en kinderen. Het OM en de ATF te schande gemaakt. Strauss en Saxon met microfoons voor hun neus om het publiek te herinneren aan de overweldigende meerderheid van hardwerkende, toegewijde assistent-openbaar aanklagers en agenten. Rechtszaken van de ten onrechte gevangengezette mensen die de federale overheid miljoenen dollars zou gaan kosten. Elke gewonnen cent zou verdiend zijn en toch zou het niemand heel kunnen maken. En een aantal van de vrijgelaten mensen zou zeker schuldig zijn bevonden als de overheid de kans had gehad om de zaak te bewijzen; nu zouden ze vrijgelaten worden, zelfs een vergoeding krijgen, zodat ze weer wapens konden kopen om verder te verhandelen.

'Als gerechtigheid goed is, waarom heb ik dan zo'n rotgevoel?' vroeg Vicki.

'Er zijn allerlei goede dingen die je een rotgevoel bezorgen.'

'Zoals?'

'Spijt, bijvoorbeeld. Ik was je uitgebreide excuses verschuldigd en ik heb je gezegd dat het me spijt. Ik zat over de hele linie fout en jij had gelijk.' Dan glimlachte vermoeid. Hij had nog steeds zijn North Face-jas aan. 'Je weet toch dat ik van je hou?'

'Ik hou ook van jou.' Vicki mocht de nieuwe toon in zijn stem wel, maar ze hadden geen van beiden zin om te kussen. 'En wanneer ga je me dumpen?'

'Als ik nog een paar keer met je naar bed ben geweest.'

'Hé!' Vicki gaf hem een duw. Dan lachte zachtjes en stak in verdediging zijn handen op.

'Hou op. Ik ben niet van plan om je te dumpen.'

'En ons werk?'

'Dat kunnen we wel aan.'

'En wat de mensen zullen zeggen?'

'Als ze moeilijk doen, dan kunnen ze mijn Ierse rug op.' Dan glimlachte. 'Het spijt me dat ik zei dat je moest kiezen. Dat was stom van me.'

'Het spijt me dat ik zei dat bij jou alles om politiek draait.'

'Het is waar. Althans, dat was zo.'

'Ik kan het niet geloven van Morty,' zei Vicki vol afkeer. 'Hij was zo'n bedrieger. Een leugenaar. Zijn hele leven was nep.'

'Je bent gewoon boos.'

'Reken maar. Moet je kijken wat hij heeft gedaan.'

'We zien Morty anders, jij en ik.'

Vicki fronste haar wenkbrauwen. 'Sinds wanneer praat jij zoals Dr. Phil?'

'Sinds een uurtje, toen mijn vriendin bijna omkwam en mijn carrière op zijn kop kwam te staan. Dat zet je wel aan het denken.'

'Hoe zie je hem dan?'

'Dat zal ik zeggen, als je echt wilt luisteren.' Dans glimlach verdween en hij keek recht in Vicki's ogen. 'Het is iets wat ik van mijn vader en Zoe heb geleerd.'

'De kat?' Vicki glimlachte. 'Oké.'

'Zoals je weet is Zoe lief, slim en trouw. Ze heeft veel goede eigenschappen. En ze houdt van jou.'

'Ik ben haar huisbaas.'

'Dat doet er niet toe. Ze had een bloedhekel aan mijn ex.'

'Ik ook.'

Dan glimlachte. 'Maar wat ik wil zeggen... Ze is geweldig, maar ze is niet volmaakt. Ze heeft een hartruis.'

'Ja, en?'

'Toch hou ik van haar.'

'En?'

'Denk eens aan Morty. Hij was slim en toegewijd en kundig, maar er was iets mis met zijn hart. Net als bij Bale. Je bent boos omdat je denkt dat je niet meer van ze mag houden, zeker niet van Morty. Maar dat mag wel.' Dan knikte. 'Mijn vader hoort in dezelfde categorie thuis, maar toch hou ik van hem.'

'Heb je het hem vergeven?'

'Nee, maar ik hou van hem. Dat is een directe lijn.'

'Bestaat dat?' Vicki begreep het niet.

'Ja. Luister naar me. Ik ben ouder, ik ben langer en ik weet dat soort dingen.' Dan leunde opzij en streek een lok haar uit haar gezicht. 'Je bent op zoek naar de volmaakte man, schatje, en je vindt alleen mij en je vader.'

Vicki knipperde met haar ogen en plotseling klonk er geritsel op de drempel van de wachtkamer. Allebei draaiden ze zich om. Reheema's chirurg, een oudere man in een verfomfaaide blauwe operatiejas en een bolle, kleurige muts kwam jachtig binnen met een zorgelijke blik op zijn gezicht.

'Dokter?' zei Vicki geschrokken, en ze schoot overeind.

# 50

Tegen de vroege ochtend sneeuwde het eindelijk niet meer buiten het raam van de ziekenhuiskamer, waardoor de lucht saffierblauw was zoals het alleen in de koudste winters kan zijn, als hemelse beloning. Vicki zat in een stoel met een hoge rugleuning, terwijl Reheema sliep met een transparant groen zuurstofslangetje in haar neus, en haar haar zwart en pluizig op het dunne, witte kussen. Een dikke deken was tot aan haar kin opgetrokken waardoor de verbanden van haar operatie aan het zicht werden onttrokken. De arts had gezegd dat ze zou blijven leven, maar dat haar herstel langzaam zou gaan. Vicki had Dan naar huis gestuurd.

Na een tijd begon Reheema zich te bewegen en gingen haar grote ogen even open. Er spoelde een golf van opluchting door Vicki heen, terwijl ze opstond en naar het bed liep. Dat de dokter had gezegd dat ze zou blijven leven, was één ding. Zelf zien dat ze eindelijk wakker werd, was iets heel anders. Vicki ging voorzichtig op de rand van het bed zitten. Er was een spalk op de rug van haar hand geplakt waar het infuus de ader in ging; haar lange donkere vingers waren een beetje gebogen en er zat wat gedroogd bloed onder haar nagels.

Reheema deed haar ogen open en slaagde erin een zwakke glimlach op haar gezicht te toveren. 'Uit mijn buurt,' zei ze met hese stem. 'De laatste keer dat je zo dicht bij me zat… probeerde je me te wurgen.'

Vicki glimlachte. 'Dat was toen.'

'Toen?'

'Toen ik nog niet wist dat je me zou aanklagen.'

Reheema glimlachte opnieuw, maar niet lang. De geest wilde wel, maar het lichaam was zwak. Ze zag eruit alsof ze haar ogen amper kon openhouden, maar zolang ze open waren schitterden ze vol vuur. 'Ik zal die rechtszaak intrekken... als jij me goed behandelt.'

'Zeg, nu niet te brutaal, hè? Ik zit hier al de hele nacht en we hebben nog niet één keer ruziegemaakt.'

'Ik sliep.'

'Daar teken ik voor. Hoe voel je je?'

'Goed.'

'Gefeliciteerd. Je ligt niet meer op de IC.'

'Dom... om daar te lang te blijven. Ik voel me... prima.'

'O ja, je ziet er ook zo prima uit. Weet je, ik had met Dan gewed dat je het niet ging halen. Zodra je je ogen opendeed, was ik vijftig dollar kwijt.'

Reheema glimlachte opnieuw. 'Is Montgomery dood?'

'Ja.'

'Goed zo.'

Dat kon Vicki niet ontkennen. 'En Bale gaat de cel in. Ik zal je alle details vertellen als je je weer wat beter voelt.'

Reheema glimlachte voldaan.

'O, en trouwens, waar had je dat wapen vandaan?'

'Wat... dacht je?'

'Mijn bovenste la?'

'Je had het onder je slipjes verstopt... wat stout. Oeioeioei.' Reheema glimlachte weer en liet toen haar tong over haar droge lippen glijden. 'Yo, heb je wat water voor me?'

'Tuurlijk.' Vicki pakte de kunststof kan van het blad, schonk wat water in een bekertje en hield het bij Reheema's lippen. 'De arts zei al dat je wel dorst zou hebben na de operatie omdat ze een slang in je keel moesten stoppen. Ik vroeg nog of ik die slang niet in je keel mocht duwen, maar nee.'

'Het spijt me dat ik je auto geruïneerd heb.' Reheema nam een slokje water en liet zich toen weer in het kussen zakken.

'Geeft niet.' Vicki dacht aan het beeld van het met bloed besmeurde portier op het journaal. Ze wist niet zeker of ze de cabrio wel terug wilde, zelfs als ze hem schoon konden krijgen. 'Gelukkig heb ik nog een Intrepid.'

'De Intrepid is van mij.' Reheema liet zich verder op het kussen zakken. 'Jij krijgt de Sunbird.'

'Ik kan niet schakelen.'

'Dan is er iets... wat ik jóú kan leren, Harvard.'

'Dat had ik je ook wel kunnen vertellen,' zei Vicki, en ze glimlachte. Ze zette het bekertje op het nachtkastje en pakte Reheema's hand vast. Allebei deden ze of er niets gebeurde, totdat Reheema in slaap viel.

Pas toen sloot ze haar hand om die van Vicki.

# 51

Het was een middag in augustus en een oranjegele zon scheen op hoge cosmea met feloranje, chromaatgele en donkerrode bloemen. Daarnaast kwam een dikke rij zinnia's op in zachtroze en citroengele tinten met kopjes als pompons. De bijen vlogen van en naar de bloemen en vlogen er zoemend tussendoor. Een jonge moeder in een korte spijkerbroek en een rood Sixers T-shirt stond met een kleuter Suzanne-met-de-mooie-ogen te plukken met gele bloemblaadjes en een onwaarschijnlijk zwart hart. De lucht was vochtig als in een kas, maar hij rook zoet, grondig en schoon.

'Dit is waanzinnig!' zei Vicki verrukt.

'Leuk, hè?' Reheema straalde. Ze zag er ontspannen en gezond uit in een wit katoenen T-shirt en een kaki korte broek waar uit lange, gespierde benen staken. Er zat wat aarde op haar knieën en op de afgetrapte punten van haar witte Nikes, en alleen een enkele moeizame beweging liet zien dat het genezingsproces nog niet helemaal voltooid was.

'Héél leuk! Het is geweldig!'

'Wij zijn er ook trots op.' Reheema trok een gekruld bruin blad uit een bos tijgerlelies die een exotische achtergrond vormde voor een groep prachtige gouden bloemen die stuk voor stuk zonnige sterren leken.

'Wat zijn dat voor gele schatjes?' vroeg Vicki wijzend.

'Calliopsis.'

'Moet jij jezelf eens horen! Calliopsis! Vóél je de Calliopsis?'

‘Ik weet het. Een zwart meisje met groene vingers.’

Vicki schoot in de lach. ‘Maar geen tuinhandschoenen.’

‘Toe zeg. Ik ben niet gék.’

Vicki moest opnieuw lachen. Ze stonden bij de nieuwe buurttuin in Cater Street die was aangelegd op het verlaten perceel dat vroeger de crackwinkel was. De buurtbewoners hadden het terrein leeggehaald, verhoogde bloembedden gemaakt van spoorwegbielzen en in het rechterdeel een tuin aangelegd die bijna de hele dag zon kreeg. De linkerkant was ook leeg gemaakt, al lagen er nog geen bloembedden. Vicki vond het geweldig om de tuin eindelijk in bloei te zien; ze was er langsgegaan op weg naar Devon omdat het tijd was voor het verplichte zondagavondeten bij haar ouders.

‘En welk bloembed is nu van jou?’ vroeg ze.

‘Zo doen we het niet. De mensen die graag bloemen planten, zoals ik, geven ons op en dan planten we met zijn allen. We planten in mei en nu plukken we wat we willen.’

‘Goed, hoor.’

‘Ik heb natuurlijk de regels opgesteld.’

‘Natuurlijk. Jij bent het straathoofd.’

‘Ik ben de straatdiva,’ corrigeerde Reheema haar, en ze schoten allebei in de lach. ‘Mensen die groenten willen doen, melden zich aan voor de groenten. De moestuin ligt achter de bloembedden, daar.’

Vicki schermde haar ogen af voor de zon en keek naar de stenen muur in het achterste bed. Tomatenplanten stonden in keurige groene rijen met bruin draad opgebonden en een oudere vrouw in een mouwloze jurk en oranje slippers plukte rijpe vleestomaten. En rij rode en groene paprikaplanten stond vooraan, en op een deel met bemeste aarde lagen dikke harige stelen met grote, lichtgroene bladeren en gestreepte courgettes zo groot als honkbalknuppels.

‘Die courgettes zijn een dodelijk wapen,’ zei Vicki.

‘De trots van mevrouw Walters. Ze kweekt zoveel courgettes dat ze er elke dag brood mee maakt en dan chutney. Heb je wel eens courgettechutney geproefd?’ Reheema trok haar neus op. ‘Smerig.’

‘Wat een burgerlijke problemen heb je nu. En jij dacht dat het meeviel, rijk zijn?’

‘Ha! Zeg dat maar niet al te hard.’

Vicki lachte en Reheema ook bij dit absurde idee. In slechts twee seizoenen was de buurt aan een comeback begonnen. De buurtwacht patrouilleerde regelmatig en had zelden een tekort aan vrijwilligers. De buurtbewoners hadden hun huis een schilderbeurt gegeven, gevallen dakpannen vervangen en nieuw kunstgras op de veranda gelegd. Vuil werd in de vuilnisbak gedaan en slingerde niet meer overal op straat en de stoepen waren geveegd. Maar het mooiste was wel dat mensen zonder angst over straat liepen. Moeders zaten deze middag op hun stoepje en praatten met kleine meisjes die aan het touwtjespringen waren en jongetjes oefenden hun breakdancing op een grote uitgevouwen kartonnen doos. Het leerde Vicki dat gerechtigheid niet het einddoel is, hoe hard er ook voor is gevochten. In plaats daarvan was het een begin, stelde het mensen in staat om veilig, gelukkig en vrij te zijn. De rest was aan hen.

Reheema hield haar hoofd schuin. 'Hoe is het op je werk?'

'Veel te druk. Steptoe werkt mee en Bale heeft bekend, dus dat betekent een vracht aan nieuwe zaken.'

'Maar je geniet,' zei Reheema, en Vicki knikte vrolijk.

'En je krijgt de groeten van Dan. Hoe is het met jou? Heb je die baan als coach nog gekregen?'

'Ja, bij uitwedstrijden, een leuke groep meisjes.' Reheema glimlachte breeduit. 'Nu werk ik doordeweeks bij de gemeente en in het weekend als atletiekcoach.'

'Doe je het wel rustig aan, met dat hardlopen zo snel?'

'Dat gaat prima.' Reheema wuifde haar bezorgdheid weg.

*Ring! Ring!* Vicki's mobiele telefoon in de zak van haar korte broek ging. Ze haalde hem eruit en keek op het schermpje. MAMA MOBIEL, stond er. 'Sorry, die moet ik even opnemen.' Ze klapte de telefoon open en zei: 'Hoi, mam. Gaat het eten nog door vanavond?'

'Ja, natuurlijk.'

'Wat is er?'

'We hebben de plannen wat omgegooid. We zijn er.'

'Wat? Waar?'

'Je vader en ik. We staan voor het oude huis van je vader geparkeerd.'

'Jij en papa? Jullie zijn híér?' Er stond een blik van afschuw in Vicki's ogen en Reheema onderdrukte een lachje.

'Ja, lieverd. Je had een berichtje ingesproken dat je langs een buurttuin in Devil's Corner zou gaan voordat je naar huis zou komen, dus dachten we: waarom maken we niet een ritje die kant op en ontmoeten we je daar? Waar ben je precies?'

*Help.* 'Blijf daar maar. Dan kom ik naar jullie toe.'

# 52

'Mama, papa, wat leuk om jullie te zien,' zei Vicki, terwijl ze naar haar ouders toe liep.

'Is dit niet leuk, lieverd?' Haar moeder kwam met een glimlach op haar af. Ze droeg een chique witte capri, een turkooizen vestje en bruine mocassins.

'Heel leuk.' Vicki omhelsde haar geurende moeder, wier sluike haar en huid koel aanvoelden door de airconditioning in de auto. Haar vader stond met zijn handen in zijn zij op de stoep en keek fronsend naar zijn oude huis. Hij droeg een wit Lacoste shirt en een kaki broek en hij hing beschermend bij de bumper van hun zilvergrijze Mercedes. De sedan glom als een vliegende schotel en de Allegretti's leken hier net zo op hun plek als buitenaardse wezens of advocaten.

'Ik wilde de buurttuin zien,' zei haar moeder, terwijl ze om zich heen keek. Twee kleine meisjes met stugge vlechtjes staarden hen aan toen ze op hun fietsje voorbijreden.

'Het is hier om de hoek in Cater Street. Ik was er net met Reheema.'

'O, je vriendin? Die wil ik graag ontmoeten. Is het ver?'

'Niet echt.'

'Heel goed, dan ga ik een wandelingetje maken. Goede lichaamsbeweging.'

NEE! LAAT ME HIER NIET ALLEEN MET DIE MAN! 'Mama, als je nou even wacht, dan kunnen we zo samen gaan.'

'Maar je vader wil zijn oude huis bekijken.'

'Hij wil Reheema vast ook zien.'

'Dan komt dat straks wel. Nu wil hij zijn huis bekijken. Dit ritje was zijn idee. Praat met hem, bekijk het huis met hem en kom dan naar de buurttuin.' Haar moeder gaf haar een discreet duwtje in de richting van haar vader. Vicki had geladen Glocks met meer enthousiasme in de loop gestaard.

'Mama...'

'Schiet op!' Haar moeder draaide zich op haar peperdure hakjes om en liep weg.

'Het is aan je linkerhand halverwege de straat,' riep Vicki haar nog na, en haar moeder zwaaide, maar kwam niet terug.

'Waar gaat je moeder naartoe?' vroeg haar vader, en hij liep op haar af. Hij leek al net zo verloren als Vicki, alsof ze twee jonge vogeltjes waren.

ZE HEEFT ONS ALLEEN GELATEN! 'Naar de buurttuin.'

'Waar is dat? Ik dacht dat het in Lincoln Street was.'

'Nee, in Cater. Net om de hoek.' Vicki was er zo aan gewend geraakt de lucht met woorden te vullen, dat ze het automatisch deed. 'We halen haar zo wel in. Erg snel kan ze niet zijn te voet.'

'Ze is een fantastische tuinierster.' Haar vader bleef zijn wenkbrauwen fronsen, maar misschien kwam het door de zon in zijn ogen. 'Ze heeft het al de hele week over die tuin. Dit ritje was haar idee.'

*Goh.* 'Mama zei dat je graag je oude huis vanbinnen wilt zien.'

'Nee.'

*Nee?* 'Het kan wel.' Vicki gebaarde naar de voordeur die gerepareerd was. 'Er woont een ander gezin, dat vertelde Reheema me. We kunnen gewoon aankloppen en het vragen, ze laten ons vast binnen. Iedereen kent Reheema.'

'Nee, het was mijn vaders huis, niet het mijne. Ik heb hier geen fijne herinneringen aan. Kom, dan gaan we je moeder opzoeken.'

*Ai.* 'Oké.'

Haar vader liep naar de Mercedes.

'Je vindt nooit een parkeerplek in Cater, papa.'

Hij draaide zich om. 'Ik kan hem niet hier laten.'

'Jawel, dat kan wel. Het is veilig.'

'Het is een S-klasse.'

Vicki glimlachte. 'Het is wel goed.'

'Als jij me schadeloosstelt.'

'Tot een hoogte van zevenendertig dollar.'

Haar vader pakte zijn autosleutels en drukte met een piep de auto op slot. Twee keer. Vicki draaide zich om en samen liepen ze de hoek om waar haar vader bleef staan en de stenen muur bekeek. 'Grappig. Ik speelde hier vroeger slagbal tegen deze muur met een bezem en een pukkelbal.'

'Een pukkelbal?'

'Dat was een witrubberen bal met kleine puntjes erop. Een pukkelbal. Dat konden we uren spelen, met een halve bal.'

'Waarom een halve bal?'

'Als de bal stuk was, gooiden we hem niet weg. We waren te arm om iets weg te gooien. Dan sneden we hem in tweeën.' Haar vader liet zijn vingers over de zachte stenen van de muur glijden waardoor er vuil aan zijn vingers kwam, wat hij verrassend genoeg niet erg leek te vinden. 'We hielden op de muur de stand bij.'

'Klinkt leuk.'

'Dat was het ook.' Haar vader liep verder. 'Ik speelde met de kinderen uit de buurt. Mimmy. Eekhoorn. Lips. Tommy G.'

Vicki keek weer opzij en haar vader glimlachte.

'Bijnamen,' zei hij overbodig.

'Je vrienden.'

'Ja. In Lincoln Street speelden we niet zoveel vanwege het verkeer.' Ze sloegen Cater in en liepen twee deuren verder, waar hij voor een rijtjeshuis wat langzamer ging lopen. Een zwarte man stond op een metalen ladder en hing nieuwe rode luiken voor het raam. Voor het huis bleef haar vader staan. 'Mijn vriend Lips woonde hier. Leon DiGiacomo. We dobbelden vroeger voor zijn huis.'

'Dat was verboden.'

'Vertel mij wat. Ik ben er nog een keer voor opgepakt door de politie.'

'Jíj?'

'Ja, ik,' zei haar vader bijna trots. 'Ze pakten ons allemaal op voor wat zij' – hij dacht even na en hield zijn hoofd schuin – '"gokken aan de openbare weg" noemden, dat was het. Zeker een oude verordening. Ze namen ons mee naar het bureau en daar moesten we verplicht kaartjes kopen voor een show.'

'Wat voor show?'

'Een soort circus. Georganiseerd door het politiefonds, volgens mij. Met motorstunts en dansende beren.' Haar vader moest lachen en de verbaasde Vicki ook. Ze had hem nooit eerder over zijn jeugd horen praten en nu leek hij niet meer te stuiten. Hij liep weer verder en wees naar de andere kant van de smalle straat. 'En daar deden we kaartspelletjes, en daarginds basketbalden we. We hadden een vuilnisbak als basket aan de telefoonpaal gespijkerd.' Mijmerend liep hij verder met de zon op zijn hoofd en schouders. 'Ik speelde altijd buiten. Wij allemaal.'

'Zo te horen heb je toch wel goede herinneringen.'

'Nee.' Haar vader verstijfde plotseling. 'Je kunt nooit teruggaan, Victoria.'

'Ik weet dat mensen dat zeggen, maar daar ben ik het niet mee eens. Ik denk dat je nooit echt weggaat.'

'Hoe bedoel je?'

'Ik heb Devon in me zitten, papa. Devon zit in me, waar ik ook naartoe ga. Sommige mensen zijn puur Zuid-Philadelphia en een New Yorker blijft altijd een New Yorker.' Vicki had nog nooit hardop gedacht waar haar vader bij was, maar ze hield niet op. Ze wilde zichzelf niet langer inhouden, ook niet waar hij bij was. 'Denk maar eens na, papa. Je hebt Jersey-meisjes en Valley-meisjes. Je hebt Texanen en mensen die typisch uit Chicago of San Francisco of Boston komen. En Reheema is zo West-Philadelphia als maar kan. Als je haar zo ziet, snap je precies wat ik bedoel. Ze is geweldig.'

Haar vader fronste zijn wenkbrauwen, maar misschien had hij de zon weer in zijn ogen. Misschien scheen de zon altijd in zijn ogen, zelfs binnen. Ooit zou hij zich realiseren dat daar therapie voor bestaat, maar Vicki was niet van plan hem dat te vertellen.

Ze kwamen bij de tuin aan waar haar moeder met Reheema stond te praten. Er waren nog meer buurtbewoners hard aan het werk. Ze stonden de paprikabedden te wieden, bonden de tomaten opnieuw op en plukten cosmea voor op tafel. Vicki stelde Reheema aan haar vader voor, die haar stijfjes een hand gaf.

'Dus dit is de buurttuin,' zei hij, en hij keek om zich heen. 'Erg mooi.' Zijn blik viel op het onbewerkte stuk links in de schaduw. 'Wat ga je daar planten?'

Vicki kromp ineen. Hij zag ook altijd alleen maar het negatieve. Als ze vroeger met vier achten en een zeven thuiskwam, wilde hij weten waarom ze maar een zeven had.

'Daar gaan we niets planten,' antwoordde Reheema. 'We hebben met z'n allen besloten om er iets voor de kleintjes neer te zetten. Zo'n mooi houten speelrek met houtsnippers eronder, zodat ze zich niet bezeren als ze vallen.'

'Wanneer gaat dat gebeuren?'

'Zodra we het geld hebben. Die houten rekken kosten wel iets van tweeduizend dollar. De buurt is blut na de tuinaarde en de bielzen, maar we komen er wel.' Reheema knikte. 'Weet u, deze tuin zou er nooit zijn gekomen zonder uw dochter, meneer Allegretti. Ik vertelde net aan uw vrouw dat Vicki degene is die hier de crackdealers weg heeft gekregen.'

'Toe,' zei Vicki, die bloosde, maar Reheema negeerde haar.

'Vicki heeft deze straat gered, deze hele buurt. Zij verdient alle lof.'

Haar moeder glimlachte gespannen. 'We waren zo bezorgd om haar, we beseften niet wat een goed werk ze deed. Misschien maakten we ons wat te veel zorgen.'

'O nee, u móét u ook zorgen maken!' Reheema lachte. 'Als ze mijn dochter was, zou ik vréselijk bezorgd zijn! U wilt niet weten in wat voor situaties we allemaal terecht zijn gekomen. De kranten hebben de helft maar geschreven. Ze is een vechtster, uw dochter!'

*O, jee.*

'Dat heeft ze van mij,' zei haar moeder, en haar glimlach ontspande zich. Verrast moest Vicki lachen.

Maar haar vader reageerde niet en bleef naar de tuin kijken. Reheema wist kennelijk niet meer wat ze moest zeggen en stond, voor haar doen ongebruikelijk, met haar mond vol tanden. Het moment was zo pijnlijk dat Vicki de stilte doorbrak.

'Dank je wel voor de rondleiding,' zei ze. 'We moeten gaan. Gefeliciteerd met de tuin.'

'Dank je, het beste.'

'Ja, gefeliciteerd,' zei haar moeder, en ze omhelsde Reheema even. Daarna sloeg ze een arm om Vicki heen en samen liepen ze naar de stoep.

Haar vader ging niet mee, maar bleef bij de ingang van de tuin dralen.

'Lieverd?' vroeg haar moeder, en Vicki draaide zich om.

'Ik kom zo,' zei haar vader zacht, waarna hij naar Reheema keek. 'Ik zou graag willen helpen met de speelplaats.'
'Hoe bedoelt u?' zei Reheema, en Vicki wist het ook niet.
'Ik wil je graag een cheque sturen voor de speelplaats. Drieduizend dollar voor het klimrek en de houtsnippers. Als je meer nodig hebt, moet je het me maar laten weten.'
'Dat hoeft u toch niet te doen, meneer Allegretti,' zei Reheema met een verwarde glimlach. 'U bent niet verantwoordelijk voor de tuin. U woont hier niet eens.'
'Ik heb hier vroeger wel gewoond en Victoria heeft gelijk, een deel van mij zal altijd van hier zijn.'
Wauw, dacht Vicki verbijsterd. Ze zou hem zo kunnen omhelzen, maar ze wist niet zeker of hij zijn pillen had geslikt.
'Nou. Oké.' Er brak een brede grijns op Reheema's gezicht door. 'Hartelijk dank, meneer Allegretti, namens de hele buurt.'
'Graag gedaan,' zei haar vader, en hij wendde zich met een glimlach tot Vicki. 'Kom op, Devon. Ik ga met mijn meiden uit eten.'
'Doen we,' zei Vicki aangenaam verrast, en met zijn drieën liepen ze door Cater Street.
'Dat was een prachtig gebaar, Victor,' fluisterde haar moeder. Ze pakte zijn hand beet en hij gaf haar een snelle zoen op de wang.
Vicki voelde zich helemaal vrolijk worden, terwijl ze achter hen liep. Misschien had Dan die avond in het ziekenhuis gelijk gehad. Misschien moest ze haar vader gewoon nemen zoals hij was. En bij elke gelegenheid hardop denken. Zoals nu: 'Papa, ik kan er niet over uit. Je zei dat ik gelijk had. In het bijzijn van getuigen.'
Haar vader draaide zich om en glimlachte. 'Ik zal er geen gewoonte van maken.'
'Dat hoop ik niet.' Toen bedacht Vicki iets. 'Zeg, nu we allemaal zo lief voor elkaar zijn, kunnen we bij een Olive Garden gaan eten?'
'Nee,' antwoordden haar ouders in koor.
En Vicki lachte.

# Een aantekening van de auteur en dankwoord

Ik weet niet wat andere schrijvers doen om zich te ontspannen, maar ik eet verzadigde vetten, rij pony en volg rechtszaken bij de rechtbank, waarbij ik in een vorig leven als advocaat werkte. Nog niet zo lang geleden liep ik de rechtbank binnen en kwam ik bij een juryrechtszaak terecht over crackhandel tegen leden van een van de meest gewelddadige bendes in de geschiedenis van Philadelphia. Ik had nog maar vijf minuten naar de getuigenverklaringen geluisterd toen er ideeën en personages in mijn gedachten kwamen en ik wist dat ik een boek had. Sterker nog, ik werd de volgende ochtend wakker met de eerste regel van *Devil's Corner*. Dat is me nog nooit overkomen en ik hoop dat het vaker gaat gebeuren. En keer per jaar, de komende tien jaar.

Het was de zaak *Verenigde Staten vs. Williams* en hij vormde een deel van een veel grotere gerechtelijke vervolging *Verenigde Staten vs. Carter, et al.* De tenlastelegging bestaande uit 135 aanklachten in *Verenigde Staten vs. Carter, et al* is bijna zo dik als dit boek en er staan zesendertig gedaagden in vermeld die onder andere worden aangeklaagd wegens de distributie van crack, het gebruik van vuurwapens tijdens het begaan van een drugsmisdrijf en kinderen aanzetten tot distributie van drugs in de buurt van scholen en speelterreinen. De daaropvolgende weken gedurende de rechtszaak kreeg ik een ontnuchterende les in misdaad en gerechtigheid in een grote Amerikaanse stad die toevallig mijn stad is.

Misschien kun je je nog herinneren dat de handel in crack eind jaren tachtig zijn hoogtepunt bereikte, toen het meer aandacht van de media kreeg dan een drug verdient. Maar nu het spotlicht is gedoofd, is het weer net als voorheen, en helaas heeft het zich in Amerikaanse grote steden op een zeer hoog niveau gestabiliseerd en is het een vast gebeuren in het stadslandschap geworden, gepaard gaande met een aanhoudende hoeveelheid misdaad en geweld waarbij buurten en families kapot gerukt worden. De Office of National Drug Control, een overheidsinstantie tegen het gebruik van drugs, houdt toezicht op de handel in crack en het effect hiervan op vijfentwintig grote Amerikaanse steden: Atlanta, Baltimore, Boston, Chicago, Cincinnati, Cleveland, Dallas, Denver, Detroit, Houston, Los Angeles, Miami, Minneapolis/St. Paul, New York, Philadelphia, Phoenix, Pittsburgh, Portland, Sacramento, St. Louis, San Diego, San Francisco, Seattle, Tampa/St. Petersburg en Washington D.C.. Volgens het meest recente onderzoek van januari 2004 raken voormalige 'nette' buurten in deze steden nu ook geïnfecteerd door crack en de handel in crack, en verspreidt het zich onvermijdelijk vanuit het stadscentrum naar de buitenwijken. Crack wordt ook steeds vaker verhandeld voor wapens, gestolen goederen, drugsaccessoires en seks dan in de afgelopen tien jaar, hoewel geld een constante is. De gevolgen voor de kwaliteit van leven, en dood, zijn sterk en ze raken het hele land.

Ik wilde deze onderwerpen in *Devil's Corner* aan de orde brengen en ik heb veel experts om advies gevraagd, van wie de meesten iets te maken hadden met de *Verenigde Staten vs. Williams*, om het verhaal zo waarheidsgetrouw mogelijk te maken. Uiteraard zijn fouten en verkeerde interpretaties mijn verantwoordelijkheid. De vervolging in de zaak *Verenigde Staten vs. Williams* werd geleid door de ervaren, kundige en erg aardige Rich Lloret van het Openbaar Ministerie, in samenwerking met zijn collega assistent-openbaar aanklager Kathy Stark en bijzonder toegewijde agenten van het Bureau of Alcohol, Tobacco, Firearms & Explosives, onder wie speciaal agent Anthony Tropea, speciaal agent Steve Martholomew en toevalligerwijs speciaal agent Mike Morrone, wiens vrouw, Marcelle, een oude vriendin van mij is. Ik moet iets duidelijk maken voordat ik verderga: ik heb bewondering voor deze mensen, niet alleen om hun intelligentie en kundigheid, maar om hun toewijding en hetgeen ze voor de samenleving doen. Ik vind dat we niet genoeg weten over het fantastische werk dat ze doen en over de vele offers die ze voor ons allemaal brengen. Maar zij zijn op geen enkele wijze de personages in dit boek en dit verhaal is niet gebaseerd op *Verenigde Staten vs. Williams* of *Verenigde Staten vs. Carter, et al.* Een werkelijk originele roman kopieert geen rechtszaken en wordt niet in de krantenkoppen van vandaag gevormd. Fictie die het lezen (of schrijven) waard is ontstaat in de verbeelding en in het hart.

Niettemin wil ik iedereen die ik hierboven vermeld heb bedanken. Ze namen de tijd om mijn eindeloze vragen te beantwoorden en namen me mee op rondleidingen door hun kantoor. Ik dank in het bijzonder speciaal agent Mike Morrone, die me aanmoedigde, een ruwe versie van het manuscript las en correcties maakte. Evenzeer ben ik dank verschuldigd aan Nancy Beam Winter van het Openbaar Ministerie, een geniale en fantastische aanklaagster die maar liefst twee vroege versies van deze roman las. Ik sta bij je in het krijt, meid, en ik bewonder je meer dan ik kan zeggen.

Dank ook aan mijn oude vriendin Joan Markman van het Openbaar Ministerie, die me van meet af aan de juiste weg wees. Voor achtergrondinformatie over strafrechtelijke vervolgingen dank ik Joe Mancano, de door het hof aangewezen advocaat in *Verenigde Staten vs. Williams*, die al even vrijgevig was met zijn tijd en kundigheid om me te helpen, en ook aan David Nenner. Bijzondere dank gaat uit naar rechter Stewart Dalzell van het Eastern District of Pennsylvania, die een van de slimste, eerlijkste en beste rechtsgeleerden is die onze rechtbank, welke rechtbank dan ook, heeft. Zijn integriteit, geletterdheid en menselijkheid belichamen wat een rechter zou moeten zijn.

Nogmaals dank aan Glenn Gilman, pro-Deoadvocaat eerste klas, en Art Mee, rechercheur b.d. eerste klas.

Mijn dank gaat ook uit naar een andere bijzondere groep. Zoals het mijn gewoonte is, zijn de namen van de personages in dit boek bij opbod verkocht aan fantastische mensen die daarmee een aantal waardige doelen steunen. Die vrijgevige mensen wil ik hier bedanken; allereerst de familie Durham, die bijdroeg aan de Literacy Council in Miami Valley, Ohio, ter ere van hun geliefde moeder, Marilyn Durham. Marilyn was een boekenliefhebster en een van mijn toegewijde lezeressen, maar helaas overleed ze voordat ze haar naam hier op papier kon zien. Ik denk vaak aan Marilyn en haar dochters en dit boek is ter nagedachtenis aan haar.

Dank aan Ben en Illy Strauss voor hun gulle bijdrage aan de campagne Key to the Cure ten bate van borstkankeronderzoek, aan Susan Schwartz voor haar bijdrage aan de Free Library in Philadelphia, Gail Graves en Lynne Graves Stephenson (voor hun donatie aan Chester County Library), Maureen Thompson (voor haar donatie aan Montgomery County Community College), Debbie Hodill (voor haar donatie aan het Carrie Martin Fund), Janet en Harry Knowles van Meteorological Instruments, Inc. (voor hun donatie aan Goodwill Industries in South Jersey) en Karan Abdalla-Oliver (voor haar donatie aan Riddle Memorial Hospital). Aan Lee Ann en David Donato, Phyllis Banks, de lieve Mama Jean Brightcliffe voor hun verschillende bijdragen, en aan Barbara Pizer voor haar vele pogingen om een geneesmiddel tegen borstkanker te vinden.

Dank aan de fantastische en hardwerkende boekverkopers zoals mijn vrienden uit de buurt Joe Drabyak, Kelly Gartner en Kathy Siciliano, om er maar een paar te noemen, voor hun blijvende steun aan mij en mijn boeken; ik vind jullie vriendschap en trouw geweldig en ben jullie eeuwig dankbaar. Joe leest mijn eerste manuscripten altijd en daar dank ik hem voor. En mijn lezers geef ik natuurlijk een enorme knuffel. Ik denk bij elke regel aan jullie.

Dank aan HarperCollins Publishers, die al twaalf boeken mijn thuis is, en bijzondere dank aan de geniale Jane Friedman, Brian Murray, Michael Morrison, Susan Weinberg en Carrie Kania voor al hun steun en hun geweldige inzet. Dank aan Christine Boyd en Ana Maria Alessi en aan de geweldige, hardwerkende en bloedmooie Marie Elena Martinez. *Last*, maar zeker niet *least*, een enorme omhelzing voor mijn dierbare vriendin Carolyn Marino die al vanaf mijn eerste boek mijn redactrice is. En dank aan Jennifer Civiletto, die Carolyn én mij op het rechte pad houdt.

Nog een dikke knuffel voor Molly Friedrich, Aaron Priest en Paul Cirone, die me al zoveel jaar begeleiden. En voor Laura Leonard zonder wie niets mogelijk is.

En voor mijn fantastische kind, en dat is nou juist wanneer woorden tekortschieten.